Perry

WITHDRAWN

DATE DUE

APR 1 9 2008			

GAYLORD

D1022043

ANNE PERRY

Las raíces del mal

punto de lectura

Título: Las raíces del mal
Título original: *The Twisted Root*
Traducción: Borja Folch
© 1999 by Anne Perry
© Ediciones B, S.A.
© De esta edición: noviembre 2002, Suma de Letras, S.L.
Barquillo, 21. 28004 Madrid (España) www.puntodelectura.com

ISBN: 84-663-0883-0
Depósito legal: M-38.924-2002
Impreso en España – Printed in Spain

Fotografía de cubierta: Photonica
Diseño de colección: Ignacio Ballesteros

Impreso por Mateu Cromo, S.A.

ANNE PERRY

Las raíces del mal

Traducción de Borja Folch

A June Anderson,
por su inquebrantable amistad

1

Un joven de veintitantos años estaba de pie en el umbral, con el semblante pálido y asiendo con fuerza un sombrero que hacía girar entre las manos.

—¿El señor William Monk, investigador privado? —preguntó.

—El mismo —saludó Monk, poniéndose de pie—. Adelante, caballero. ¿En qué puedo servirle?

—Lucius Stourbridge.

Entró en la habitación con la mano tendida. Ni siquiera echó un vistazo a los confortables sillones o al cuenco de flores secas que perfumaban el ambiente. Unos y otro habían sido idea de Hester. Monk estaba la mar de satisfecho con el aire espartano y funcional que tenían antes sus aposentos.

—¿En qué puedo ayudarle, señor Stourbridge? —preguntó Monk, indicando uno de los sillones.

Lucius Stourbridge se sentó incómodo en el borde del asiento, con aspecto de hacerlo porque se lo habían pedido más que por deseo propio. Mantenía la mirada fija en Monk y sus ojos reflejaban sufrimiento.

—Estoy prometido en matrimonio, señor Monk —comenzó—. Mi futura esposa es la persona más encantadora, generosa y noble que uno podría encontrar. —Bajó la vista y volvió a subirla aprisa hacia Monk. La sombra de una sonrisa cruzó su semblante y se desvaneció—. Soy consciente de que mi opinión es muy parcial, y debo de parecerle ingenuo, pero constatará que los demás también la tienen en gran estima y que mis padres sienten un sincero afecto por ella.

—No dudo de su palabra, señor Stourbridge —le aseguró Monk, aunque comenzaba a incomodarlo lo que aquel muchacho iba a pedirle.

Hasta cuando con más urgencia necesitaba trabajo, sólo aceptaba los casos matrimoniales a regañadientes. Y, puesto que acababa de regresar de una extravagante luna de miel de tres semanas en las Highlands de Escocia, parecía estar convirtiéndose rápidamente éste en uno de esos momentos de urgencia. Tenía un acuerdo con su protectora y amiga, lady Callandra Daviot, según el cual, a cambio de informarla sobre sus casos más interesantes y, cuando así lo deseara ella, contar con su participación en los procedimientos cotidianos, la mujer lo proveería de fondos, al menos en la medida necesaria para garantizarle una digna supervivencia. Ahora bien, nada más lejos de la intención de Monk que aprovecharse de esa generosidad si no era estrictamente necesario.

—¿Qué es lo que le preocupa, señor Stourbridge?

Lucius se mostró terriblemente desdichado.

—Miriam, la señora Gardiner, ha desaparecido.

Monk se quedó desconcertado.

—¿La señora Gardiner?

El joven se revolvió con impaciencia.

—La señora Gardiner es viuda. Es... —Titubeó, con una mezcla de irritación e incomodidad—. Es unos pocos años mayor que yo, aunque eso no tiene la menor importancia.

Que una joven rehuyera su compromiso era un asunto puramente privado. Si no había ningún delito de por medio y ninguna razón para suponer enfermedad, que regresara o no era sólo decisión suya. Monk no se habría envuelto de ordinario en algo así. Sin embargo, su propia felicidad era tan intensa que sintió una nada característica compasión por el angustiado muchacho que estaba sentado frente a él, a todas luces desesperado.

Monk no recordaba haber sentido jamás que el mundo fuese un lugar tan sumamente justo. Por supuesto, corría el verano de 1860 y él no guardaba ningún recuerdo, salvo imágenes aisladas, de cuanto sucedió antes del accidente de carruaje de 1856, del que despertó en el hospital con la mente completamente en blanco. Aun así, estaba más allá de su capacidad el imaginar un bienestar tan completo como el que ahora lo llenaba.

Después de que Hester aceptara su propuesta de matrimonio, se mostró alternativamente tan eufórico como acosado por recelos sobre si tal paso iría a destruir para siempre la confianza sin igual que habían construido entre ambos. Quizá su única relación satisfactoria consistiera en ser amigos, colegas en una enconada persecución de la justicia. Se pasó muchas noches en blanco, paralizado por el miedo a perder algo que le parecía tanto más valioso cuanto más pensaba que lo iba a perder.

Ahora bien, el caso era que todos los temores se desvanecieron como las sombras tras la salida del sol sobre las extensas colinas por las que habían paseado juntos. Pese a haber descubierto en ella tanta calidez y pasión como cabía desear, seguía mostrándose perfectamente dispuesta y capaz de discutir con él como siempre, de ser perversa, de burlarse de él y también de cometer estúpidas equivocaciones. No había cambiado gran cosa, salvo que ahora compartían una intimidad física de una dulzura como nunca hubiese soñado, y tanto más profunda por lo mucho que había tardado en descubrirlo.

De modo que no se libró de Lucius Stourbridge tal como le dictaba su instinto.

—Quizá sería mejor que me contara exactamente lo sucedido —le pidió con amabilidad.

Lucius tomó una bocanada de aire.

—Sí. —Hizo un esfuerzo deliberado por calmarse—. Sí, por supuesto. Naturalmente. Lo siento, me parece que estoy siendo un poco incoherente. Todo esto ha sido un golpe para mí... muy duro. No sé qué pensar.

Aquello era más que aparente, y Monk tuvo que morderse la lengua para no mencionarlo. No acostumbraba a ser tolerante por naturaleza.

—Podría empezar por decirme cuándo vio a la señorita, perdón, a la señora Gardiner por última vez; así tendríamos un punto de partida —sugirió.

—Claro, claro —convino Lucius—. Vivimos en Cleveland Square, en Bayswater, bastante cerca de los Jardines de Kensington. Dábamos una pequeña fiesta para celebrar nuestra inminente boda. Hacía un día espléndido y jugábamos un partido de croquet cuando de súbito, y sin motivo aparente, Miriam, o sea, la señora Gardiner, se angustió sobremanera y salió apresurada del jardín. Yo no la vi marcharse, o habría ido tras ella para averiguar si se encontraba mal o si podía ayudarla...

—¿Se encuentra mal con frecuencia? —preguntó Monk con curiosidad.

Los enfermos auténticos eran una cosa, pero con las jóvenes aquejadas de síncopes no tenía ninguna paciencia. Y si iba a ayudar a aquel desafortunado muchacho debía saber la verdad en la medida de lo posible.

—No —contestó Lucius bruscamente—. Goza de una salud excelente y su temperamento es ecuánime y sensato.

Monk se sorprendió ruborizándose un poco. Si alguien le hubiese insinuado que Hester era de las que se desmayaban habría señalado con aspereza que ella, irrefutablemente, tenía más agallas para enfrentarse a la lucha, o a un desastre, que ellos mismos. Lo había demostrado con creces como enfermera en los campos de batalla de Crimea.

Aunque no era preciso disculparse ante Lucius Stourbridge. La pregunta había sido necesaria.

—¿Quién la vio irse? —preguntó con toda calma.

—Mi tío, Aiden Campbell, que estaba alojado en casa; de hecho, aún lo está. Y creo que también mi madre, y uno o dos criados, y otros invitados.

—¿Y estaba enferma?

—No lo sé. ¡Ésa es la cuestión, señor Monk! Nadie ha vuelto a verla desde entonces. Y eso pasó hace tres días.

—Y las personas que la vieron —continuó Monk con paciencia— ¿qué le han dicho? Seguramente no salió sola del jardín a la calle, sin dinero ni equipaje, para luego desaparecer.

—Oh... No —Lucius se corrigió—. El cochero, Treadwell, también ha desaparecido, y, por supuesto, uno de los carruajes.

—Entonces se diría que Treadwell la llevó a alguna parte —dedujo Monk—. Dado que abandonó el partido de croquet por su propio pie, cabe suponer que le pidió que la llevara. ¿Qué sabe acerca de Treadwell?

Lucius encogió levemente los hombros, aunque su rostro palideció aún más.

—Lleva tres o cuatro años con mi familia. Creo que nunca ha habido queja de él. Es pariente de la cocinera, sobrino o algo así. No estará pensando que pueda... ¿haberle hecho daño?

Monk no tenía ni idea, pero no venía a cuento causarle más pesar. El muchacho ya andaba bastante desesperado tal como estaban las cosas.

—Más bien pienso que se limitó a llevarla adonde ella le indicó —contestó, y entonces se dio cuenta de que su respuesta carecía de sentido. De haber sido así, Treadwell habría regresado en cuestión de horas—. Aunque al parecer tomó prestado un carruaje para su uso particular. —Otros pensamientos más oscuros acudieron a la mente de Monk, pero aún era demasiado pronto para hablar de ellos. Había muchas otras respuestas y más sencillas a las cotidianas, tragedias privadas que resultaban mucho más plausibles, siendo la más probable que Miriam Gardiner simplemente hubiese cambiado de parecer acerca de su matrimonio y le faltara el coraje para enfrentarse a Lucius y decírselo.

Lucius se inclinó hacia delante.

—Pero ¿cree que Miriam está a salvo, señor Monk? Si lo está, ¿por qué no se ha puesto en contacto conmigo? —Tenía la garganta tan tensa que las palabras se le estrangulaban—. He hecho cuanto se me ha ocurrido. He hablado con todos los amigos a quienes pudo haber acudido. Me he devanado los sesos buscando algo que yo hubiese dicho o hecho que pudiera inspirarle desconfianza y no he encontrado nada. Estábamos muy unidos, señor Monk. Estoy tan convencido de eso como de que la tierra es redonda. No sólo estábamos enamorados, sino que éramos grandes amigos. Podía hablarle de cualquier cosa y ella parecía comprenderme, de hecho compartía mis opiniones y gustos de tal modo que se convertía al mismo tiempo en el ser más fascinante y grato con quien pasar el rato. —Se sonrojó—. Igual todo esto le parece absurdo...

—No —se apresuró a decir Monk, quizá demasiado deprisa.

Había contestado con el corazón y no tenía costumbre de revelar tanto de sí mismo, menos aún a un cliente en potencia y con un caso que, en realidad, no quería y para el que le resultaba imposible vislumbrar una solución feliz.

Lucius Stourbridge lo miraba atenta y fijamente, con sus grandes ojos castaños profundamente preocupados.

—No —repitió Monk con menos énfasis—. Estoy seguro de que puede sentirse tal afinidad con un semejante. —Cambió pronto de tercio, pasando de las emociones a los hechos—: Quizá pueda contarme algo sobre su familia y las circunstancias de su encuentro con la señora Gardiner.

—Sí, sí, por supuesto. —Lucius parecía aliviado de tener algo concreto que hacer—. Mi padre es el comandante Harry Stourbridge. Ahora está retirado del ejército, pero sirvió con gran distinción en África, sobre todo en Egipto. Pasó mucho tiempo allí al principio de su carrera. De hecho, estaba allí cuando yo nací. —Un amago de sonrisa dulcificó su expresión—. Me gustaría viajar a Egipto alguna vez. Le he oído hablar de esa tierra con sumo entusiasmo. —Apartó esos pensamientos con remordimiento—. Nuestra familia procede de Yorkshire, de West Riding para más exactitud. Ahí es donde están nuestras tierras, todas vinculadas a la rama paterna, por supuesto, pero es una propiedad considerable. Vamos allí de vez en cuando, aunque mi madre prefiere pasar la temporada en la ciudad. Me atrevería a decir que como casi todo el mundo, sobre todo las mujeres.

—¿Tiene hermanos o hermanas? —interrumpió Monk.

—No. Lamentablemente, soy hijo único.

Monk se abstuvo de señalar que, siendo así, Lucius heredaría aquella vasta propiedad, aunque el rostro del muchacho hizo patente que también él había captado esa cuestión, pues apretó los labios con un leve rubor en las mejillas.

—Mi familia no tiene nada que objetar a mi matrimonio —declaró el joven, un tanto a la defensiva. Permanecía inmóvil en el asiento, mirando fijamente a Monk sin pestañear—. Mi padre y yo nos entendemos bien. Lo alegra mi felicidad y, además, a él también le gusta mucho Miriam, la señora Gardiner. No ve tacha en su carácter ni en su reputación. El hecho de que no posea una dote o una propiedad que aportar al matrimonio es irrelevante. Yo dispondré de más de lo necesario para cubrir nuestras necesidades y, para mí, las posesiones materiales no tienen importancia si se comparan con la perspectiva de pasar el resto de mi vida en compañía de una mujer valiente, virtuosa y con sentido del humor, y a la que amo más que a nada en este mundo. —La voz se le quebró un poco al pronunciar las últimas palabras, y el esfuerzo que tuvo que hacer para recobrar la compostura fue más que evidente.

Monk sintió la aflicción de aquel hombre con una crudeza que le habría resultado imposible imaginar siquiera unas pocas semanas antes. A pesar de su determinación por concentrarse enteramente en la situación que le exponía Lucius Stourbridge, su mente recreaba imágenes de Hester y él caminando juntos a lo largo de una playa desierta a la luz del atardecer, los colores brillantes en el cielo norteño, las lomas ensombrecidas de púrpura en la distancia y el aire lleno de resplandor. No necesitaban decirse nada, sabían que ambos veían la misma belleza y compartían el mismo deseo de preservarla, aun sabiendo que sería imposible. Y, sin embargo, el mero hecho de compartir aquello otorgaba al momento una especie de inmortalidad.

Había también otras ocasiones: risas ante las payasadas de un perro que perseguía una bolsa de papel empujada por el viento; el placer de un bocadillo realmente sabroso de pan fresco y queso tras un largo paseo para subir a la cima de una colina; el grito ahogado ante un paisaje maravilloso, y el alivio de no tener que ir más lejos.

Si Lucius había conocido una felicidad semejante en su vida y la perdía sin una razón comprensible, no era de extrañar que anduviera desesperado tratando de hallar la respuesta. Por más desagradable o contraria a sus sueños que fuese la verdad, no empezaría a sanar hasta que la supiera.

—Bien, haré cuanto pueda para descubrir qué ha ocurrido —dijo Monk en voz alta—. Y si está dispuesta a volver junto a usted...

—¡Gracias! —exclamó Lucius con entusiasmo, al tiempo que se le iluminaba el semblante—. ¡Muchas gracias, señor Monk! El precio será lo de menos, se lo prometo. Dispongo de recursos de sobra por mí mismo, pero además mi padre también está decidido a descubrir qué le ha sucedido a Miriam. ¿Qué puedo hacer para ayudarle?

—Cuénteme cómo se conocieron y todo lo que sepa sobre la señora Gardiner —contestó Monk, sintiendo que el alma se le caía a los pies.

—Por supuesto. —La expresión de Lucius se suavizó; los signos de tensión se esfumaron como si el mero recordar su encuentro bastara para llenarlo de dicha—. Fui a visitar a un amigo mío que vive en Hampstead y caminaba de regreso atravesando el parque. Era más o menos esta época del año y estaba todo muy hermoso. Había varias personas por allí, niños jugando, una pareja de ancianos que sonreían al sol. —El propio Lucius sonrió al recordarlo—. También un chiquillo con un aro y un cachorro que perseguía un palo. Me detuve a observar al perro. Estaba lleno de vida, daba saltos sin dejar de menear la cola y regresaba con el palo, inmensamente satisfecho de sí mismo. Me sorprendí riendo. No tardé mucho en darme cuenta de que era una joven quien le arrojaba el palo. En una ocasión cayó casi a mis pies, lo recogí y lo volví a lanzar, por el mero placer de observar. Por supuesto, entablamos conversación. Todo sucedió de la forma más natural. Le pregunté por el perro y me dijo que en realidad pertenecía a un amigo suyo. —Tenía la mirada perdida en el recuerdo—. Pasamos de un tema de conversación a otro y cuando quise darme cuenta llevaba casi una hora hablando con ella. Me propuse regresar al día siguiente y allí estaba ella otra vez. —Se encogió de hombros, como riéndose de sí mismo—. Supongo que ni por un momento pensó que fuese casualidad y tampoco yo me sentí inclinado a fingirlo. Nunca hubo eso entre ella y yo. Ella parecía percibir lo que yo quería decir con tal naturalidad que se diría que había tenido los mismos pensamientos y sentimientos que yo. Nos reíamos de las mismas cosas, o las encontrábamos hermosas, o tristes. Nunca me he sentido tan totalmente a gusto con nadie como con ella.

Monk trató de imaginárselo. Sin duda no era así como se sentía él con Hester. Vigorizado, atraído, furioso, divertido, admirado, incluso asombrado; pero cómodo, más bien con poca frecuencia.

No, aquello no era del todo cierto. Ahora que por fin había reconocido, al menos ante sí mismo, que estaba enamorado de ella y ya no se empeñaba en intentar que encajara en el molde de la clase de mujer que él se había figurado que deseaba, aceptándola en cambio tal como era, se sucedían más momentos en los que se sentía a gusto que incómodo.

Y, por supuesto, no había que olvidar las ocasiones en que se comprometieron con la misma causa. Hester había luchado codo a codo con él con un coraje y una imaginación, una compasión y una tenacidad como nunca había visto en otra mujer, por no decir en otra persona. Se daba entonces una suerte de camaradería que ni siquiera Lucius Stourbridge podría adivinar.

—De modo que su amistad fue progresando —abrevió Monk, procurando resumir lo que venía a continuación—. Pasado algún tiempo la invitó a conocer a su familia y ellos también la encontraron muy agradable.

—Sí, en efecto... —asintió Lucius.

Se disponía a continuar, pero Monk le interrumpió. Necesitaba información que pudiera ayudarlo en sus esfuerzos para encontrar a la mujer desaparecida, aunque abrigaba pocas esperanzas de que el resultado de su investigación fuese grato para Lucius o, de hecho, para ninguno de ellos. Una mujer no huiría de la casa de su futuro esposo, desapareciendo por espacio de varios días sin dar ninguna explicación, a menos que se enfrentara a un grave problema que no viera el modo de resolver.

—¿Qué sabe sobre el primer marido de la señora Gardiner? —preguntó Monk.

—Creo que era un poco mayor que ella —contestó Lucius sin titubeos—, un hombre que se desenvolvía medianamente bien en los negocios, lo suficiente para no dejarla desasistida, con buena reputación y sin deudas de dinero ni de honor. —Lo dijo con firmeza, deseoso de que Monk lo creyera y aceptara el valor de sus afirmaciones.

Monk leyó entre líneas que el difunto señor Gardiner también era un hombre que procedía de una clase social muy inferior a la de Lucius Stourbridge, con todas sus propiedades y su fortuna heredadas y la destacada carrera militar de su padre. Le habría gustado conocer el origen de Miriam Gardiner, saber si hablaba y se comportaba como una dama, si se podía enfrentar con desenvoltura a la familia Stourbridge o si en secreto se sentía aterrada. ¿Tendría miedo, cada vez que abría la boca, de traicionar algún aspecto inadecuado de su persona? No le costaba demasiado imaginarlo. Él mismo fue un chico de campo, oriundo de un pueblo pescador de Northumberland, tratando de hacerse pasar por caballero en Londres. Tenía gracia que lo recordara precisamente en ese momento, al pensar en una Miriam Gardiner tratando también de escapar de sus humildes orígenes para encajar con una persona que pertenecía a otra clase. ¿Acaso cada vez que se sentaba a la mesa la preocupaba usar el cubierto correcto o hacer un comentario estúpido, no estar al corriente de la actualidad o no conocer a nadie? Ahora bien, eso no podía preguntárselo a Lucius. Si el joven fuese capaz de ver la respuesta, no estaría mirando fijamente a Monk con tanto entusiasmo y los ojos llenos de esperanza.

—Me parece que lo mejor será que empiece por visitar su casa, señor Stourbridge —decidió Monk—. Me gustaría ver el lugar donde ocurrió lo que, al parecer, tanto alteró a la señora Gardiner y, con el permiso de su familia, hablar con ellos y con la servidumbre para enterarme de cuanto estén en condiciones de decirme.

—¡Por supuesto! —Lucius se puso de pie—. Gracias, señor Monk. Le quedo eternamente agradecido. Estoy seguro de que si logra encontrar a Miriam, de modo que compruebe que no le ha ocurrido nada malo, podremos superar lo que sea. —Volvió a ensombrecérsele el rostro al caer en la cuenta de las muchas posibilidades de que ella no estuviera bien. No parecía concebible otro motivo que justificara que no le hubiese enviado un mensaje—. ¿Cuándo estará listo para partir?

A Monk no le gustaba que le metieran prisa, pero el joven Lucius llevaba razón: se trataba de un asunto urgente, de hecho, quizá ya fuese demasiado tarde. Si iba a intentar resolver el misterio, debía ponerse manos a la obra de inmediato. Podía dejarle una nota a Hester explicándole que había aceptado un caso y regresaría en cuanto se hubiese hecho cargo de la situación. No se lo podía decir en persona porque ella se encontraba trabajando en el hospital con Callandra Daviot. Por descontado, de modo absolutamente voluntario. Monk había rechazado de plano que Hester contribuyera al sustento de ambos ganándose la vida por su cuenta. Aunque, sin duda, tarde o temprano volvería a hacerlo.

Por el momento, Monk tenía un caso del que ocuparse y debía prepararse para acompañar a Lucius Stourbridge.

La casa de los Stourbridge en Cleveland Square, en Bayswater, era hermosa, con ese estilo característico de quienes no se preocupan por el dinero.

Poseía una belleza sobria y saltaba a la vista que fue diseñada en una época anterior más sencilla. Monk la encontró muy agradable y se habría detenido a admirarla más pausadamente si Lucius no hubiese ido directamente hasta la puerta principal para abrirla sin esperar a un criado o una sirvienta.

—Adelante —invitó a Monk, haciéndose a un lado y agitando la mano como para meterle prisa.

Monk pasó al interior, pero no le dieron tiempo para contemplar el vestíbulo con los retratos familiares colgados en los paneles de roble. Advirtió vagamente que uno de los cuadros destacaba entre los demás, el retrato de un jinete con el uniforme de los húsares en tiempos de Waterloo. Cabía suponer que se trataba de un antepasado Stourbridge, también distinguido militar.

Lucius se encaminó a paso vivo por el suelo de baldosas oscuras hacia la puerta del otro extremo. Monk lo siguió, echando fugaces vistazos al techo finamente enlucido y a la amplia escalinata.

Su anfitrión llamó a la puerta y, tras un brevísimo titubeo, hizo girar el picaporte y la abrió. Sólo entonces se volvió hacia Monk.

—Por favor, pase —le instó—. Estoy seguro de que querrá conocer a mi padre y quizá contrastar con él lo que yo le he contado. —Se apartó a un lado, con el ceño fruncido por la inquietud y el torso envarado—. Padre, éste es el señor Monk. Ha aceptado ayudarnos.

Monk pasó junto a Lucius y entró en la habitación. Percibió que el mobiliario era cómodo y estaba usado, que no estaba allí para causar impresión a las visitas, sino para proporcionar confortabilidad a los ocupantes, antes de centrar su atención en el hombre que se levantó de uno de los sillones de piel oscura para aproximarse a él.

Era esbelto, un poco más alto de la estatura media, pero poseía un vigor y una gracia que le conferían autoridad. Presentaba una constitución semejante a la de Lucius, aunque ése era el único parecido entre ambos. Debía de tener cincuenta años cumplidos, si bien su pelo rubio apenas mostraba reflejos plateados y unas finas arrugas rodeaban sus ojos azules, como si hubiese pasado años entrecerrándolos para protegerlos de una brillante luz.

—¿Cómo está, señor Monk? —dijo de inmediato, tendiendo la mano—. Soy Harry Stourbridge. Mi hijo me ha dicho que es usted el hombre indicado para ayudarnos en nuestra desgracia familiar. Estoy encantado de que haya decidido intentarlo, y también muy agradecido.

—¿Cómo está usted, comandante Stourbridge? —saludó Monk, con desacostumbrada formalidad. Le dio la mano y, mirándolo con más detenimiento, advirtió en su rostro una inquietud que la cortesía no lograba disimular. Nada indicaba que lo aliviara que Miriam Gardiner se hubiese marchado. Por la razón que fuese, estaba profundamente trastornado por su desaparición—. Haré cuanto esté en mi mano.

—Siéntese —le invitó Stourbridge, indicando uno de los sillones—. Servirán el almuerzo dentro de una hora. ¿Querrá acompañarnos?

—Gracias —aceptó Monk. Así tendría la oportunidad de observar a la familia reunida y formarse una opinión sobre sus relaciones; quizá también sobre cómo Miriam Gardiner hubiese encajado en calidad de esposa de Lucius—. Pero antes, señor, me gustaría hablar con usted en privado. Es preciso que le haga unas cuantas preguntas.

—Claro, claro —convino Stourbridge, que en lugar de tomar asiento se movía nerviosamente por la estancia, entrando y saliendo de las amplias manchas de sol que entraban por los ventanales—. Lucius, quizá deberías ir a ver cómo sigue tu madre. —Fue una sugerencia cortés y bastante anodina, con la intención de proporcionarle una excusa para retirarse.

Lucius dudó. Parecía que le costara apartarse de lo único que en ese momento le importaba. Sin duda, la inteligencia le decía que les sería más cómodo comentar determinados aspectos en su ausencia, pero se veía incapaz de centrar la mente o la imaginación en ningún otro asunto.

—Te ha echado de menos —insistió su padre—. La alegrará saber que el señor Monk está dispuesto a ayudarnos.

—Sí..., sí, por supuesto. —Miró a Monk con el asomo de una sonrisa antes de salir y cerrar la puerta.

—Pregunte lo que sea preciso, señor Monk. Haré cuanto pueda para encontrar a Miriam y, si está en alguna clase de apuro, le ofreceré toda la ayuda posible. Como habrá visto, mi hijo siente un profundo afecto por ella. No logro imaginarme a nadie que pudiera hacerlo tan feliz.

A Monk le resultó imposible dudar de la sinceridad del comandante Stourbridge, cosa que ponía sobre sus hombros una carga emocional aún más pesada. ¿Por qué Miriam Gardiner huyó de esa casa, de esa familia, sin ninguna explicación? ¿Fue un hecho repentino, o una acumulación de pequeñas cosas que finalmente, sumadas, le resultaron insoportables? ¿Cuál sería la causa para que no fuese capaz de justificarse ante unas personas que la querían?

¿Y dónde estaba el cochero, Treadwell?

Stourbridge miraba fijamente a Monk, esperando a que comenzara a hacer preguntas.

Ahora bien, Monk no sabía por dónde empezar. Harry Stourbridge no era como se lo había imaginado e, inesperadamente, se encontró con que lo preocupaba herir sus sentimientos.

—¿Qué sabe acerca de la señora Gardiner? —preguntó, con más brusquedad de la que se había propuesto. La compasión no les serviría de nada ni a Lucius ni a su padre. Estaba allí para resolver un problema, no para dejarse llevar por las emociones.

—¿Se refiere a su familia? —Stourbridge comprendió de inmediato lo que Monk tenía en la mente—. Nunca nos habló de ellos. Me figuro que fueron gente bastante corriente. Creo que murieron siendo ella muy joven. Era obvio que ese asunto la entristecía, así que ninguno de nosotros insistió en el tema.

—Alguien se ocuparía de ella mientras creció —insinuó Monk. No tenía ni idea de si era una cuestión relevante, pero había muy pocos cabos de los que tirar.

—Por supuesto. —Stourbridge tomó asiento por fin—. Estuvo a cargo de una tal señora Anderson, quien la trató con suma amabilidad. De hecho, la sigue visitando con bastante frecuencia. Vivía en casa de la señora Anderson cuando conoció al señor Gardiner; entonces tendría unos diecisiete años y se casó dos años después. Él era bastante mayor que ella. —Cruzó las piernas, mirando a Monk con inquietud—. Hice mis propias averiguaciones, como es natural. Lucius es mi único hijo y su felicidad es de suma importancia para mí. Aunque nada de lo que me enteré explica lo sucedido. Walter Gardiner era un hombre tranquilo y modesto que se casó relativamente tarde. Le faltaba poco para cumplir los cuarenta. Pero su reputación era excelente. Se trataba de un hombre más bien tímido, un poquito torpe con las mujeres, y trabajaba con mucho empeño en su negocio, el cual, por cierto, era la venta de libros. Tuvo un moderado éxito y dejó a Miriam bien provista. Todos los informes indicaban que ella era muy feliz con él. Nadie dijo una palabra fea a propósito de ninguno de los cónyuges.

—¿Tuvieron hijos?

Una sombra cruzó los ojos de Stourbridge.

—No. Por desgracia, no. Esa bendición no llega a todos los matrimonios. —Aspiró ostensiblemente y soltó el aire en silencio—. Mi esposa y yo sólo tenemos un hijo.

Su semblante reflejaba un penoso recuerdo y a Monk no le pasó por alto. Era un tema en el que había pensado poco. Él no poseía títulos ni propiedades que legar y tampoco recordaba haber considerado la posibilidad de casarse, por no hablar de formar una familia. No se sentía en absoluto incompleto sin eso. Ahora bien, Hester no era una mujer corriente. Se había casado con ella sin pensar en la comodidad de la vida doméstica. De haberlo hecho, no la habría elegido. La idea le hizo sonreír inconscientemente. Uno no podía decir nunca lo que le iba a deparar el futuro. Él mismo se había sorprendido experimentando un cambio de lo más radical. Quizás al cabo de unos pocos años pensaría en los hijos. Por el momento era lo bastante honesto como para saber que no podía cargar a Hester con las exigencias de tiempo y emoción que supondría tener un hijo.

Stourbridge aguardaba a que le prestara atención.

—Es algo mayor que su hijo —expuso Monk, con tanto tacto como supo—. ¿Cuánto más, exactamente?

Un fugaz momento de diversión iluminó el rostro de Stourbridge.

—Nueve años —repuso—. Si va a preguntarme que si estaba en condiciones de ofrecerle un heredero, la respuesta es que no lo sé. Naturalmente, nos encantaría que Lucius tuviera un hijo, pero no es nuestra mayor preocupación. En eso no hay garantías, señor Monk, te cases con quien te cases, y Miriam jamás dio a entender que fuera una condición indispensable para la boda.

Monk no discutió, aunque juzgaría por sí mismo si la señora Stourbridge compartía los sentimientos de su marido. De momento, sus preguntas no habían revelado nada en lo que fundar un motivo para la huida de Miriam Gardiner. Ansiaba tener una idea más precisa de ella.

Vista con los ojos de Lucius y Harry Stourbridge, era el modelo de la mujer ideal. Su visión no la hacía de carne y hueso, y mucho menos provista de pasiones. ¿Habrían llegado a conocer a la mujer real que se ocultaba bajo la apariencia que tanto admiraban? ¿Tenía algún sentido seguir interrogando a Harry Stourbridge, salvo en lo que atañía a los hechos?

—¿Era su primera visita a esta casa? —preguntó de repente.

Stourbridge se mostró ligeramente sorprendido.

—No, ni mucho menos. Había estado aquí una media docena de veces. Si está pensando que no era bien recibida o que se sentía abrumada o incómoda ante la idea de vivir con nosotros, se equivoca, señor Monk.

—¿Habría vivido aquí, en esta casa?

Monk hizo la pregunta previendo un puñado de razones susceptibles de hacer que esa perspectiva le resultara a ella insufrible. Habiendo sido ama de su propia casa, por más ordinaria que ésta fuese comparada con la residencia de los Stourbridge, tan cercana a los Jardines de Kensington, cabía que encontrara insoportable esa drástica pérdida de intimidad. ¡A Hester le ocurría! No podía imaginarla pasando la mejor parte de su vida bajo el techo de un tercero. Cuando trabajaba como enfermera particular, cosa que hizo desde su regreso de Crimea, siempre sabía que cada uno de sus puestos era temporal y que, por más dificultades que conllevara, tendría un final. Y siempre gozaba de un cierto grado de intimidad, incluso de autonomía, dado que el cuidado del paciente era su exclusiva responsabilidad.

Un concepto completamente nuevo de encarcelamiento se abrió ante él.

Harry Stourbridge sonreía.

—No, señor Monk. Tengo propiedades en Yorkshire y Lucius es un apasionado de la vida en el norte. Miriam fue de visita hace unos meses, cuando el tiempo era mucho menos clemente, y aun así, le encantó la zona y se mostró entusiasmada ante la perspectiva de mudarse allí y ser la dueña de su propia casa.

De modo que el miedo a perder cierto grado de libertad no era lo que había espantado a Miriam Gardiner. Monk volvió a intentarlo.

—¿Tuvo algo de diferente esa última visita, comandante Stourbridge?

—Yo no percibí nada, salvo que fue un ápice más festiva. —Torció el gesto con tristeza y bajó la voz—. Iban a casarse al cabo de cuatro semanas. Querían una boda modesta, en la intimidad de la familia. Miriam no era partidaria de invitar a multitudes ni de grandes fastos. Pensaba que sería tan indecoroso como innecesario. Amaba profundamente a Lucius, de eso no me cabe la menor duda. —Se mostró desconcertado—. No sé qué ha podido ocurrir, señor Monk, pero no se marchó porque dejara de amarlo ni porque dudara del amor que él le profesaba.

No tenía sentido seguir discutiendo. La voz de Stourbridge revelaba un convencimiento absoluto. Si los hechos demostraban que andaba errado y Monk se veía obligado a abrirle los ojos, no haría más que apenarlo. No tendría que haber aceptado aquel caso pues no acertaba a ver un final feliz.

—Hábleme de su cochero, James Treadwell —preguntó, cambiando de tercio.

Stourbridge levantó sus cejas rubias.

—¿Treadwell? Sí, ya veo adónde quiere ir a parar. Es un cochero perfectamente aceptable. Buen conductor, conocedor de los caballos, aunque admito que no es la clase de hombre que me guste de forma espontánea. —Apoyó los codos en los brazos del sillón y entrelazó los dedos, haciéndolos crujir—. Conocí a muchos como él en el ejército. Pueden montar a caballo como centauros, empuñar una espada, cabalgar por toda clase de terrenos, pero no son de fiar. Siempre anteponen su persona al regimiento. Ceden terreno cuando la batalla es contra ellos.

—¿Por qué no lo despidió?

Stourbridge encogió ligeramente los hombros.

—No se despide a un hombre porque crees saber de qué clase es. Yo podría estar equivocado. No lo habría tenido como ayuda de cámara, pero un cochero es algo muy distinto. Además, es sobrino de mi cocinera y ella es una buena mujer. Lleva casi treinta años con la familia. Empezó como fregona cuando aún vivía mi madre.

Monk lo comprendió. Como todo lo demás, era fácil de entender, era de lo más normal. Se quedó con poco más que preguntar, a no ser un relato sobre el día en que Miriam Gardiner huyó.

—Puedo facilitarle una lista de los invitados, si lo desea —le ofreció Stourbridge—, aunque no incluye a nadie que Miriam no conociera con anterioridad, de hecho, a nadie que no fuese amigo. Créame, señor Monk, todos nos hemos devanado los sesos tratando de encontrar algo que pudiera causarle semejante angustia, y no se nos ha ocurrido nada. Nadie recuerda discusión alguna, ni siquiera una observación poco acertada o falta de delicadeza. —Instintivamente, volvió la vista hacia la ventana y luego la posó otra vez en Monk—. Miriam estaba sola. El resto de nosotros estábamos jugando a croquet o mirando el partido cuando de pronto jadeó, se puso blanca como el papel, permaneció inmóvil un momento y luego se volvió y se fue dando traspiés, faltó poco para que cayera y echó a correr hacia la casa. —Se le quebró la voz—. ¡Ninguno de nosotros ha vuelto a verla desde entonces!

Monk se inclinó hacia delante.

—¿Presenció usted lo que acaba de referirme?

—No, no lo vi en persona. Habría ido tras ella en tal caso. —Stourbridge parecía desdichado, como si se culpara a sí mismo—. Me lo contaron los demás y todas las versiones coinciden. Miriam estaba sola. Nadie le habló ni se acercó a ella. —Frunció el ceño, con ojos desconcertados—. He considerado todas las posibilidades que me indica el sentido común, señor Monk. Hemos recurrido a usted porque ya no sabemos qué pensar.

Monk se puso de pie.

—Haré cuanto pueda, señor —dijo, no sin cierto recelo.

Cuando Lucius Stourbridge le expuso el caso por primera vez, Monk pensó que era insoluble y ahora estaba aún más convencido de ello. Fuera lo que fuese lo que le había ocurrido a Miriam Gardiner, era fruto de sus propias emociones y probablemente nunca llegarían a saber qué fue lo que de súbito precipitó su huida. Además, aunque llegaran a averiguarlo, no serían más felices. Monk comenzó a enfadarse con esa joven que había ido tan lejos por un camino que un poco de reflexión le habría dicho que no podía recorrer hasta el final. Había herido profundamente como mínimo a dos personas decentes y honorables, y probablemente a más.

Stourbridge también se levantó.

—¿Con quién le gustaría hablar a continuación, señor Monk?

—Con la señora Stourbridge, por favor —repuso Monk sin titubeos. Sabía por sus trabajos con Hester que las mujeres observaban a sus semejantes de un modo distinto que los hombres; descifraban sus expresiones, comprendían lo que quedaba sin decir.

—Por supuesto. —Stourbridge pasó delante hacia el vestíbulo—. La encontraremos en su sala de estar, a estas horas.

Monk lo siguió por la amplia escalinata en curva y esta vez tuvo ocasión de mirar con más detenimiento el magnífico enlucido del techo y la soberbia talla del poste que remataba el barandal.

Stourbridge cruzó el descansillo. Una alta ventana daba a una cuidada extensión de césped y Monk advirtió que aún había unos cuantos arcos de croquet plantados. En el jardín, bañado por el sol, reinaba la paz, y el lugar hacía pensar en una sosegada felicidad, en juegos en familia y meriendas veraniegas. Los árboles daban sombra a las hortensias del fondo, cuyas últimas flores se desprendían manchando de color la tierra negra donde crecían.

Stourbridge llamó a la tercera puerta y, tras oír un murmullo al otro lado, la abrió, invitando a Monk a entrar.

—Querida, éste es el señor Monk —los presentó—. Ha prometido ayudarnos a encontrar a Miriam.

La señora Stourbridge estaba sentada en una butaca tapizada de cretona, con un álbum de recortes, con poemas y fotografías, abierto sobre la mesa de madera de cerezo que tenía al lado, como si lo hubiese depositado allí al verse interrumpida. El parecido que guardaba con su hijo era obvio incluso a primera vista. Presentaba los mismos ojos oscuros, el mismo mentón y el mismo cuello esbelto; el pelo le nacía en la frente, dibujando el mismo corte ancho de cara. Si Lucius había ido a verla, tal como su padre le indicara, no se demoró en su visita. La mujer miró a Monk con expresión preocupada.

—¿Cómo está usted? —saludó con voz grave—. Pase, por favor. Dígame cómo puedo ayudar a mi hijo.

Monk tomó asiento en una butaca enfrentada a la suya. Era más cómoda de lo que el recto respaldo sugería y la estancia, cálida y luminosa, en otras circunstancias habría resultado placentera. Rebuscó en su mente las preguntas que debía hacerle a aquella mujer para tratar de entender qué pudo provocar la extraordinaria huida de Miriam Gardiner.

Stourbridge se disculpó y los dejó a solas.

Verona Stourbridge miraba fijamente a Monk, a la espera.

No había tiempo para andarse con rodeos.

—Por favor, ¿podría describirme a la señora Gardiner? —Quería una representación mental de ella no sólo para poder imaginarla, sino para saber cómo la veía la señora Stourbridge.

La mujer se mostró sorprendida.

—¿Dónde va a buscarla, señor Monk? No tenemos ni idea de adónde puede haber ido. Desde luego, ya hemos probado suerte en su casa y allí no ha regresado. La criada no ha vuelto a verla desde que salió para venir aquí.

—Me gustaría oír una opinión femenina sobre ella —le explicó—. Algo menos romántica y tal vez más exacta.

—Oh. Entiendo. Sí, por supuesto.

Se apoyó en el respaldo. Era esbelta, probablemente con los cuarenta cumplidos, y su elegancia natural se reflejaba en la manera de mover las manos y en la caída de su inmensa falda sobre la butaca. Juzgando por el rostro, Monk pensó que su comentario sobre Miriam Gardiner sería preciso y poco sentimental, quizás el primero que le proporcionaría una visión genuina de su carácter. La observó con suma atención.

—Es de estatura media —comenzó Verona, midiendo sus palabras—. Quizás una pizca más llenita de lo que sería deseable en una joven de su edad. Me figuro que mi hijo ya le habrá dicho que es por lo menos nueve años mayor que él.

—¿Por lo menos? —se interesó Monk—. ¿Quiere decir que admitió que eran nueve, pero que usted sospecha que pueden ser más?

Se encogió de hombros con un delicado gesto a modo de respuesta.

—Tiene un cabello excelente, rubio, abundante y con una hermosa ondulación natural —prosiguió—. Ojos azules, buen cutis y buenos dientes. En conjunto, un rostro generoso que indica una naturaleza bondadosa y una salud al menos medianamente buena. Vestía con prendas que la favorecían, pero sin permitirse extravagancias. Deduzco que en parte se debía a sus modestos ingresos.

—Parece un dechado de virtudes, señora Stourbridge —observó Monk, no sin cierta sequedad—. Sigo sin ver a una mujer de carne y hueso; de hecho, no veo a una mujer real, sólo una enumeración de cualidades encomiables.

Ella enarcó mucho las cejas y lanzó una mirada gélida a Monk. Él la sostuvo y poco a poco la señora Stourbridge se fue serenando.

—De acuerdo —concedió—. Por supuesto. Me ha preguntado por su aspecto. Era de lo más agradable. Igual que su carácter, aunque eso no significa que no fuese capaz de pensar con independencia. ¿Me está preguntando que si tenía defectos? Pues claro. A veces era testaruda. Mantenía puntos de vista extraños y poco adecuados a propósito de ciertos temas sociales. Trataba a los sirvientes con excesiva familiaridad, cosa que creaba dificultades de vez en cuando. En mi opinión tenía mucho que aprender sobre cómo llevar una casa del tamaño y el nivel que mi hijo se merece. —Mantenía los ojos fijos en los de Monk—. Es muy posible que no la hubiésemos elegido como la esposa perfecta para mi hijo. Hay muchas otras muchachas adecuadas en nuestro círculo de amistades, pero no estábamos descontentos con ella, señor Monk, ni le dimos pie a pensar eso jamás.

—¿Ni siquiera en el supuesto de que no pudiera darle un heredero?

Era una pregunta íntima e impertinente, y un asunto que con frecuencia despertaba emociones profundas.

A lo largo de la historia, muchas mujeres se habían visto abandonadas por esa razón.

Su rostro pareció palidecer un poco, pero las manos, que descansaban en su regazo, no se crisparon.

—Naturalmente, todo el mundo desea un heredero, pero si aceptas a una persona debes hacerlo de todo corazón. Una mujer poco puede hacer a ese respecto. Si tuviera motivos para pensar que se lo negaba deliberadamente, le echaría la culpa, pero hay algo de lo que estoy absolutamente segura, y es que ella lo amaba. No sé adónde ha ido ni por qué, señor Monk. Daría lo que fuera por que usted fuese capaz de encontrarla y devolvérnosla ilesa y tan amable y cariñosa como antes.

Monk no dudó de su palabra. La emoción de la voz revelaba una profunda aflicción que no le pasó desapercibida, a pesar del hecho de que hacía sólo unos minutos que se habían conocido y que no sabía de ella nada más allá de lo evidente.

—Haré cuanto pueda, señora Stourbridge —le prometió—. Creo que usted no la vio abandonar el partido de croquet.

—No. Yo estaba conversando con la señora Washburne y toda mi atención era para ella. Es una mujer muy absorbente.

—¿Notó que la señora Gardiner estuviera preocupada antes del partido?

—En absoluto. Estaba muy contenta.

—¿Conocía ella a todos los invitados?

—Sí. Hicimos juntas la lista.

—¿Se presentó alguien sin invitación? ¿Quizás el acompañante de alguno de los invitados?

—No.

—¿Se produjo alguna situación violenta, hubo algún momento de desacuerdo, alguna falta de atención?

—No. —Negó levemente con la cabeza, pero sus ojos siguieron clavados en los de Monk—. Fue una jornada de lo más placentera. Hacía un tiempo espléndido. Nadie la estropeó con ninguna salida de tono. He interrogado a todos los criados y nadie vio ni oyó nada que no fuesen las conversaciones triviales de costumbre. Lo peor que me refirieron fue el desacuerdo entre el señor Wall y el reverendo Dabney sobre la deportividad de cierta jugada de croquet. No tenía nada que ver con Miriam.

—¿No jugaba ella?

La mujer esbozó una sonrisa, aunque sin mala intención.

—No. Decía que prefería mirar. Creo que en realidad jamás había aprendido y no le gustaba reconocerlo.

Monk cambió de tema.

—El cochero, Treadwell. Tampoco ha regresado y me han dicho que nadie sabe lo que le ha ocurrido.

El semblante de Verona Stourbridge se ensombreció.

—Es verdad. Ese muchacho no es del todo satisfactorio. Lo contratamos porque es sobrino de la cocinera, una mujer excelente y absolutamente leal. Uno no puede elegir a sus parientes.

—Y, por supuesto, el carruaje tampoco ha aparecido.

—Así es.

—Pediré a su mozo de cuadra que me dé una descripción, y también de Treadwell. —Aquél era un cabo más esperanzador del que tirar—. ¿La señora Gardiner tenía asignada una criada en concreto cuando se hospedaba aquí?

—Sí, Amelia. Si desea hablar con ella mandaré hacerle venir.

—Gracias. Y avise también a la cocinera. Puede que sepa algo sobre Treadwell.

Alguien llamó a la puerta y la abrió sin dar tiempo a responder. Entró un hombre alto, ancho de espaldas y con un poco de barriga. Sus rasgos aparecían marcados y el parecido familiar era muy acusado.

—Es mi hermano, señor Monk —lo presentó la señora Stourbridge.

—Usted debe de ser el investigador privado que ha traído Lucius —dijo el hombre. Miró a Monk con seriedad y en su voz había un matiz de tristeza que casi se diría desesperación—. Aiden Campbell —prosiguió, tendiendo la mano—. Mucho me temo que no va a tener éxito. —Lanzó una mirada como de disculpa a su hermana—. La señora Gardiner se marchó por voluntad propia. Pese a lo poco que sabemos de las circunstancias, eso parece irrefutable. Es posible que la embargaran temores que logró ocultar hasta ese momento. Tal vez nunca sepamos qué fue lo que de pronto le hizo darse cuenta de sus sentimientos. —Frunció el ceño—. No estoy convencido de que tratar de encontrarla no vaya a hacernos más desgraciados. —Suspiró profundamente—. Nosotros, ninguno de nosotros, deseamos eso. Por favor, sea muy cuidadoso con lo que hace, señor Monk. Cabe que en esa búsqueda la sinceridad le lleve a hacer descubrimientos que igual es mejor no conocer. Espero que me comprenda.

Monk lo comprendía muy bien. Compartía su punto de vista. Deseó haber sido lo bastante sensato como para atenerse a su juicio inicial y rechazar el caso cuando Lucius le pidió que interviniera.

—Soy consciente de esa posibilidad, señor Campbell —contestó, pausadamente—. Coincido con usted en que quizá no logre encontrar a la señora Gardiner y que, si lo consigo, quizá quiera mantenerse firme en su decisión. Sin embargo, le he dado mi palabra al señor Stourbridge conforme la buscaría, y eso es lo que voy a hacer. —Entonces, al percibir la tirantez del rostro de Campbell, agregó—: Lo he informado de mi opinión en cuanto a las posibilidades de éxito y seguiré siendo honesto con él tanto si hago progresos como si no.

Campbell guardó silencio; se metió las manos en los bolsillos y miró al suelo.

—Aiden —lo reprendió Verona con dulzura—, me consta que piensas que no va a regresar y que su búsqueda no hará más que aumentar nuestra desilusión y desdicha, pero ni Harry ni Lucius aceptarán eso. Ambos se sienten obligados a hacer cuanto puedan para averiguar dónde se encuentra, saber si está bien y por qué se marchó. Harry lo hace principalmente por Lucius, claro, aunque está decidido a llegar al final. Pienso que deberíamos ayudarlos en lugar de hacer que se sientan aislados dándoles a entender que no los comprendemos.

Campbell levantó la vista y la miró fijamente.

—Por supuesto. —Sonrió, aunque el trabajo que le costó hacerlo no pasó desapercibido para Monk—. Por supuesto, querida. Tienes toda la razón. Debemos dejar que las cosas sigan su curso. ¿Cómo puedo ayudarle, señor Monk? Permítame acompañarle a la cuadra a preguntar por James Treadwell. Puede que se encuentre en el núcleo de todo esto.

Monk aceptó, le dio las gracias a Verona y se despidió. Siguió a Campbell escalera abajo hasta la puerta lateral que daba a las caballerizas. Al salir al aire libre lo sorprendió la luminosidad del día. Los olores a heno y a sudor de caballo, así como el más penetrante del estiércol, eran fuertes debido al calor que imperaba en el recinto del patio. Oyó a un caballo que relinchaba y pateaba el suelo de piedra.

Un chico pelirrojo y con un cepillo en la mano levantó la vista hacia él con curiosidad.

—Contesta a las preguntas que te haga el señor Monk, Billy —le ordenó Campbell—. Ha venido para ayudar al comandante Stourbridge a encontrar a Treadwell y el carruaje que se llevó.

—Para mí que no volverá a ver a ninguno de los dos

—repuso Billy, torciendo los labios con una mueca de disgusto—. Un carruaje como ése vale una pasta.

—¿Cree que lo ha vendido y se ha marchado? —preguntó Monk.

Billy lo miró con desdén.

—Pues claro. ¿Qué si no? ¡Salió de aquí a toda mecha! Nadie se lo había ordenado. No ha vuelto. Si no lo ha vendido, ¿por qué no está aquí?

—Puede que sufriera un accidente —sugirió Monk.

—Eso no explica por qué se fue con el carruaje. —Billy lo miró desafiante—. A menos que esté muerto, lo suyo sería que nos hubiese contado lo que le ha pasado, ¿no?

—Salvo si está gravemente herido —insistió Monk en su argumento.

Billy entrecerró los ojos.

—¿Es amigo suyo, pues?

—No lo conozco de nada. Quería conocer tu opinión y está claro que no es muy buena.

Billy titubeó.

—Bueno, no puedo decir que me caiga bien —reconoció, tratando de escaparse por la tangente—. Por otra parte, tampoco puedo decir nada malo de él. Sólo que se ha largado, y con eso basta y sobra.

—¿Y la señora Gardiner? —preguntó Monk.

Billy suspiró.

—Era una dama muy amable, sí, señor. Como le haya hecho algo, espero que esté muerto y que haya tenido una muerte horrible.

—¿No crees que ella se marchó con él por voluntad propia?

Billy miró a Campbell y luego a Monk, con cara de incredulidad.

—¿Qué iba a querer una dama como ella con un tipo sospechoso como él? Aparte de llevarla por ahí de vez en cuando, ¡que ése era su trabajo!

—¿A ella le parecía un tipo sospechoso?

Billy meditó unos instantes.

—Bueno, igual no. Era demasiado buena, sí, señor. Inocente, vamos, no sé si sabe a qué me refiero.

—La señora Gardiner a veces se tomaba demasiadas confianzas con la servidumbre, señor Monk —aclaró Campbell—. Es muy posible que fuese incapaz de juzgar el carácter de Treadwell. Me atrevería a decir que nadie le había dicho que estaba contratado básicamente por ser sobrino de la cocinera, a quien se tiene en gran estima en esta casa. —Sonrió, mordiéndose el labio—. Las buenas cocineras son una bendición y ningún hogar se desprende de ellas así como así; además, ha sido leal a la familia desde antes de los tiempos de mi hermana. —Recorrió las caballerizas con la vista hasta dar con el espacio vacío que debería ocupar el carruaje—. Los hechos son que Treadwell se ha ido, llevándose consigo un carruaje muy valioso, dos caballos y sus correspondientes arreos.

—¿Lo han denunciado a la policía? —quiso saber Monk.

Campbell metió las manos en los bolsillos, balanceándose un poco sobre los talones.

—Aún no. Francamente, señor Monk, veo poco probable que mi cuñado lo haga. Hace muchos aspavientos, por Lucius, como si creyera que la señora Gardiner no ha sufrido un accidente, o una crisis, y que todo tendrá una explicación satisfactoria. Me temo que abrigo serias dudas al respecto. No se me ocurre ninguna circunstancia que explique satisfactoriamente los hechos que conocemos.

Comenzó a caminar alejándose de la cuadra, cruzando el patio hacia el jardín, para quedar fuera del alcance del oído de Billy o de cualquier otro que anduviera por allí. Monk lo siguió hasta el camino de grava que rodeaba el césped, antes de que Campbell prosiguiera:

—Mucho me temo que la respuesta resultará ser que, simplemente, la señora Gardiner, que era muy encantadora y atractiva a su manera, aunque no de la posición social de Lucius, se dio cuenta de que cuando la primera llama del romance se apagase no sabría hacerlo feliz, como tampoco encajar en su vida. En lugar de enfrentarse a explicaciones que podrían causar aflicción, y sabedora de que tanto Lucius como el comandante Stourbridge, por una cuestión de honor, tratarían de hacerle cambiar de parecer, evitó poner el asunto en sus manos y se fugó. —Miró de reojo a Monk, con el rostro empañado por una compungida tristeza—. Es una acción no del todo desprovista de honor. A su manera, ha hecho lo mejor que podía hacer. No hay duda de que está enamorada de Lucius. Saltaba a la vista de cualquiera que se adoraban mutuamente. Parecían gozar de una nada habitual comunión de ideas y gustos, hasta de sentido del humor. Pero ella es mayor que él, viuda, y con unos... orígenes muy... vulgares. De este modo, seguirá siendo un gran romance. El recuerdo de ese amor nunca se avinagrará aunque se diluya en las realidades mundanas. Piénselo bien, señor Monk, antes de precipitar una tragedia.

Monk se detuvo bajo el sol de media mañana de aquel placentero jardín lleno de cantos de pájaros, donde quizá se había tomado una decisión tan generosa. Parecía la respuesta más verosímil. Semejante decisión podía tacharse de histérica, quizás, pero no había que olvidar que en tal caso Miriam Gardiner sería una mujer renunciando a su más preciado sueño.

—Ya le he dicho al comandante que si encuentro a la señora Gardiner no trataré de persuadirla para que regrese contra su voluntad —le comunicó Monk—. Como tampoco lo informaré de lo que ella no quiera hacer público. Y eso incluye su paradero.

Campbell tardó unos segundos en decir algo. Por fin, levantó la vista y miró a Monk con sumo detenimiento, como si fuera a emitir un juicio que le importase profundamente.

—Confío en que procederá con discreción y que no olvidará que está tratando con las emociones más profundas y con hombres provistos de un elevado sentido del honor.

—Así lo haré —contestó Monk, deseando una vez más que Lucius Stourbridge hubiese elegido a cualquier otro para ayudarlo, o al menos haber tenido el atino de obedecer a su instinto, y no a sus sentimientos, al aceptar el caso. ¡Se diría que el matrimonio ya le había sorbido el seso!

—Me figuro que estarán a punto de servir el almuerzo —dijo Campbell, mirando hacia la casa—. Supongo que se quedará.

—Todavía tengo que hablar con la servidumbre —objetó Monk en un tono grave—. Aunque no sirva de nada.

2

Hester iba pasando su peso de una pierna a la otra mientras aguardaba impaciente en la sala de espera del Hospital de North London. El sol brillaba con fuerza y el ambiente resultaba claustrofóbico. Pensó con nostalgia en la verde extensión de Hampstead Heath, a sólo unos pocos cientos de metros. Ahora bien, se encontraba allí con un propósito. Había mucho que hacer y, como siempre, muy poco tiempo. Demasiada gente enferma, confundida por el sistema sanitario, si es que podía ser llamado por ese nombre tan halagador, y con miedo a la autoridad.

Su ambición era mejorar la calidad hospitalaria, entonces poco más que un trabajo manual, para convertir a las enfermeras en un respetable cuerpo de profesionales cualificadas. Desde que la fama de Florence Nightingale se extendiera a raíz de la guerra de Crimea, la opinión pública la consideraba una heroína. Era la mujer más popular después de la reina. No obstante, esa visión popular de su persona se concretaba en la imagen sentimental de una mujer joven deambulando por un hospital y que, provista de una linterna, secaba frentes febriles y susurraba palabras de consuelo; nada más alejado de la realidad que Hester tan bien conocía. Había trabajado como enfermera junto a Florence Nightingale y experimentó así la desesperación de las muertes innecesarias, causadas por la enfermedad y la incompetencia más que por las heridas sufridas en el campo de batalla. También conocía el auténtico heroísmo de la señorita Nightingale, la fuerza de su voluntad para luchar por unas condiciones mejores, por el uso del sentido común en los servicios sanitarios y de la eficiencia en su administración. Por encima de todo, luchaba por hacer de la enfermería una profesión aceptable, capaz de atraer a mujeres decentes de modo que éstas fueran tratadas con respeto. Las ideas anticuadas debían desecharse, empleando en su lugar los métodos actuales y recompensando la aptitud de las enfermeras.

Ahora que Hester ya no era la única responsable de su sustento, podía consagrar parte de su tiempo a este fin. Le había dejado claro a Monk del principio al fin que nunca se avendría a quedarse en casa cosiendo y cotilleando con otras mujeres que no tenían nada mejor que hacer. Él expresó su conformidad, pues sabía que era condición indispensable para que ella aceptara el matrimonio.

Tuvieron algunas diferencias y sin duda surgirían más. Bañada por el sol, sonrió al pensar en ellas. No les era sencillo a ninguno de los dos efectuar todos los cambios necesarios para adaptarse a la vida de casados. Por más profundo que fuese su amor por él, compartir el dormitorio, por no mencionar la cama, con otra persona suponía una pérdida de intimidad que distaba mucho de ser tan fácil de superar como hubiera imaginado. No era especialmente pudorosa, pues su vida como enfermera lo había hecho imposible, pero aún se deleitaba con la independencia de dejar una ventana abierta o cerrada a su antojo, de apagar la luz cuando le apetecía y de cubrirse con tantas mantas como el cuerpo le pidiera. En Crimea trabajaba hasta el agotamiento. Luego, se tendía acurrucada en el catre, temblando de frío, con los músculos demasiado agarrotados para poder dormir, y tenía que levantarse de buena mañana cuando aún estaba medio embriagada por el cansancio.

Sin embargo, contar con el calor, con la ternura de alguien a su lado que la amaba de forma incuestionable era muy superior a todas esas minúsculas molestias. No se trataba más que de pequeños inconvenientes. Le constaba que a Monk le sucedía lo mismo. Había percibido fugaces momentos de furia en su rostro, rápidamente dominada al comprender que sólo pensaba en sí mismo. Estaba tan acostumbrado a la intimidad y la independencia como ella misma.

De todas formas, Monk tenía menos que perder que ella. Vivían juntos en el domicilio de él en Fitzroy Street. Eso tenía todo el sentido del mundo, por supuesto. La habitación alquilada de Hester apenas bastaba para albergar sus pertenencias y dormir entre un trabajo como enfermera particular y el siguiente, empleo al que se dedicó tras ser despedida del servicio hospitalario por insubordinación. Él, por su parte, estaba desarrollando una buena carrera como investigador privado después de haber sido expulsado a su vez del cuerpo de policía, ¡también por insubordinación!

Para Monk, mudarse habría sido una insensatez. La gente sabía dónde encontrarlo. La casa se hallaba bien situada y la casera estuvo encantada de cederles una habitación adicional para construir una cocina y dejar de tener que guisar y limpiar para Monk, deber que había cumplido hasta entonces por pura necesidad no ya suya, sino de su inquilino, que probablemente habría muerto de inanición sin sus cuidados. Estuvo encantada también de disponer del aumento del alquiler, así como de más tiempo que dedicar a su marido, quien cada vez requería más atenciones, y a las demás actividades que la ocupaban cuando no se encontraba en Fitzroy Street.

De modo que Hester, no sin cierta dificultad, estaba aprendiendo a ser hogareña y trataba de hacerlo con un mínimo de gracia.

Su verdadera pasión seguía siendo la reforma hospitalaria, tal como lo había sido desde su regreso a la patria después de la guerra de Crimea. Lady Callandra Daviot compartía sus sentimientos, motivo por el que Hester se encontraba en el Hospital de North London esperando a que llegara para que le refiriera el éxito o el fracaso de su última tentativa.

Oyó abrirse la puerta y dio media vuelta. Callandra entró, con varios mechones sueltos en el peinado como si se hubiese pasado las manos por el pelo, y el semblante tenso y duro por la rabia. No fue necesario preguntar que si había tenido éxito.

Callandra tenía dignidad, coraje y buen humor, pero ni siquiera sus amigos más queridos dirían que era elegante. Pese a los notables esfuerzos de su doncella, parecía que no prestara la menor atención a la ropa y se pusiera lo primero que caía en sus manos al abrir la puerta del guardarropa. Aquel día llevaba una falda verde y una blusa azul. Dentro del hospital hacía suficiente calor como para que no llevara puesta la chaqueta que hubiese elegido.

—¡Ese hombre es un idiota de remate! —exclamó furiosa—. ¿Cómo es posible que alguien diagnostique la dolencia de una persona entre un centenar de enfermedades y que siga mostrándose ciego como un murciélago ante los hechos más evidentes?

—No lo sé —contestó Hester—, pero ocurre con frecuencia.

La puerta seguía abierta de par en par detrás de Callandra. Giró sobre sus talones y emprendió la marcha muy resuelta, dejando que Hester la siguiera unos pasos más atrás.

—¿Cuántas horas tiene un día? —preguntó Callandra por encima del hombro.

—Veinticuatro —respondió Hester en el momento en que llegaban al final del pasillo y se internaban en el quirófano, ahora desierto, con la mesa de operaciones en

44

el centro, otras destinadas al instrumental y las gradas cercadas con una barra en tres de los laterales, para los alumnos y demás partes interesadas en observar.

—Exacto. ¿Y cuánto de ese tiempo cabe esperar que un cirujano dedique a cuidar personalmente de su paciente? Una hora si el paciente es importante, menos si no lo es. ¿Quién cuida de él el resto del tiempo?

Abrió la puerta del otro extremo, que daba al amplio pasillo que recorría toda la longitud de la planta baja.

—Los jefes médicos internos... —empezó a decir Hester.

—¡Boticarios! —soltó Callandra con desdén y agitando una mano en el aire.

Hester cerró la puerta detrás de ellas y señaló:

—Ahora prefieren llamarlos jefes médicos internos. Y las enfermeras. Ya sé lo que piensas. Si no damos formación a las enfermeras y les pagamos como es debido, todos los esfuerzos de los demás son inútiles en buena medida. El más insigne cirujano sigue dependiendo de los cuidados que prodiguemos a sus pacientes después de tratarlos él.

—Eso ya lo sé. —Callandra titubeó, dudando si girar a la derecha, hacia urgencias, o a la izquierda, hacia la sala de autopsias, el departamento de oftalmología, la secretaría y la sala de juntas—. Y tú también. —Decidió ir hacia la izquierda—. Igual que el doctor Beck. —Pronunció su nombre con cierta formalidad, como si no llevaran años siendo amigos ni se preocuparan el uno del otro mucho más de lo que se atrevían a confesarse—. Sin embargo, ¡el señor Ordway se da por satisfecho con las cosas tal como están! Si por él fuese, aún iríamos tapados con hojas de parra y tomaríamos los alimentos crudos.

—Probablemente, uvas —apostilló Hester con sequedad—. ¿O serían manzanas?

Callandra le lanzó una penetrante mirada.

—Uvas —repuso con absoluta certeza—. ¡Jamás habría tenido ése el coraje de aceptar la manzana!

—En tal caso tampoco nos vestiríamos con hojas de parra, ¡Dios nos ampare! —bromeó Hester, disimulando su sonrisa.

—¡El matrimonio te ha hecho decididamente impúdica! —le censuró Callandra, aunque con la voz llena de satisfacción, pues había deseado la felicidad de Hester durante mucho tiempo y hasta en un par de ocasiones aludió al temor de que su amiga se convirtiera en una mujer demasiado cáustica como para darse una oportunidad.

Llegaron al final del pasillo y Callandra giró a la derecha, hacia la sala de juntas. La vacilación de sus pasos fue tan leve que si a Hester no la hubiese embargado la misma inquietud le habría pasado por alto.

Callandra llamó a la puerta.

—¡Adelante! —ordenó una voz desde dentro.

Abrió la puerta y entró, con Hester pisándole los talones.

El hombre que estaba sentado a la gran mesa de reuniones era de constitución robusta, de frente muy despejada y con unos rasgos marcados que indicaban testarudez. El suyo no era un rostro hermoso, aunque poseía cierta distinción. Iba extremadamente bien vestido con un oscuro traje a rayas que debía de resultar caluroso en aquel día de mediados de verano. El cuello blanco, tieso por el almidón, sobresalía mucho. La cadena de oro del reloj le cruzaba el amplio pecho.

La expresión de su semblante se tensó en cuanto reconoció a Callandra y se estremeció sin reservas al ver a Hester detrás.

—Lady Callandra... —Se medio incorporó de su asiento en un gesto de cortesía. No era enfermera ni empleada, por más que fuese una espina que tenía clavada—. ¿Qué puedo hacer por usted? —Le hizo una inclinación de cabeza a Hester—: Miss Latterly.

—Señora Monk —le corrigió Callandra con suma satisfacción.

Su interlocutor se ruborizó un poco y bajó ligeramente la cabeza hacia Hester a modo de muda disculpa. Pasó la mano por los papeles que tenía delante, indicando así que estaba muy ocupado y que si se abstenía de objetar que lo estaban interrumpiendo era sólo por educación.

—Señor Thorpe —comenzó Callandra resueltamente—, acabo de hablar otra vez con el señor Ordway, sin ningún resultado. Nada de cuanto le digo parece bastar para que se dé cuenta de que es preciso cambiar las condiciones...

—Lady Callandra —le interrumpió Thorpe cansinamente, con un tono un tanto amenazante—. Ya hemos discutido ese asunto infinidad de veces. Como presidente del consejo directivo de este hospital, debo tener presentes un montón de consideraciones antes de tomar una decisión, y el coste es de las que más pesan entre ellas. Creía haberle explicado eso suficientemente, pero advierto que mis esfuerzos fueron en vano.

Tomó aire para proseguir, pero esta vez fue Callandra quien interrumpió.

—Le entendí a la perfección, señor Thorpe. Es sólo que no estoy de acuerdo. Todo el dinero del mundo se desperdicia si se gasta en operar a un paciente que luego no recibe los cuidados necesarios...

—Lady Callandra... —Suspiró sonoramente, al borde de perder los estribos. Su mano movió impaciente los papeles, apilándolos encima de la mesa—. En este hospital sobreviven tantos pacientes como en cualquier otro, cuando no más. Si poseyera usted la experiencia en medicina que yo poseo, sería consciente de que por desgracia es habitual que un elevado número de pacientes fallezca después de una intervención quirúrgica. Es inevitable. Toda la habilidad del mundo no puede...

Hester no lo pudo aguantar más.

—No estamos hablando de habilidad, señor Thorpe —dijo con firmeza—. ¡Lo único que se necesita para aliviar al menos en parte ese sufrimiento es sentido común! La experiencia me ha demostrado que...

Thorpe cerró los ojos, exasperado.

—No me venga otra vez con lo de la señorita Nightingale, señorita..., señora Monk. —Con un gesto brusco de la mano desparramó todos los papeles—. ¡Con las cartas que me ha enviado esa mujer podría empapelar todas las paredes de mi casa! No tiene la más remota idea acerca de la realidad de la vida en Inglaterra. Piensa que porque hizo un buen trabajo en circunstancias totalmente diferentes en un país diferente puede regresar a la patria y reorganizar de arriba abajo todo el sistema sanitario según sus propias ideas. Está muy equivocada tanto en lo que atañe al alcance de sus conocimientos como al grado de su propia importancia.

—No es una cuestión de importancia personal, señor Thorpe —repuso Hester, mirándolo fijamente—. Ni de quién cosecha más elogios. Al menos, no debería ser así. La cuestión es si un paciente se recobra o muere. Es por eso por lo que estamos aquí.

—Es por lo que yo estoy aquí, señora —replicó Thorpe, con gravedad—. De por qué están ustedes aquí no tengo la menor idea. Sin duda, sus amigos dirán que es por su dedicación al bienestar del prójimo en su sufrimiento. En cambio, sus detractores quizás opinen que lo hacen para ocupar su ocio y otorgarse una importancia que no obtendrían en el entorno doméstico, llevando las riendas de su propia casa.

Hester estaba furiosa. Sabía perfectamente que, si perdía la calma, asimismo sus argumentos perderían consistencia, y cabía pensar que Thorpe también lo supiera. Desde luego, ella no creía que aquel tipo tuviera la inteligencia suficiente. Fuera como fuese, no iba a doblegarse ante él.

—Siempre hay personas dispuestas a quitar méritos con observaciones maliciosas —arguyó con la mejor sonrisa que fue capaz de fingir—. Se debe en gran medida a su ignorancia y a la mezquindad de su espíritu. Estoy segura de que usted es lo bastante sensato como para no prestarles la menor atención. Si estoy aquí es porque tengo cierta experiencia en el cuidado de personas gravemente heridas, tanto en el campo de batalla como en el quirófano, y, por consiguiente, he aprendido algunos métodos que dan mejor resultado que los que suelen practicarse en el suelo patrio.

—Es muy libre de pensar así. —Thorpe la miró con suma frialdad. Sus ojos castaños eran grandes, pero estaban un poco hundidos. Sus pestañas habrían sido la envidia de más de una mujer.

Hester enarcó mucho las cejas al decir:

—¿Acaso no es mejor que los pacientes vivan en lugar de morir?

Thorpe casi se levantó de su asiento, con el rostro sonrojado.

—¡No se ponga frívola conmigo, señora! Permítame recordarle que no tiene formación médica de ninguna clase. No tiene estudios, es una absoluta ignorante y, como mujer, no sirve para los rigores de la ciencia médica. Sólo porque haya sido de ayuda en el extranjero a los soldados heridos en una situación extrema mientras luchaban por la reina y el país, no imite a la desventurada señorita Nightingale imaginándose que tiene una especie de deber de enseñarnos a los demás cómo tenemos que actuar.

Hester conocía bastante bien la naturaleza de Florence Nightingale, mucho más que Fermin Thorpe, quien sólo la conocía por la voluminosa correspondencia que ella le enviaba a cualquiera que estuviese relacionado remotamente con la administración hospitalaria. Hester conocía el coraje de la señorita Nightingale, su capacidad de trabajo y su espíritu, el cual enardecía el sacrificio que esa labor conllevaba; y conocía también su inagotable persistencia y su obsesión por el detalle, los modales prepotentes y las exaltadas emociones que la consumían casi hasta el colapso. Sin duda iba a durar más que Fermin Thorpe y los de su calaña, aunque sólo fuera por puro desgaste.

La experiencia de Crimea, con sus apuros y sus raras victorias y, por encima de todo, su espíritu apaciguaron la réplica que le acudía a los labios.

—Estoy convencida de que la señorita Nightingale piensa que lo que hace es compartir lo gratificante de unas experiencias que ustedes han sido incapaces de tener por sí mismos —expuso con avinagrada dulzura—, puesto que permanecieron aquí, en Inglaterra. Ella no se da cuenta de que sus esfuerzos no son bien recibidos.

Thorpe se puso rojo como un tomate.

—Seguro que lo hace con la mejor intención —contestó en un tono presuntamente conciliador, aunque hablando entre dientes—. Simplemente, no comprende que lo que era cierto en Sebastopol no es forzosamente cierto en Londres.

Hester inspiró sonoramente.

—Puesto que ella ha estado en ambos sitios, parece muy probable que piense así, ya que en lo que a curar heridas se refiere es exactamente igual. En realidad, yo misma padezco de esa ilusión.

Thorpe apretó los labios hasta dibujar una línea fina como una cuchilla.

—Mi decisión está tomada, señora. Las mujeres que trabajan en este establecimiento cumplen satisfactoriamente nuestras necesidades y son remuneradas de acuerdo con sus aptitudes y su diligencia. Emplearemos nuestros restringidos recursos económicos para pagar lo que mejor sirva a las necesidades de los pacientes, es decir, a cirujanos competentes y médicos cualificados, con formación y experiencia. Agradecemos mucho su colaboración para conservar el orden en el hospital, para alentar y ofrecer consejo sobre el bienestar moral de los pacientes. De hecho —agregó de manera significativa—, la echaríamos mucho en falta si usted dejara de venir. Estoy seguro de que otros directores de hospital se mostrarían de acuerdo conmigo de todo corazón. Buenos días.

No les quedó más opción que responder lo más cortésmente posible y retirarse.

—Supongo que este hombre poseerá alguna virtud que lo redima, pero por ahora soy incapaz de verla —gruñó Callandra en cuanto salieron al pasillo y ya no les podía oír.

—Es puntual —alegó Hester secamente—. Es limpio —añadió tras meditar un poco más.

Caminaron a paso vivo de regreso a los quirófanos y se cruzaron con una enfermera anciana, con los hombros vencidos por el peso de los cubos que acarreaba en cada mano. Tenía la cara hinchada y los ojos enrojecidos y vidriosos.

—Y no bebe —remató Hester.

—Eso no son virtudes —le rebatió Callandra con amargura—. Son accidentes fruto de la educación y las circunstancias. Tiene la oportunidad de ir aseado y ninguna tentación de embriagarse, excepto con su propia importancia. Y ésa es tan grande que añadirle alcohol resultaría superfluo.

Pasaron por delante de la farmacia. Callandra estuvo a punto de decir algo, pero cambió de parecer y apretó el paso.

Kristian Beck salió del quirófano, aunque con el abrigo puesto y los puños de la camisa limpios, de modo que en principio no venía de operar. Se le iluminó el semblante al ver a Callandra y luego reparó en su expresión.

—¿Nada? —dijo, más a modo de respuesta que de pregunta.

Su estatura era casi la media. El pelo presentaba entradas encima de las sienes, pero los labios transmitían una notable sensación de pasión y sensibilidad y la voz tenía un timbre de gran belleza. Hester era consciente de que la amistad entre Callandra y Kristian era más profunda que la sola confianza de dos personas que comparten la misma compasión y la misma rabia, sumadas a la determinación de combatir para alcanzar el mismo objetivo. Ahora bien, nunca había preguntado hasta qué punto se trataba de una relación personal. Kristian estaba casado, aunque jamás se le oía hablar de su mujer. En aquel momento, contemplaba a Callandra con seriedad mientras ella le refería la conversación con Thorpe. Se lo veía cansado. Hester pensó que lo más probable sería que hubiese pasado toda la noche en el hospital, atendiendo a algún paciente que sufría una crisis y echando una cabezadita cuando tuviese ocasión. Tenía ojeras y el cutis descolorido.

—Ni siquiera se digna escuchar —se quejaba Callandra. Si un momento antes estaba harta, enojada con Thorpe y consigo misma, de pronto su voz sonaba más amable, esforzándose por disimular su desesperanza—. No estoy muy segura de haberlo abordado de la mejor manera...

Kristian sonrió.

—Me figuro que no —comentó de buen talante, entre atribulado y afectuoso—. El señor Thorpe no ha sido bendecido con el sentido del humor. No cuenta con nada para suavizar los golpes de la realidad.

—Ha sido culpa mía —intervino Hester en voz baja—. Me temo que me he puesto sarcástica. Ese hombre hace que aflore lo peor de mi persona, y se lo permito. Tendremos que volver a intentarlo con otro enfoque, aunque de momento no se me ocurre cuál. —Miró a

Kristian y se obligó a sonreír—. Por cierto, sugirió que nos mantuviésemos ocupadas con la disciplina del hospital y ofreciendo consuelo a los pacientes. —Hizo rechinar los dientes—. Quizá debería ir a decirles algo que les levante el ánimo.

Su intención era dejar a Kristian y Callandra a solas durante uno de los pocos momentos que tenían para estar juntos, aunque sólo fueran capaces de hablar del suministro de vendas o de otros detalles, como el sobresueldo de las enfermeras residentes o quién debería estar autorizado a salir del edificio para comprar alimentos.

Callandra no la miró. Se conocían tan bien que las palabras estarían de más y, por otra parte, era un asunto muy delicado como para hablar de él. Puede que también fuese un poco tímida. Se sabía todo, pero no se decía nada.

Kristian torció los labios admitiendo el absurdo que todo aquello suponía. La disciplina del hospital era un caos en lo que a las enfermeras se refería y, sin embargo, se aplicaba con suma rigidez a los pacientes. Quienes se portaban mal, por usar un lenguaje obsceno o blasfemo, por fraternizar con pacientes del sexo opuesto o por, en general, adoptar una actitud indecorosa, podían verse privados de una o más comidas. El alcohol estaba prohibido. Fumar y apostar acarreaban la expulsión, sin importar que la persona en cuestión estuviera curada de su enfermedad.

Para las enfermeras, la embriaguez era otra cosa. Parte de su salario se pagaba con cerveza negra y, en gran medida, pertenecían al tipo de persona de quien no cabía esperar nada mejor. ¿Qué otra clase de mujer iba a ponerse a fregar, barrer, echar carbón al fuego y vaciar orinales? ¿Y quién, sino un maníaco, iba a permitir que tales mujeres ejercieran de ayudantes en la especializada ciencia de la medicina?

Hester se marchó resueltamente, en realidad hacia

la farmacia, dejando a Callandra a solas en el pasillo con Kristian.

—¿Se ha enterado de lo de la señorita Nightingale? —preguntó Kristian, volviéndose para caminar despacio de regreso al ala de cirugía.

—Es muy complicado —contestó Callandra, tratando de elegir sus palabras con cuidado.

El país en pleno sentía un vivo respeto por Florence Nightingale. Era la heroína perfecta. Los artistas pintaban cuadros de ella inclinada sobre los héroes enfermos y heridos de la reciente guerra de Crimea, con sus dulces rasgos teñidos de compasión, iluminados por el resplandor dorado de una vela. Callandra sabía que la realidad había sido muy distinta. Allí no hubo lugar para el sentimentalismo, no se murmuraron palabras de paz y lealtad. La señorita Nightingale era tan combatiente como cualquiera de los soldados y mejor estratega que la mayoría, sin duda mejor que los terriblemente incompetentes generales que los habían conducido a la masacre. También era imprevisible, emotiva, hipocondríaca y de una pasión y un coraje inagotables, una criatura incómoda y llena de contradicciones. Callandra no siempre estaba segura de que Hester se percatara de hasta qué punto Florence Nightingale era una mujer difícil. A veces su devoción la cegaba, aunque ésa era la naturaleza de Hester y ambas habían disfrutado con ella en el pasado.

Kristian lanzó una mirada inquisitiva a Callandra. Apenas conocía la realidad de lo acontecido en Crimea. Era oriundo de Praga, en el principado austriaco de Bohemia. Todavía se le notaba un dejo al hablar, aunque su inglés era impecable. Empleaba pocos modismos, si bien con los años los había ido comprendiendo bastante bien. De cualquier forma, estaba dedicado en cuerpo y alma a su profesión. Los pacientes a los que trataba ocupaban todo su pensamiento, eran su única preocupación: la mujer con una rotura grave en la pierna, el hombre con un tumor en la quijada, el muchacho con un hombro roto por una coz de caballo (temía que la herida se gangrenara), el anciano con unas piedras en el riñón que le causaban un dolor atroz.

Por fortuna, disponían del novedoso recurso de anestesiar a los pacientes durante las intervenciones quirúrgicas. Eso significaba que la rapidez ya no era lo más importante. Los cirujanos se permitían dedicar varios minutos a efectuar una operación, no sólo unos cuantos segundos. Podían actuar con más precisión y hasta considerar alternativas, pensar y mirar en lugar de ser tan horriblemente conscientes del dolor que acabar a toda prisa fuese la idea central de su pensamiento y la que obedecían las manos.

—Bien, ella tiene toda la razón —añadió Callandra, refiriéndose a Florence Nightingale—. Debería llevarse a cabo cuanto propone, y algunas de esas cosas no costarían nada, salvo un cambio de mentalidad.

—Para algunos, eso es lo más caro de todo —comentó Kristian, con una atribulada sonrisa en los labios, que no en los ojos—. Creo que el señor Thorpe es uno de ellos. Me temo que nunca dará su brazo a torcer.

Callandra advirtió una nueva dificultad que él aún no había mencionado.

—¿Qué le hace pensar eso? —preguntó.

Pese a lo despacio que caminaban, llegaron al final del pasillo, a la puerta que daba al ala de cirugía.

Kristian la abrió y se apartó para cederle el paso, al tiempo que dos estudiantes de medicina, absortos en su conversación, los adelantaban camino de la entrada principal. Tuvieron la deferencia de inclinar la cabeza como saludo a Kristian, echando un mero vistazo a Callandra.

Ella entró en la sala de espera y él pasó detrás. Ya había una media docena de pacientes. Kristian les sonrió antes de dirigirse a su consulta, seguido por Callandra.

Una vez dentro, él respondió, encogiendo un poco los hombros.

—Cualquier sugerencia que acepte tendrá que proceder de alguien a quien considere su igual.

Kristian Beck era, en todos los aspectos, intelectual y moralmente, superior a Thorpe, pero carecería de sentido que ella lo dijera y sería embarazoso. Constituiría una tremenda indiscreción. Delataría sus propios sentimientos, de los que nunca había hablado; la confianza, una profunda y apasionada comprensión de los valores, del compromiso con lo que estaba bien. Nunca tendría un amigo más fiel en esos ámbitos, ni siquiera Hester. Ahora bien, lo privado, lo íntimo, suponía otra cuestión. Ella era consciente de sus emociones. Lo amaba más de lo que había amado a cualquier otro, más que a su marido cuando vivía. Naturalmente, sintió afecto por su marido, y el suyo fue un buen matrimonio; la juventud y la naturaleza le dieron ardor al principio, y el mutuo interés y la amabilidad fundamentaron una relación amigable. Pero por Kristian Beck sentía un hambre espiritual que le era desconocida, una agitación interna, mitad miedo, mitad certeza, que la turbaba sin tregua.

No tenía la menor idea de si los sentimientos de Kristian por ella iban más allá de la amistad más profunda, del calor y la confianza que surgía al conocer el carácter de una persona en momentos de apuro. Se habían visto mutuamente agotados de cuerpo y mente, al límite de sus fuerzas, cuando lucharon contra el brote de tifus en el Hospital de Limehouse. Una parte de su fuerza interior quedó expuesta por aquel horror, días y noches interminables que se confundían, el pesar ante las muertes que con tanto encono intentaban evitar, la suprema victoria cuando alguien sobrevivía. Y, por supuesto, corrían el riesgo de infectarse, pues ellos mismos no eran inmunes.

Kristian aguardaba a que ella le diera alguna respuesta, de pie bajo el sol que desde las altas ventanas se derramaba sobre el gastado suelo de madera. Tenían poco tiempo, como siempre. Había personas esperando, personas asustadas y enfermas que dependían de su ayuda. Aunque también dependían de los cuidados que recibieran después de una intervención quirúrgica. Su supervivencia pendía de hilos tan simples como la buena ventilación de los pabellones, la limpieza de los vendajes, la concentración y seriedad de la enfermera que los tuviera a su cargo. El alcance de los conocimientos de la enfermera y el hecho de que alguien escuchara sus informes podía suponer la diferencia entre la recuperación y la muerte.

—¡Ojalá no fuese tan idiota! —exclamó Callandra con súbito enojo—. No tiene ninguna importancia quién seas, lo único que cuenta es si tienes razón. ¿De qué tiene tanto miedo?

—Del cambio —repuso Kristian en voz baja—. De perder parte de su poder, de no ser capaz de comprender.

No se movía como hubiese hecho cualquier otro hombre, mirando los papeles de encima del escritorio, ordenando esto y aquello, comprobando el instrumental dispuesto para su uso. Poseía la cualidad de la calma. Callandra pensó una vez más, sintiendo el vacío de su soledad, lo poco que sabía de él fuera de los recintos hospitalarios. Sabía más o menos dónde vivía, aunque no con exactitud. Sabía de su esposa, aunque él raramente hablaba de ella. ¿Por qué? Hubiera sido lo más natural. Uno no podía evitar pensar en quienes amaba.

Un frío repentino se apoderó de ella. ¿Sería porque él conocía sus sentimientos y no quería hacerle daño? Seguro que se estaba poniendo colorada.

¿O sería alguna infelicidad, un dolor que se negaba a mencionar y mucho menos a compartir? ¿Acaso quería ella saberlo?

¿Querría oírle decir en voz alta que él también la amaba? Eso podría romper para siempre la cómoda amistad que los unía. ¿Y qué la reemplazaría? ¿Un amor siempre en jaque por la existencia de su esposa? ¿Querría Callandra que Kristian traicionara a su esposa? Sabía sin tener que pensarlo dos veces que tal actitud aniquilaría el hombre en el que ella creía.

Nada sería más dulce que oírle decir que la amaba. Y nada más peligroso, más amenazador para la dulzura de lo que ahora tenían.

¿Estaba siendo cobarde, dejándolo solo cuando más necesitaba compartir y ser comprendido? ¿O era discreta, pues lo que más necesitaba él era silencio?

¿Acaso era sólo amistad lo que él anhelaba? Tenía esposa; quizá lo único que necesitaba allí, en aquella vida aparte de lo privado, fuese una aliada.

—Siguen desapareciendo medicamentos —dijo en voz alta, cambiando radicalmente de tema.

Kristian inspiró ostensiblemente.

—¿Se lo ha dicho a Thorpe?

—¡No! —Era lo último que tenía intención de hacer—. No —repitió más calmada—. Casi seguro que es una de las enfermeras. Prefiero averiguarlo por mi cuenta y poner fin a esta situación sin que llegue a enterarse.

—¿Qué clase de medicinas? —preguntó Kristian, con el ceño fruncido.

—De todo tipo, pero sobre todo morfina, quinina, láudano, líquido holandés y varios preparados mercúricos.

Él bajó la vista, con cara de preocupación.

—Diría que los están vendiendo. El líquido holandés es uno de los mejores anestésicos locales que conozco. Nadie puede ser adicto a todo eso o necesitarlo para sí. —Se aproximó a la puerta—. Tengo que empezar a visitar a los pacientes, si no, no voy a terminar nunca. ¿Tiene alguna idea usted de quién puede ser?

—No —dijo Callandra con tristeza.

Era la verdad. Había reflexionado al respecto, pero apenas se sabía los nombres de todas las mujeres que iban y venían soportando la carga de mantener el hospital limpio y cálido, la ropa lavada y planchada y las vendas enrolladas, por no hablar de sus vidas privadas o su carácter. Toda su atención se centraba en mejorar las condiciones laborales como colectivo.

—¿Le ha preguntado a Hester?

Callandra ya tenía la mano en el picaporte cuando contestó.

—Creo que tampoco lo sabe.

El semblante de Kristian se suavizó con una sonrisa fruto del humor, no de la alegría.

—Pues es una detective bastante buena —señaló.

Callandra no necesitaba contarle a Hester que estaban desapareciendo medicamentos, pues ya estaba al corriente. Sin embargo, aquello no era lo que ocupaba su mente cuando dejó a Callandra y a Kristian para dirigirse a la sala de espera de los pacientes. La molestaba sobremanera la amonestación de Fermín Thorpe, su indicación de que debía ofrecer consuelo a los atribulados y guía moral a las enfermeras, si bien ambas eran tareas en las que creía con firmeza y que trataba de desempeñar. Sus objeciones se debían a las limitaciones que pesaban sobre ellas, no a su naturaleza.

Se cruzó con una de las enfermeras, una buena mujer de casi cincuenta años, de rostro agradable, con el pelo castaño canoso y siempre caído de las horquillas, un poco como el de Callandra. Si sus orígenes no hubiesen sido tan distintos, el parecido entre ambas habría resultado más obvio. Esa mujer apenas sabía leer y escribir poco más que su nombre y un puñado de palabras relacionadas con su oficio, pero era inteligente y aprendía con rapidez cualquier tarea nueva y Hester le había visto atender a pacientes cuando estaba segura de que no había médicos en las inmediaciones. Parecía tener aptitudes para ello, una comprensión instintiva de cómo aliviar el dolor, bajar la fiebre o si alguien debía o no comer. Se llamaba Cleo Anderson.

Al cruzarse con Hester bajó la vista, como si no quisiera llamar la atención. Hester lo lamentó. Le habría gustado darle ánimos, aunque sólo fuese con una mirada.

En la sala de espera ya había unos cuantos pacientes, cinco mujeres y dos hombres. Todos menos uno eran ancianos, con ojos vigilantes en un entorno desconocido, temerosos de lo que fuera a ocurrirles, de lo que pudieran decirles que iba mal, del dolor del tratamiento y de su coste. Sus ropas estaban gastadas por el uso. Aquí y allá una camisa limpia asomaba bajo un abrigo descolorido.

Parte de su tratamiento era gratis, pero aun así tenían que pagar la comida mientras permanecían internados en el hospital y luego, una vez dados de alta, también las medicinas que pudieran precisar.

Eligió al paciente de aspecto más desdichado y se aproximó a él.

El hombre levantó la vista con cara de miedo. El porte de Hester la convertía en representante de la autoridad y pensó que lo iban a castigar, aunque no entendía por qué.

—¿Cómo se llama? —le preguntó Hester con una sonrisa.

Él tragó saliva.

—Harry Jackson, señora.

—¿Es la primera vez que viene aquí, señor Jackson? —Hablaba en voz baja, de modo que sólo pudieran oírla los pacientes que se encontraban más cerca.

—Sí, señora —farfulló, apartando la vista—. No iba

a venir pero nuestra Lil dijo que tenía que hacerlo. Siempre está preocupada. Aunque es muy buena chica. Me dijo que ya encontrarían el dinero de una manera o de otra. —Levantó la cabeza, ahora con gesto desafiante—. Y lo hará, señora. No la dejará colgada, ¡pase lo que pase!

—Estoy segura —lo tranquilizó Hester—, pero no es el dinero lo que me preocupa.

Al hombre le sobrevino un espasmo de dolor y jadeó para cobrar aliento. Hester no necesitaba la formación médica del señor Thorpe para ver los estragos que la enfermedad había infligido a aquel cuerpo demacrado. Era casi seguro que padeciera tisis, y pleuritis también, a juzgar por el modo en que se apoyaba la mano en el pecho. Parecía que le faltara poco para cumplir los setenta, pero era harto probable que no tuviera más de cincuenta. El médico poco podría hacer por él. Necesitaba reposo, comida, aire limpio y alguien que cuidara de él. La morfina ayudaría a amortiguar el dolor y el jerez diluido en agua era un excelente reconstituyente. Probablemente esos productos resultaban exorbitantemente caros para él. Su ropa, y más aún sus modales, hablaba de una pobreza extrema.

La miró con incredulidad.

Hester tomó una decisión.

—Hablaré con el doctor Warner y veré si se puede quedar aquí unos días... —Se interrumpió al ver que él se alarmaba—. Lo que necesita es reposo.

—¡Ya tengo una cama! —protestó.

—Por supuesto, pero necesita quietud y a alguien que disponga de tiempo para cuidar de usted.

Abrió unos ojos como platos.

—¡No quiero a esas enfermeras! —La sola idea lo llenaba de pavor.

Hester buscó un argumento para convencerlo, sólo que cuanto le acudía a los labios eran mentiras, y lo sabía. Había muchas enfermeras amables, pero eran ignorantes y a menudo estaban sometidas a la presión de la pobreza y otras desgracias personales.

—Yo misma le atenderé —dijo en cambio. Se había puesto en una situación en la que debía decir algo.

—¿Qué es usted, entonces? —La curiosidad pudo más que la intimidación.

—Enfermera —contestó con severidad y no sin una pizca de orgullo—. Estuve en Crimea.

La miró con asombro. Aquella palabra seguía siendo mágica.

—¿Estuvo allí?

Sus ojos se llenaron de esperanza y Hester se sintió culpable por haber actuado tan a la ligera, sin detenerse a considerar hasta qué punto podría hacer honor a su palabra. Ojalá lograran convencer a Thorpe de lo importante que era que todas las enfermeras inspiraran esa misma confianza y no por hacer milagros, sino por su competencia, su amabilidad y su sobriedad.

Ahora bien, ¿cómo iban a hacerlo si no les daban ninguna formación y además era más que patente que los médicos las despreciaban? En su interior anidó una rabia dura como una roca; inconscientemente, tensó todo el cuerpo.

Harry Jackson la seguía mirando fijamente. Tenía que hablarle, tranquilizarlo. Nadie podía curar su enfermedad. Igual que ocurría con la mitad de las personas de aquella habitación, hacía mucho que había pasado el momento de recibir esa clase de ayuda, pero ella podía mitigar su miedo y, al menos durante un tiempo, aliviar su dolor.

El médico se asomó a la puerta y llamó al primer paciente. Se lo veía descontento y cansado, con su levita limpia y los pantalones un poco arrugados en las rodillas. También él sabía que podía hacer muy poco que realmente fuese útil.

Hester se aproximó a otro paciente y habló con él, escuchó sus relatos sobre la familia, el hogar, las dificultades para llegar a fin de mes, por no mencionar las de pagar medicinas cuando estabas tan enfermo que ni podías trabajar.

Una enfermera cruzó la sala cargada con un balde vacío, cuya asa metálica tintineaba al entrechocar con los aros que la sostenían. Era una mujer robusta, morena, de unos cuarenta años. No miró a ningún lado al pasar entre la gente que esperaba. Hipó y salió por la puerta del otro extremo. Estaba en su propio mundo, agotada por el duro trabajo físico: cargar y acarrear bultos, agacharse, fregar. Las pausas para comer y, más aún, las pausas para beber eran lo más destacado de su jornada. Entonces podía compartir alguna broma con las demás mujeres y la breve euforia del alcohol, que ahuyentaba la realidad.

Aquello estaba a años luz del sueño de una mujer de expresión dulce y que, con una linterna en la mano, murmuraba palabras de esperanza y salvaba milagrosamente a los agonizantes.

Y también estaba a años luz de la apasionada, infatigable, irascible y vulnerable mujer que desde su casa repartía órdenes, ruegos y consejos —casi todos buenos— y cuyo peso en la sociedad era omitido por hombres como Fermin Thorpe.

Dieron las seis antes de que el último paciente fuese atendido. Hester se las había arreglado para que el médico ingresara a Harry Jackson durante unos días, saboreando así una pequeña victoria. Por eso sonreía mientras ordenaba la sala de espera.

La puerta se abrió y la alegró ver a Callandra, que iba ya más despeinada de lo habitual. Llevaba la falda arrugada y la blusa desabrochada por el calor, y era obvio que había estado trabajando, pues estaba arremangada y manchada de salpicaduras de agua y sangre. El pelo le salía de las horquillas en todas direcciones. Necesitaba soltárselo, pasarse el cepillo y volver a peinarse.

Distraídamente se quitó una horquilla, tomó un puñado de pelo y lo volvió a sujetar, con un efecto aún peor.

Cerró la puerta y miró alrededor para asegurarse de que la sala se encontraba vacía y que las demás puertas estaban bien cerradas.

—Se ha marchado —aseguró Hester.

Callandra se frotó la frente con el dorso de la mano y dijo cansinamente:

—Han desaparecido más medicamentos hoy. He comprobado las existencias esta mañana y ahora otra vez. No es gran cosa, pero estoy bastante segura.

Hester no tendría que haberse sorprendido, pero aun así, la invadió un frío interior. Era sistemático. Alguien sustraía medicinas cada uno o dos días y llevaba mucho tiempo haciéndolo, quizá meses, puede que incluso años. Cabía esperar un margen de error, e incluso de robos, pero no tan elevado.

—¿Lo sabe ya el señor Thorpe? —preguntó en voz baja.

—De esto, nada —contestó Callandra—. La cosa va a más.

Por un momento, Hester acarició la idea de aprovechar esos robos para presionar a Fermin Thorpe, de modo que viera la necesidad de dar formación y un buen sueldo a las enfermeras. Luego se dio cuenta de que revelar el problema sólo serviría para provocar una investigación a gran escala, en la que posiblemente intervendría la policía, y todo el personal, inocentes y culpables por igual, sufriría las consecuencias, tal vez hasta el despido. Con toda probabilidad nadie sería capaz de demostrar su honradez, y mucho menos su sobriedad.

El hospital quedaría totalmente paralizado sin que ello sirviera para conseguir nada bueno.

—No tardará en enterarse —siguió Callandra, interrumpiendo los pensamientos de Hester—. Habrá que reponerlos.

—¿Tenemos alguna idea de quién puede ser? —Hester buscaba algo tangible, un cabo del que tirar.

—Aquí hay veintiocho mujeres realizando distintas tareas. Todas andan mal de dinero, unas pocas sólo saben leer o escribir unas cuantas palabras y algunas ni eso. La mitad vive en el hospital, la otra mitad entra y sale a todas horas.

—Pero las dependencias del boticario están cerradas —señaló Hester—. ¿Crees que roban las llaves? ¿O piensas que fuerzan la cerradura?

—Fuerzan la cerradura —aseguró Callandra sin titubeos—. O se cuelan cuando él está de espaldas. Más no puede hacer el hombre.

—Pero ¿él sabe lo que está ocurriendo?

—Pues sí. Thorpe le gusta tan poco como a ti o a mí. Bueno, quizá no tanto. No informará hasta que se vea obligado. Sabe muy bien el caos que eso supondría. Aunque no puede seguir ocultándolo por mucho más tiempo.

Alguien llamó a la puerta. Callandra la abrió y allí estaba Cleo, con una expresión inquisitivamente cortés.

—¿Tenéis hambre, cielo? —dijo animadamente—. Vamos a dar cuenta de un buen pedazo de buey frío con encurtidos, si os apetece. Y pan fresco. ¿Y un vaso de cerveza negra?

Hester no se había dado cuenta, pero ante la mención de la comida fue consciente de que llevaba muchas horas sin comer ni sentarse a descansar sin verse obligada a buscar palabras de consuelo para alentar a algún pobre anciano asustado y con dificultades de expresión, sin posibilidad de ofrecerles una ayuda real.

—Sí —aceptó presurosa—. Gracias.

Cleo señaló hacia la derecha.

—Estamos allí, cielo, como de costumbre. —Se retiró y la oyeron alejarse taconeando por el pasillo.

Fueron juntas hasta la sala del personal y se sentaron a una de las mesas de madera sin pulir. A su alrededor, otras mujeres comían con glotonería y los vasos de cerveza negra se alzaban con más frecuencia que los tenedores. Charlaban jovialmente entre bocado y bocado o con la boca llena. Hester y Callandra oían retazos de sus conversaciones.

—... muerto, en una semana, pobre diablo. Aunque a quién le sorprende, ¿eh? No hubo más remedio que abrirle. Fue mal, muy mal. Ya se veía venir.

—Sí, bueno, son cosas que pasan, ¿no? ¡Ea, toma otro vaso de cerveza!

—Gracias. Estoy tan cansada que necesito algo para que no se me cierren los ojos. Fui a ver a esa rata, como me dijiste. Saqué una libra y diez peniques. Menudo cabrón. Pensaba que iba a darme una pasta. Pero, mira, al menos pagaré el alquiler.

—¿Tu Edie sigue viva?

—Pobrecilla, sí. No para de toser. Tiene cuarenta y seis y le echarías noventa.

—¿Vas a traerla aquí, entonces, para que la vea el doctor?

—¡Qué dices! ¿Quién pagará la factura? Yo no puedo, y Lizzie está pelada. Y Fred es un agarrado. Se saca sus chelines en el mercado del pescado, casi a diario, pero se bebe más de la mitad.

—¡Qué me vas a contar! Mi Bert hace lo mismo. De todos modos, el otro día le pegó una paliza a Joe Pake y estará a la sombra una temporada. ¡Adiós y buen viaje! ¿Te quedan pepinillos? ¡Tengo un hambre! Gracias.

Hester había oído cientos de conversaciones como aquélla, los pequeños detalles de la vida de unas mujeres a las que se encomendaba el cuidado de personas asustadas e ignorantes después de que el bisturí del cirujano hubiese hecho lo posible para extirpar la causa de su dolor, dejándolos inermes ante el largo camino de la recuperación.

—¿Y si hiciera números? —planteó bajito, tanto a sí misma como a Callandra—. Podría demostrarle a Thorpe los resultados prácticos de contar con un puñado de mujeres con un mínimo de formación. —Procuró no levantar la voz para que no la oyeran—. Mujeres dotadas de inteligencia y aptitudes, como Cleo Anderson. Me consta que costaría más, y será lo primero que objete, pero obtendríamos una magnífica recompensa. El dinero es sólo una excusa, estoy convencida. —Estaba buscando razones, argumentos, el punto flaco en la armadura del director del hospital—. Si pensara que el mérito será suyo..., si este hospital fuese a tener más éxito que ningún otro...

Callandra levantó la vista de su rebanada de pan con pepinillos.

—Ya lo he intentado. —Un enorme mechón se le desprendió de las horquillas y lo remetió dejando las puntas fuera—. Creí que iba a pillarlo por la vanidad. —También hablaba en voz baja—. Nada le gustaría más que superar al doctor Gilman, del Hospital para Hombres. Pero no tiene arrestos para probar nada de lo que no esté seguro. Si gastara dinero y no obtuviera resultados, tarde o temprano...

No terminó la frase. Ya habían dado una y mil vueltas a aquellos argumentos, o a otros parecidos, infinidad de veces. El asunto se resumía en convencer a Thorpe de algo de lo que él no quería ni oír hablar.

—Supongo que habrá que ponerse a escribir más cartas —concluyó Hester de mala gana, tomando otra rebanada de pan.

Callandra asintió con la cabeza, pues tenía la boca llena. Cuando hubo tragado, preguntó:

—¿Cómo está William?

—Aburrido —respondió Hester sonriendo—. Echa en falta un caso que le aguce el ingenio.

Hester llegó a su casa, en Fitzroy Street, poco después de las siete de la tarde. Monk ya había regresado y la estaba esperando. Unas sutiles arrugas de cansancio surcaban su rostro, aunque no bastaron para ocultar el placer de verla. A ella seguía pareciéndole algo extraordinario; se le aceleraba el pulso y se le tensaba el estómago al recordar que ahora pertenecía a aquel lugar, al domicilio que antes fuera de él; que al caer la noche no se levantaría para despedirse sin saber cuándo volvería a verlo. Ya no tenían que fingir, como tampoco salvaguardar su independencia. Podían ir a acostarse cada uno cuando gustase, pero en el fondo tenían la certidumbre de que ambos estarían allí, juntos toda la noche, y que juntos despertarían por la mañana. Ni siquiera se dio cuenta de que sonreía al pensar en ello, aunque ese caluroso afecto estaba siempre presente en su mente, como la luz del sol en un paisaje, alumbrándolo todo.

Hester lo besó cuando él se puso de pie para darle la bienvenida y la estrechó entre sus brazos. La ternura de aquel gesto casi sorprendió más al propio Monk que a ella.

—¿Qué hay de cena? —Fue lo primero que preguntó Monk cuando la soltó.

No le había pasado por la cabeza que tendría que cocinar para él. Había comido en el hospital llevada por la costumbre. La comida se encontraba allí, y ella estaba absorta pensando en las medicinas que desaparecían y en la testarudez de Thorpe.

En su pequeña cocina también había comida, por supuesto, pero sería preciso prepararla y guisarla. Aun así, no le llevaría más de tres cuartos de hora, como mucho. No soportaba la idea de volver a comer tan pronto.

Sin embargo, no podía decírselo a Monk. Haberse olvidado de él era inexcusable.

Se volvió, pensando frenéticamente.

—Hay cordero frío. ¿Lo quieres con unas verduras? Y también hay tarta.

—Sí —aceptó sin entusiasmo.

¿Había supuesto que sería buena cocinera? Sin duda la conocía lo suficiente como para que no fuera así. ¿Se figuró que el matrimonio la transformaría por arte de magia en una entusiasta ama de casa? Igual sí.

Lo único que ella quería hacer era sentarse y quitarse los botines. Aquella noche toda la culpa era suya, pero el espectro de años y años de noches como ésa era algo atroz, llegando a casa después de lo que fuere que estuviera haciendo, de sus luchas cotidianas, y tener que ponerse a pensar en comprar comida, regatear con los comerciantes, hacer listas de todo cuanto necesitaba, pelar, cortar, hervir, hornear, limpiar. Y también la colada, planchar, ¡barrer! Tragó saliva, con emociones encontradas debatiéndose en su fuero interno. Lo amaba, le gustaba, a veces lo detestaba, lo admiraba, lo despreciaba...; un centenar de cosas, pero siempre estaba unida a él por vínculos tan fuertes que desplazaban todo lo demás.

—¿Qué has hecho hoy? —preguntó en voz alta.

Lo que estaba cobrando forma en su mente era la posibilidad de contratar una sirvienta, una mujer que se ocupara de las tareas básicas que tan poco preparada estaba ella para llevar a cabo. ¿Cuánto costaría? ¿Se lo podían permitir? Había jurado no volver a trabajar como enfermera particular en casa ajena, tal como hiciera antes de casarse. Sonrió abiertamente al recordar el día de la boda.

Con gestos automáticos, se lavó las manos, llenó una cacerola con agua fría, la puso a hervir en la pequeña cocina y se dispuso a preparar unas patatas, zanahorias, cebollas y col.

El día de la boda fue típico de finales de primavera: reflejos dorados de sol sobre el pavimento mojado, el aroma de las lilas en el aire, el canto de los pájaros y el tintineo de los jaeces, los cascos de los caballos golpeando los adoquines, las campanas de la iglesia. La emoción le hacía palpitar el corazón con tanta fuerza que apenas podía respirar. Dentro de la iglesia el ambiente era fresco. Una ráfaga de viento le hizo revolotear la falda.

Veía en su imaginación las filas de bancos, el suelo que conducía hasta el altar, gastado por miles de pies a lo largo de siglos. Las vidrieras brillaban como joyas lanzadas contra el sol. No tenía ni idea de qué representaban las imágenes. Lo único que distinguió a partir de ese instante fueron la espalda rígida de Monk y su cabeza morena, y también su rostro cuando él no resistió más la tentación de volverse hacia ella.

Monk, apoyado en el marco de la puerta, estaba hablándole y Hester no había oído lo que le acababa de decir.

—Perdona —se disculpó—. Estaba pensando en la cena. ¿Qué me decías? —¿Por qué no le contaba lo que en realidad estaba pensando? Resultaría demasiado sentimental y a él lo pondría en un aprieto.

—Lucius Stourbridge —repitió, pronunciando con mucha claridad—. Su prometida se marchó de la fiesta en pleno partido de croquet y nadie la ha vuelto a ver desde entonces. Y eso ocurrió hace tres días.

Hester dejó de pelar las zanahorias y se volvió para mirarlo.

—¿Cómo que se marchó? ¿Nadie fue tras ella?

—Al principio pensaron que se encontraba mal. —Y le refirió la historia tal como se la habían contando.

Hester trató de ponerse en el lugar de Miriam Gardiner. ¿En qué pensaría mientras huía del jardín? ¿Por qué? No costaba mucho imaginar un momento de pánico ante el cambio que sufriría su vida y todo lo que sería irrevocable después de recorrer el pasillo de la iglesia y comprometerse delante de Dios y de los presentes. Pero esas cosas se superan, y uno vuelve disculpándose y presenta alguna excusa, como, por ejemplo, que te ha dado un vahído.

O, si realmente cambiabas de parecer, pues lo dices, quizá con vergüenza, culpabilidad o un miedo espantoso. Pero no desapareces sin más.

—¿Qué pasa? —preguntó Monk, mirándola a los ojos—. ¿Se te ha ocurrido algo?

Se acordó de las zanahorias y reanudó el trabajo, aunque cuanto más tardara en preparar la cena más posible sería que se viera con ánimos de obligarse a comer de nuevo. Movió más despacio las manos.

—¿Se sabe si hay algún otro hombre? —preguntó.

La cacerola estaba a punto de hervir, pequeñas burbujas comenzaban a subir desde el fondo para reventar en la superficie. Tendría que darse prisa con las patatas y poner una segunda cacerola al fuego para la col. Si la cortaba muy fina no tardaría demasiado en cocerse.

Monk guardó silencio unos instantes, antes de contestar:

—Supongo que es la única respuesta. Treadwell tiene que estar envuelto en el asunto de un modo u otro; si no, ¿por qué no ha regresado él?

—Igual vio la ocasión de robar el carruaje y la aprovechó —sugirió Hester, mientras ponía las patatas y las zanahorias en la cacerola. Añadió un pellizco de sal y puso la tapadera—. Oye, William.

—¿Qué?

¿Cómo podía abordar aquello sin darle pie a que él le dijera que dejara de trabajar en el hospital, por un lado, y, por el otro, sin dar a entender ella que esperaba un nivel de vida superior al que él podía ofrecerle?

—¿Vas a aceptar el caso?

—Ya te lo he dicho. Ojalá no lo hubiese hecho, pero he dado mi palabra.

—¿Por qué te arrepientes? —Mantuvo la vista fija en el cuchillo, en los dedos y en la col.

—Porque descubra lo que descubra sólo supondrá una tragedia para esa familia —respondió de manera un tanto cortante.

Hester estuvo unos minutos sin hablar, concentrada en trinchar el cordero y volver a guardarlo en la despensa. Encontró los últimos encurtidos (tendría que haber comprado más) y puso la mesa.

—¿Piensas que...? —comenzó.

Él la observaba como si verla realizando aquellas tareas domésticas lo llenara de satisfacción. ¿Era por ella, o simplemente por la calidez de saber que formaba parte de algo, más aún después del excepcional aislamiento de sus años sin memoria, sin el consuelo de un pasado que para él no existía, excepto en sombras, y con miedo a lo que averiguaría sobre su ser?

—¿Que si pienso qué? ¡La cacerola está hirviendo!

—Gracias. —Destapó un poco la cazuela. Ya tocaba agregar la col.

—¡Hester!

—¿Sí?

—Solías ser la mujer más franca que he conocido. Y ahora te andas con rodeos como...

Hester lo empujó al pasar junto a él.

—Por favor, no te quedes en medio de la puerta. No me dejas sitio.

Monk se hizo a un lado.

—¿Qué crees que hizo que Miriam Gardiner cambiara de parecer tan de repente?

El miedo, pensó Hester. El súbito darse cuenta de las promesas que estaba haciendo. Su vida, su suerte para bien o para mal, su nombre, su obediencia y quizá más que nada su cuerpo pertenecerían a otra persona. Tal vez en ese momento, de pie a plena luz en el jardín, se le antojó que era demasiado. ¡Para siempre! Hasta que la muerte nos separe. La verdad es que tienes que amar mucho a alguien, con una fuerza abrumadora... Para hacer algo así, tu confianza en él tiene que ser de una profundidad, intensidad y certidumbre que están más próximas al corazón que a la mente.

—William, ¿crees que podemos permitirnos contratar una mujer durante el día, que cocine para nosotros, haga la compra y demás tareas? Así pasaríamos juntos el tiempo libre de que disponemos y comeríamos como Dios manda.

No lo miró. Esperó la respuesta con todo el cuerpo en tensión. Ya lo había dicho.

El silencio sólo lo rompían el borboteo del agua y el temblor de la tapadera de la cacerola. Hester la corrió un poco más y salió una columna de vapor.

Ojalá supiera en lo que Monk estaba pensando. ¿En el dinero? ¿En los principios? ¿En que la presencia de otra persona supondría una intromisión? Qué tontería. Todo el mundo tenía servicio. El dinero. Ya habían discutido al respecto. Antes Monk aceptaba la ayuda de Callandra por pura necesidad. Ahora era distinto. Nunca permitiría que un tercero mantuviera a su esposa. Se pelearon a propósito de la independencia de Hester. Ganó ella. Era una condición tácita para su felicidad. Fue el único aspecto en el que él estuvo dispuesto a ceder terreno. Probablemente fuese el indicador más seguro de su amor por ella. Recordarlo hizo que Hester sonriera con afecto.

—No tiene importancia —dijo impulsivamente—. Yo... —Entonces no supo qué decir para no estropearlo. El exceso de explicaciones siempre era nefasto.

—No hay sitio para que otra persona viva aquí —reflexionó Monk—. Tendría que venir todos los días.

Hester se sorprendió sonriendo, con un íntimo regocijo.

—Oh, por supuesto. Quizá sólo por las tardes.

—¿Será suficiente? —Se estaba mostrando generoso y puede que hasta un poco imprudente. Nadie sabía qué casos iba a tener en el futuro.

—Claro que sí —asintió Hester. Con una broqueta comprobó el punto de cocción de las patatas. Aún no estaban—. ¿Pudo haber descubierto algo sobre Lucius que hiciera intolerable la idea de casarse con él? ¿O sobre su familia, tal vez?

—No en ese preciso momento —contestó Monk—. No había nadie cerca de ella y mucho menos hablándole. No era más que un partido informal de croquet, con la cháchara social de rigor, todo muy distendido y más bien público. No pudo sorprenderlo con otra mujer, si es eso lo que estás pensando. Y me han confirmado que no se produjo ninguna disputa. Tampoco cabe pensar que se sintiera abrumada o desplazada. No era la primera vez que visitaba la casa, y conocía a todos los presentes. Ayudó a confeccionar la lista de invitados.

Hester no dijo nada.

—Quiero saber qué piensas —insistió Monk—. Eres mujer. ¿Entiendes lo que hizo?

¿Debía decirle la verdad? ¿Heriría sus sentimientos? Había descubierto que era muy vulnerable tras su aparente dureza. Se mostraba valiente, airado, inteligente. No resultaba fácil herirlo, su talante implacable no permitía que los demás influyeran en él. Creía firmemente en sus convicciones. Eso era, en parte, lo que la atraía de él, y también lo que la enfurecía y, a veces, hasta le daba miedo.

No obstante, desde que se casaron había descubierto un fondo de ternura. Rara vez la manifestaba con palabras, pero se hacía patente cuando la tocaba, en la forma en que sus dedos le recorrían el cuerpo como si hasta en los momentos más apasionados no olvidara el corazón y el espíritu que habitaban aquella carne. Nunca dejaba de ser ella para él. Por eso lo amaría siempre, sin ocultar ninguna parte de su ser por miedo o reserva.

Ahora bien, eso antes no lo sabía, así que Miriam Gardiner quizá tampoco lo supiera. Se volvió para darle la cara.

—En realidad no sabemos cómo fue su primer matrimonio —sugirió, buscando sus ojos—. No sabemos qué pasaba cuando se cerraban las puertas y se quedaban a solas. Quizás ahí hubiera cosas que de pronto le hicieron tener miedo de comprometerse irrevocablemente otra vez.

Los ojos grises de Monk escrutaban los suyos. Hester percibió la duda que anidaba en ellos, el parpadeo de la incertidumbre.

—No puedes saber de antemano lo bien o mal que irán las cosas —agregó en voz muy queda—. A veces una sufre. —No dijo «o se siente rechazada, agotada, utilizada o mancillada», pero supo que él lo entendía—. Puede que se conocieran muy poco a ese respecto —añadió.

Entonces, por si a él se le ocurría que ella abrigaba la más leve duda o el más mínimo temor, le rodeó el cuello con los brazos y, acariciándole con dulzura el pelo por encima de las orejas, le dio un beso en la boca.

La respuesta de Monk echó a perder la cena y selló su determinación de ponerse a buscar de inmediato una mujer que a partir de entonces se hiciera cargo de las tareas domésticas.

3

Monk salió de casa muy temprano la mañana siguiente. Lo hizo mucho antes de lo que le apetecía,
pero si quería hacer algo de provecho para Lucius
Stourbridge debía averiguar qué había sido de James
Treadwell y del carruaje. De ese modo tendría muchas
más posibilidades de rastrear alguna pista o algún indicio sobre el paradero de Miriam y tal vez hasta sobre el
motivo de su desaparición. Se sorprendió al constatar
hasta qué punto le daba pavor la respuesta.

Hacía ya cuatro días que había desaparecido y a cada hora que pasaba más difícil resultaría seguirle el rastro. Tomó un coche de punto hasta Bayswater y comenzó por localizar a los tenderos que estuvieran allí a la
hora de la tarde en que Miriam se dio a la fuga.

Tuvo la suerte de dar casi de inmediato con un jardinero que vio el carruaje y que conocía tanto la librea como los caballos, un bayo inconfundible y un alazán, que
a pesar de su distinto color de pelaje cuadraban a la perfección en cuanto a estatura y paso.

—Sí, hombre —dijo, asintiendo vigorosamente con
la cabeza, con un desplantador en la mano—. Sí, pasó a
toda mecha. No vi quién iba dentro, eso no. Y mire que
me lo pregunté. Sabía que daban una fiesta. Vi todos los
coches que fueron llegando. Pensé que igual había caído
alguien enfermo. ¿Fue eso lo que pasó?

—No lo sabemos —contestó Monk. No le contaría
a nadie la tragedia de los Stourbridge, aunque muy

pronto sería del dominio público, a no ser que encontrara a Miriam y además la convenciera para que regresara, y no abrigaba ninguna esperanza a ese respecto—. ¿Vio qué dirección tomaba?

El jardinero se desconcertó.

—Según parece, el cochero robó el carruaje y los caballos —le explicó Monk.

Los ojos del jardinero se abrieron como platos.

—¡Mecachis! —Suspiró, negando con la cabeza—. No estaba al tanto. Qué cosas. ¿Adónde iremos a parar? —Alzó la mano, blandiendo el desplantador—. Giró en esa esquina de ahí. Y no lo he vuelto a ver más. La avenida va hacia el norte. Si quería ir a la ciudad, habría ido en dirección contraria. Menos tráfico. No lo seguía nadie. Escapó sin dejar rastro, digo yo.

Monk se mostró de acuerdo, le dio las gracias y tomó la dirección que le había indicado el hombre, caminando a paso vivo para ver si encontraba a alguien más que hubiese visto el carruaje.

Tuvo que cambiar de rumbo varias veces y anduvo kilómetros con polvo y con calor, pero, finalmente, agotado y con los pies doloridos, cubrió una considerable distancia hasta Hampstead Heath, donde ya perdió el rastro. Para entonces anochecía y Monk estaba más que dispuesto a encontrar un coche de punto que lo llevara de vuelta a casa. La idea le resultaba mucho más atractiva que uno o dos meses atrás, cuando su única perspectiva hubiese sido liberar a sus castigados pies de las botas y esperar a que la casera le sirviera la cena. En cambio, ahora el coche no parecía correr lo bastante para él e iba sentado muy derecho mirando pasar las calles y el tráfico.

A la mañana siguiente, Monk fue a primera hora a la comisaría de Hampstead. En sus tiempos como policía habría sido normal que solicitara colaboración. Ahora tenía que pedir favores, y la diferencia no le resultaba fácil de digerir. Quizás algunas veces hizo un uso indebido de su autoridad. Ésa era la conclusión que se había visto obligado a sacar cuando la pérdida de memoria le mostró fragmentos de su vida a través de los ojos de terceros. Resultaba desagradable, e inesperadamente hiriente, descubrir que tantas personas lo habían temido, en parte por la superioridad de sus dotes, pero con demasiada frecuencia debido a su lengua viperina. Lo que hoy le ofrecieran sería una gentileza. Monk sólo era ya un ciudadano más.

A no ser, por supuesto, que hubiese tenido ocasión de ir allí en el pasado y guardaran un mal recuerdo de él. Tal pensamiento le hizo dar un traspié al doblar la esquina de la calle para enfilar los últimos cien metros que lo separaban de la puerta de la comisaría. No tenía la menor idea de si lo conocerían o no. Lo acometieron la misma inquietud, culpabilidad y prevención que desde el accidente lo asaltaban cada vez que se enfrentaba a la clase de hombre que había sido, y eso aún le pasaba muy a menudo. Una parte de su ser se había ablandado, aunque conservaba la lengua viperina y la agudeza mental y seguía enojándose ante la estupidez, la pereza, la cobardía y, por encima de todo, la hipocresía.

Suspiró profundamente antes de subir la escalinata y franquear la puerta.

El sargento de guardia fue a atenderlo, contento de que alguien interrumpiera su rutina matinal. Detestaba anotar asientos en los libros de contabilidad, aunque siempre era mejor que no hacer nada; o casi.

—Buenos días, caballero. Un día espléndido, ¿no es cierto? ¿Qué puedo hacer por usted?

—Buenos días, sargento —contestó Monk, escrutando el simpático rostro para ver si lo reconocía y sintiendo una tentadora esperanza al ver que no era así. Ya había decidido cómo abordar la cuestión—. Estoy investigando un asunto para un amigo que aún es un muchacho y está demasiado consternado para ocuparse él mismo.

—Lo siento, señor. ¿De qué asunto se trata? ¿Un robo, quizá? —inquirió amablemente el sargento, inclinándose un poco sobre el mostrador.

—Sí —asintió Monk con una atribulada sonrisa, encogiendo un poco los hombros—, pero no es lo que cabría esperar. Es algo que no se comprende, como si encerrara un misterio. —Bajó la voz—: Y me temo que también una tragedia, aunque confío en que no sea así.

El sargento estaba intrigado. Aquello tenía visos de mantenerlo ocupado todo el día, quizá más.

—Claro, señor. ¿Qué es lo que han robado, exactamente?

—Un carruaje y los caballos. Una buena pareja de tiro, uno bayo y el otro alazán, muy bien emparejados en altura y paso. Y el carruaje también era magnífico.

El sargento se mostró desconcertado.

—¿Seguro que lo robaron, señor? ¿No puede ser que haya algún miembro de la familia, un poco irresponsable, que se lo haya llevado sin avisar? Los jóvenes echan carreras, señor, pese a lo mal que está y lo peligroso que es.

—Es bastante seguro. —Monk asintió con la cabeza—. Lamento decirle que ocurrió hace cinco días y sigue sin aparecer. No sólo eso, sino que el conductor que se lo llevó no ha regresado, como tampoco la joven dama, que es la prometida de mi amigo. Naturalmente, nos inquieta que le haya sucedido algo malo, pues de lo contrario se habría puesto en contacto con la familia.

El sargento lo miró con aprensión.

—¡Vaya por Dios! Debo decir que esto no tiene buena pinta, señor.

Monk se preguntó si el sargento estaría pensando

que Miriam se había fugado con Treadwell. No era imposible. Monk se habría formado un juicio mejor al respecto si hubiese conocido al menos a uno de los dos, pero, por la descripción que le habían dado los demás sirvientes de los Stourbridge, el cochero no parecía de la clase de hombre que atraería a una encantadora y dulce viuda que tenía en perspectiva casarse con el heredero de una familia excelente, convirtiéndose en la esposa de un hombre de quien, a decir de todos, estaba profundamente enamorada. En cualquier caso, Lucius Stourbridge la amaba.

—Desde luego que no —estuvo de acuerdo—. Seguí el rastro del carruaje hasta los lindes de Hampstead Heath y luego lo perdí. Si alguien lo ha visto por la zona, me sería muy útil saberlo.

—Claro —convino el sargento, asintiendo con la cabeza—. Tenemos un buen hospital, aquí. Igual se puso enferma de repente. La habrían admitido. Son muy caritativos. O igual le dio un ataque de nervios, de esos que tienen las chicas a veces, ¿no?

—Está claro que debo preguntar en el hospital —admitió Monk, aunque el sargento debía de referirse al hospital donde trabajaba Hester, y Monk ya le preguntó si habían visto o ingresado a una muchacha que encajara con la descripción. De todos modos, a no ser que estuviera inconsciente, ¿por qué no había hecho ningún esfuerzo para comunicarse con la familia Stourbridge?—. Pero también debo seguir buscando el coche —prosiguió—. Igual éste me lleva hasta ella y, a decir verdad, el robo del coche es el único aspecto del asunto que infringe la ley.

—Claro —dijo el sargento con aires de sabiduría—, claro. El sargento Robb está muy ocupado en este momento, con un homicidio. Al pobre diablo lo golpearon en la cabeza y lo dejaron tirado ante la puerta de la casa de una mujer. Pero aún no ha salido hoy. Lo sé a ciencia cierta. Y estoy seguro de que podrá dedicarle un par de minutos. Vamos, digo yo.

—Muchas gracias. No lo entretendré mucho rato.

—Pase allí, señor; iré a decirle que está usted aquí.

Y el diligente sargento desapareció de su vista avanzando pesadamente. Regresó seguido por un hombre joven y delgado, de rostro jovial y ojos oscuros e inteligentes. Parecía agobiado por el trabajo y saltaba a la vista que si dedicaba parte de su tiempo a Monk era sólo por cortesía, ya que el sargento de guardia lo había comprometido. Apenas prestó atención al asunto.

—Buenos días, señor —saludó con simpatía—. El sargento Trebbins me ha dicho que actúa usted en nombre de un amigo a quien han robado un coche y los caballos; podemos investigar el caso, siempre y cuando tenga razones de peso para pensar que vinieron a esta zona.

—Las tengo. He ido encontrando a personas que lo vieron hasta llegar a los lindes del Heath.

—¿Eso fue ayer, señor?

—No. Me temo que fue hace cinco días.

Monk se sintió como un idiota al decirlo y se preparó para encajar el desinterés, y hasta el desdén, que esperó ver en los ojos del joven policía. En cambio, vio cómo todo su cuerpo se envaraba y oyó una inhalación brusca.

—¿Podría describirme al conductor de ese coche, señor, y el carruaje en sí? ¿Y quizá también los caballos?

A Monk se le aceleró el pulso.

—¿Los ha visto?

En el acto se arrepintió de la falta de profesionalidad que suponía dejar al descubierto una emoción. Pero ya era demasiado tarde para retirar la pregunta. Añadir cualquier comentario no haría más que empeorar la situación.

Robb se mostró cauteloso.

—No lo sé, señor. ¿Me los puede describir? —No

logró disimular el tono áspero de su voz, la urgente necesidad de saber.

Monk le dio todos los detalles del carruaje: color, estilo, dimensiones y nombre del constructor. Especificó que los caballos eran uno alazán y uno bayo, sin manchas blancas, y de quince palmos el uno y quince con uno el otro y siete y nueve años de edad, respectivamente.

Robb se puso muy serio.

—¿Y el conductor? —preguntó en voz baja.

El nudo que Monk tenía en el estómago se apretó.

—Estatura media, pelo castaño, ojos azules, complexión musculosa. La última vez que fue visto iba de librea. —Antes de terminar la frase comprendió que Robb sabía mucho al respecto y que lo que sabía no era nada bueno.

Robb apretó los labios un momento antes de hablar.

—Lo lamento, señor, pero me parece que he encontrado el coche, los caballos y... el cochero. ¿Tendría la bondad de seguirme, señor?

El sargento de guardia puso cara larga al comprender que iban a excluirlo del resto de la historia.

Monk no se olvidó de darle las gracias, cosa que no habría hecho poco tiempo atrás. El buen hombre asintió con la cabeza, pero el gesto de Monk no sirvió para paliar su disgusto.

Robb condujo a Monk a un despacho diminuto y abarrotado de papeles. Monk tuvo una súbita impresión de familiaridad, como si lo hubieran transportado en el tiempo hasta los primeros días de su carrera. Seguía sin saber cuánto hacía de aquello.

El sargento retiró un montón de libros de la silla para las visitas y lo dejó caer al suelo, pues no quedaba sitio entre los montones precariamente apilados sobre la mesa.

—Tome asiento, señor —lo invitó.

Todavía no le había preguntado a Monk cómo se llamaba. Era un joven tan bien educado que los buenos modales le salían sin pensar.

—William Monk —se presentó el detective, y se sintió estúpidamente aliviado al no percibir ninguna señal de reconocimiento en el semblante del otro hombre. Su nombre no significaba nada para él.

—Lo siento, señor Monk —se disculpó Robb—, pero en este momento estoy investigando el homicidio de un hombre que responde bastante bien a la descripción que acaba de darme. Lo peor, me temo, es que a cosa de un kilómetro encontramos un coche de caballos que casi seguro es el que echan ustedes en falta. El carruaje es exactamente como dice y los caballos, uno bayo y otro alazán, hacen buena pareja y tendrán unos quince palmos. —Volvió a apretar los labios—. Y el hombre muerto iba vestido de librea.

Monk tragó saliva.

—¿Cuándo lo encontraron?

—Hace cinco días —respondió Robb, mirando muy serio a los ojos de Monk—. Lo siento.

—¿Lo asesinaron? ¿Está seguro?

—Sí. El médico de la policía no ve cómo pudo sufrir esas heridas por accidente.

—¿Cayendo del pescante? —sugirió Monk.

Treadwell, sin duda, no sería el primer cochero que, un poco borracho o distraído, perdiera el equilibrio y cayera desde el asiento del conductor, golpeándose la cabeza contra un adoquín prominente o contra el bordillo. Más de un hombre había caído bajo sus propias ruedas, o incluso fue atropellado por los vehículos que lo seguían, incapaces de frenar a tiempo.

Robb negó con la cabeza, sin apartar la vista del rostro de Monk.

—Si se hubiese caído del pescante, se le notaría en la ropa. Uno no se pega semejante batacazo en el suelo como para hacerse esas heridas sin dejar marcas en los hombros y la espalda de la chaqueta, ningún hilo desgarrado o roto, ninguna mancha de barro o estiércol. Aunque ahora las calles están bastante secas, siempre hay algo. Hasta los bombachos presentarían otras marcas si el hombre hubiese rodado por el suelo.

—¿Otras? —se interesó Monk—. ¿Qué quiere decir? ¿Cómo los han encontrado?

—Arañazos en las rodillas, como si hubiese recorrido a gatas un buen trecho antes de morir.

—¿Tratando de escapar?

Robb se mordió el labio.

—No lo sé. No fue una pelea. Sólo le asestaron un golpe.

Monk se quedó desconcertado.

—¿Lo mató un golpe? Entonces, ¿anduvo a gatas antes de que lo golpearan? ¿Por qué?

—No necesariamente. —Robb volvió a negar con la cabeza—. El doctor dice que la cabeza sangró internamente. Puede que estuviera vivo un buen rato y que gateara un trecho sabiendo que estaba herido, pero no tan grave y mucho menos que se moría.

—En ese caso, ¿no pudo haber caído hacia delante y darse un mal golpe con algún saliente del pescante? ¿O que, una vez en tierra, uno de los caballos le arreara una coz?

—El doctor dice que lo golpearon por detrás. —Robb levantó los brazos a su derecha y los lanzó oblicuamente hacia delante con brusquedad—. Así..., mientras estaba de pie. Le dieron en la sien. No hubo mucha sangre, pero fue letal.

—¿No pudo ser una coz? —Monk se aferraba a la última esperanza.

—No. La hendidura no se parece en nada a la de un casco de caballo. Fue un objeto largo y redondeado, como una palanca o una pértiga. Tampoco fue una esquina del pescante.

—Entiendo. —Monk suspiró profundamente—. ¿Tiene alguna idea de quién lo mató? ¿O de por qué? —Agregó como si se le hubiese ocurrido en el último momento.

—Todavía no —admitió Robb. Parecía totalmente desconcertado y Monk tuvo la fugaz impresión de que encontraba abrumador el caso. El miedo al fracaso ya asomaba en su mirada—. No puede decirse que mereciera la pena robarle. Lo único de valor eran el carruaje y los caballos, y no se los llevaron.

—Un enemigo personal —concluyó Monk.

Tal idea lo inquietaba aún más, por razones que Robb no podía conocer. ¿Dónde estaba Miriam Gardiner? ¿Se encontraba presente cuando se cometió el homicidio? En ese caso, o bien era testigo, o bien cómplice, a no ser que ella también estuviese muerta. Si no se encontraba allí, ¿dónde la dejó Treadwell y por qué? ¿Con su consentimiento, o contra su voluntad?

¿Cuánto debía contarle a Robb? Si pretendía servir a los intereses de Miriam, quizá nada de nada; al menos, no de momento.

—¿Puedo ver el cadáver? —preguntó.

—Por supuesto.

Robb se puso de pie. La identificación podría servir de algo. Al menos le daría la sensación de estar llegando a alguna parte. Sabría quién era su víctima.

Monk le dio las gracias y lo siguió fuera del diminuto despacho, escalera abajo y hasta la calle, donde una leve brisa refrescaba el día caluroso, aunque oliera a caballos, a humo y a arroyos secos. El depósito de cadáveres quedaba lo bastante cerca como para ir a pie y Robb abrió la marcha a grandes zancadas. Hundió las manos en los bolsillos y bajó la vista, guardando silencio. Era imposible adivinar sus pensamientos. Monk estimó que aún no habría cumplido los treinta. Quizá no había visto muchos muertos. Tal vez se trataba de su primer homicidio. Cabía que estuviera intimidado, temeroso de fracasar, trastornado por la inmediatez de una violencia que de súbito era su responsabilidad combatir, una injusticia que debía resolver.

Monk caminó a su lado, manteniendo el paso, mas no interrumpió su silencio. Los carruajes pasaban velozmente, con los arneses brillando al sol y el estrépito de los cascos de los caballos. La brisa era muy ligera, apenas susurraba entre las hojas de los árboles del final de la calle, junto al Heath. El aire sobre la extensión de hierba olía a limpio. Alguien hacía sonar un organillo.

El depósito de cadáveres era un edificio hermoso, como si el arquitecto lo hubiese concebido a la manera de un monumento a los muertos, aunque sólo permanecieran en él temporalmente.

A Robb se le tensó la espalda y apretó el paso, como si hubiera resuelto no mostrar ninguna aprensión delante de Monk ni el menor titubeo en el cumplimiento de su deber. Monk lo siguió escalinata arriba y cruzó el umbral tras él. El consabido olor le hizo un nudo en la garganta. Todos los depósitos olían igual, a algo dulce y empalagoso que dejaba un regusto amargo en el fondo del paladar. Por más que los fregaran era imposible eludir la presencia de la muerte.

El empleado salió y preguntó educadamente que en qué podía servirles. Ceceaba un poco al hablar y miró a Robb con ojos de miope antes de reconocerlo.

—Supongo que está aquí otra vez por el cochero —dijo, negando con la cabeza—. No puedo decirle más.

Lo siguieron hasta una sala revestida de azulejos donde los pasos resonaban. El ambiente era húmedo por el agua corriente y apestaba a desinfectante. Más allá quedaba la cámara frigorífica donde había que conservar los cuerpos que no se podían enterrar en un lapso de uno o dos días. Hacía cinco que habían encontrado el cadáver que iban a ver.

—No es preciso que lo saque —le indicó Robb con brusquedad—. Lo veremos ahí dentro. Es sólo que este caballero quizá pueda decirnos quién es.

En la cámara hacía muchísimo frío. Al entrar se les cortó la respiración, aunque ninguno de los dos se quejó. Monk estaba encantado. Conocía otros depósitos mucho menos eficientes que aquél.

Apartó la sábana. El cuerpo era el de un hombre bien alimentado, de treinta y tantos años y musculoso, sobre todo en la parte superior del torso y en los hombros. La piel aparecía muy blanca, menos en las manos, el cuello y la cara, curtidos por el sol y el viento; y tenía el pelo castaño, las facciones muy marcadas y una magulladura en la sien derecha como si alguien lleno de odio le hubiese asestado un solo golpe con inusitada fuerza.

Monk lo estudió detenidamente durante varios segundos sin encontrar ninguna otra marca, salvo una vieja cicatriz en la pierna, curada mucho tiempo atrás, y varios cortes y arañazos sin importancia en las manos, algunos tan viejos como la cicatriz de la pierna. Era lo que cabía esperar en un hombre que trabajaba con caballos y se ganaba la vida conduciendo carruajes. Presentaba cardenales y desgarros recientes en las rodillas y en las palmas de las manos.

Para finalizar se centró en el rostro, aunque, con los ojos cerrados y desprovisto de vivacidad por la muerte, resultaba difícil emitir juicio alguno sobre su aspecto más allá de lo puramente físico. Poseía rasgos marcados, un tanto angulosos, con los labios finos y la frente despejada. La inteligencia y el encanto lo harían atractivo; asimismo, el mal carácter o una veta de avaricia o crueldad lo afearían. Era mucho lo que dependía de la expresión, ahora desvanecida.

¿Se trataba de James Treadwell? Sólo alguien de la casa de los Stourbridge podría afirmarlo sin asomo de duda.

—¿Quiere ver la ropa que llevaba? —le preguntó Robb, observando su rostro.

—Por favor.

Pero ver la ropa no le dijo nada que no le hubiese referido ya el propio Robb. Sólo había una conclusión fehaciente: el hombre estaba de pie cuando alguien le asestó un golpe muy fuerte que le hizo caer de rodillas, posiblemente dejándolo sin sentido durante un rato. Las rodilleras de los bombachos estaban sucias y rasgadas, como si hubiese ido a gatas un buen trecho. Resultaba harto complicado aventurar nada sobre la persona que asestó el golpe. No habían encontrado el arma, aunque tenía que ser un objeto largo, pesado y redondeado, blandido con mucha fuerza.

—¿Cree que pudo hacerlo una mujer? —preguntó Monk, para acto seguido arrepentirse.

No debía intentar que Robb le procurara el consuelo de que Miriam no pudiera haberlo hecho. ¿Por qué iba ella a hacer algo semejante? Igual la joven era otra víctima y, simplemente, aún no la habían encontrado.

Aunque si seguía con vida, ¿dónde diablos estaba? Si fuese libre de presentarse e inocente, ¿no lo habría hecho ya?

Y, en primer lugar, ¿por qué huyó de la casa de los Stourbridge?

—¿Puedo ver la chaqueta? —solicitó, sosteniendo la mirada de Robb, que tardó más de lo normal en contestar.

—Por supuesto.

No respondió a si pensaba que una mujer pudiera haber asestado el golpe. Era una pregunta tonta y Monk lo sabía. Una mujer fuerte, lo bastante enojada o asustada, con un objeto pesado al alcance de la mano, sin duda era capaz de golpear a un hombre con fuerza suficiente para matarlo, más aún con un golpe tan certero como aquél. Salieron del depósito de cadáveres al soleado exterior y caminaron con brío por la acera. Robb daba la impresión de tener prisa, pues de vez en cuando echaba una ojeada a su reloj de pulsera. Era obvio que lo apremiaba algo más que el mero deseo de alejarse de la presencia de la muerte.

Monk con gusto lo habría liberado de la necesidad de mostrarle el carruaje y los caballos si hubiese considerado que los podía pasar por alto, pero eran el factor determinante para decidir si llevar allí desde Bayswater a Harry o a Lucius Stourbridge y hacerles pasar el mal trago de identificar el cadáver. Seguramente sólo conseguiría agravar su inquietud.

El sargento caminaba tan aprisa que, al bajar a la calle, casi se metió debajo de las ruedas de un coche, y Monk tuvo que agarrarlo del brazo para detenerlo.

Robb se puso rojo y se disculpó.

—¿Tiene una cita? Sé que si hace esto por mí es por pura cortesía. Puedo esperar.

—Los caballos están en una cuadra a un par de kilómetros de aquí —contestó Robb, atento al tráfico para encontrar un hueco por el que cruzar—. No es exactamente una cita... —El tema parecía incomodarlo.

Pasó un coche tirado por cuatro caballos con las damas de a bordo mirando por las ventanillas, un destello de tonos pastel y de encajes. Lo siguió el carro de un cervecero, tirado por percherones con las crines trenzadas, los pies emplumados y los ijares relucientes. Sacudían la cabeza como si supieran lo bonitos que eran.

Monk y Robb aprovecharon para cruzar por detrás de ellos. Una vez en la acera contraria, el sargento tomó aire ostensiblemente y mantuvo la mirada al frente al explicar:

—Mi abuelo está enfermo. Paso a verle de vez en cuando para echarle una mano. Se está poniendo un poco... —Se le endureció el semblante y siguió sin mirar a Monk. En sentido estricto, empleaba parte de su jornada como policía para ir a casa.

Monk sonrió forzadamente. No guardaba buen recuerdo de la jerarquía policial. Le constaba que sus subordinados lo temían con razón, cosa que ahora le dolía. Lo había percibido en el nerviosismo que suscitaba su mera presencia, en la forma en que siempre esperaban recibir una crítica, justa o no, en su mal disimulada antipatía.

Su superior inmediato había sido harina de otro costal. Runcorn era el único al que conseguía recordar y entre ellos hubo amistad una vez, mucho tiempo atrás. No obstante, durante los años anteriores a la disputa final, que terminó con el despido de Monk, sólo existieron rivalidad y resentimiento.

Notó que se le envaraba el cuerpo, sin poder evitarlo.

—Más vale que vayamos a verlo —propuso—. Compraré una empanada o un bocadillo y me lo comeré mientras usted hace lo que tenga que hacer por él. Le contaré lo que sé sobre Treadwell. Si se trata de él, puede serle útil.

Robb lo meditó menos de un segundo antes de aceptar el ofrecimiento.

El anciano vivía en dos habitaciones de una casa que quedaba a unos cinco minutos a paso ligero de la comisaría. Dentro, la casa se veía vieja, pero limpia, y Robb se abstuvo deliberadamente de disculparse. Lo que Monk pensara le traía sin cuidado. Todas sus emociones y su atención eran para el hombre encorvado que estaba sentado en un confortable sillón. Era ancho de hombros, pero había adelgazado mucho y se inclinaba hacia delante como si el pecho le doliera al respirar. Llevaba el pelo cano y peinado con primor e iba afeitado, aunque su rostro estaba desprovisto de color. Lo incomodó sobremanera que su nieto llevase a un desconocido a su santuario.

—Cómo está usted —saludó Monk muy serio—. Le agradezco que me permita comer esta empanada en su casa mientras hablo con el sargento Robb sobre el caso en el que estamos trabajando. Es muy gentil de su parte.

—No tiene importancia —contestó el hombre con voz ronca, obligado a carraspear incluso por tan pocas palabras—. Sea bienvenido. —Miró a Robb con inquietud.

Monk se sentó y se entretuvo con la empanada que había comprado por el camino en un puesto callejero, manteniendo la vista fija en ella para no dar la impresión de estar percatándose de que Robb acompañaba al anciano al retrete, le lavaba luego las manos y calentaba un poco de sopa en la cocina del rincón, que al parecer estaba encendida pese al calor del verano, como si el anciano siempre tuviera frío.

Comenzó a hablar para evitar oír los ruidos que emitía el anciano en su esfuerzo por respirar y tragar con dificultad la sopa y las rebanadas de pan que Robb había untado con mantequilla y le iba dando a trocitos.

Ya tenía claro cuánto iba a decir acerca del encargo de Lucius. No haría referencia alguna a Miriam. No sería ni de lejos decir toda la verdad. Estaría induciendo a error a Robb deliberadamente, pero, mientras él mismo no supiera más sobre el asunto, hablar de ella pondría a Robb de inmediato sobre su pista y eso no sería obrar en interés de Miriam, al menos de momento.

—El señor Lucius Stourbridge me dijo que Treadwell se había llevado el coche, sin permiso, a media tarde del día en que fue asesinado —comenzó. Dio otro bocado a la empanada. Era sabrosa y estaba rellena de carne y cebolla, y él tenía hambre. Después de tragar continuó—: Vive con sus padres en Bayswater.

—¿El coche es suyo, o de su familia? —preguntó Robb, ofreciendo a su abuelo otra rebanada de pan y aguardando con inquietud mientras el anciano sufría un acceso de tos y escupía flema sanguinolenta en un pañuelo. Automáticamente le alcanzó un pañuelo limpio y un tazón con agua, que el anciano bebió sin hablar.

Era una buena pregunta y para contestarla Monk se vio obligado a ser taimado.

—Un vehículo familiar, y no precisamente el mejor. —Aquello era cierto aun sin ser toda la verdad.

—¿Por qué acudió a usted y no a la policía?

Monk había previsto aquella pregunta.

—Porque precisamente esperaba recuperarlo sin involucrar a la policía —respondió con suavidad—. Treadwell es sobrino de la cocinera y Lucius no quería presentar una denuncia contra él.

Robb midió con sumo cuidado el polvo que contenía un cucurucho de papel, asegurándose de utilizar sólo una tercera parte, envolvió luego lo que quedaba y lo guardó de nuevo en el anaquel de la vitrina. Volvió a la mesa, mezcló agua con la dosis que acababa de preparar y acercó el vaso a los labios del anciano.

Monk echó un vistazo al estante donde Robb había guardado el cucurucho y advirtió que había otros recipientes: un tarro de cristal con hojas secas, presumiblemente para una infusión; un frasco de jarabe; y otros dos tarros con más cucuruchos de polvos. Tantas medicinas debían de costar un buen pico. Recordó haber reparado en los puños raídos de Robb, zurcidos con esmero, en los tacones gastados de las botas y en un roto remendado más de una vez en el codo de la chaqueta. Le pilló desprevenido la inmensa piedad que se apoderó de él ante tamañas dificultades, ante el dolor, y luego lo invadió un sentimiento de dicha por el amor que todo ello inspiraba. Se sorprendió sonriendo.

Robb limpió y secó con cuidado la cara del anciano. Se dedicó a continuación a su propio almuerzo, compuesto de pan y una sopa que se le estaba quedando fría.

—¿Sabe algo más acerca de ese Treadwell? —preguntó, comenzando a comer deprisa.

Quizás estuviera hambriento, aunque lo más probable es que fuera consciente de la cantidad de tiempo que llevaba apartado de sus obligaciones como policía.

—Según parece, no era del todo satisfactorio —respondió Monk, recordando lo que Harry Stourbridge le había dicho—. No se deshicieron de él porque es sobrino de la cocinera. Muchas familias son capaces de casi cualquier cosa con tal de conservar una buena cocinera, sobre todo si tienen costumbre de recibir. —Sonrió levemente al decir esto último.

Robb le echó a Monk una mirada rápida antes de decir:

—Y no desean ningún escándalo. Lo comprendo. Pero si se trata de ese hombre me temo que va a ser inevitable. —Frunció el ceño—. Aunque tampoco arroja mucha luz sobre quién lo mató, ¿verdad? ¿Qué estaba haciendo aquí? ¿Por qué quien lo mató no se llevó el carruaje? Es de los buenos, y los caballos son dos primores.

—Ni idea —admitió Monk—. Cada nuevo dato hace que resulte aún más difícil comprenderlo.

El sargento asintió con la cabeza y volvió a prestar atención a su abuelo. Se aseguró de que el anciano estuviera cómodo y con todo lo necesario al alcance de la mano mientras él se encontraba fuera; le hizo una caricia, le sonrió y se marchó.

El anciano no dijo nada, aunque su rostro reflejó gratitud. Parecía encontrarse mejor una vez que había comido e ingerido la medicina que Robb le administró.

Caminaron algo más de un kilómetro hasta la cuadra donde estaban los caballos y el carruaje. Robb le explicó al encargado quién era su acompañante.

A Monk le bastó con echar un vistazo al carruaje pa-

ra disipar toda duda de que se trataba del de los Stourbridge. Lo examinó por si veía alguna marca, o si había
algún objeto olvidado dentro que le indicara algo sobre
su último viaje, pero no encontró nada. Se trataba de un
coche familiar muy bien mantenido, limpio, lustrado y
engrasado. Presentaba ligeras marcas por el uso y tendría unos diez años. El fabricante era el mismo cuyo
nombre le facilitara Harry Stourbridge. El vehículo respondía a la descripción con toda exactitud.

Los caballos también eran exactamente como los
habían descrito.

—¿Dónde los encontraron exactamente? —volvió a
preguntar Monk.

—En Cannon Hall Road —respondió Robb—. Es
el suyo, ¿verdad? —No podía decirse que fuese una pregunta. La respuesta era obvia en el rostro de Monk.

—¿Y el cuerpo?

—En el sendero de entrada del número cinco de
Green Man Hill. Es una hilera de casas que está pegada
al Heath.

—Y, por supuesto, ya los habrá interrogado al respecto. —Aquello también era una afirmación, no una
pregunta.

Robb se encogió de hombros.

—Por supuesto. Nadie dice nada.

Monk no se sorprendió. Tanto si era cierto como si
no, pocas personas admitían saber algo acerca de un asesinato.

—Necesitaré una identificación formal del cadáver
—concretó Robb—. Y, como es natural, tendré que hablar con el comandante Stourbridge para preguntarle
cuanto pueda sobre Treadwell. —Ni siquiera se molestó
en agregar «si es que se trata de él».

—Iré a Cleveland Square y traeré a alguien.

Monk quería decírselo en persona a Harry y a Lucius y, a ser posible, sin que Robb se encontrara presen-

te. No podía evitar que el sargento estuviera con ellos cuando identificaran el cadáver.

—Gracias —dijo Robb—. Estaré en el depósito a las cuatro.

Monk subió a un coche de punto para regresar a Bayswater y cuando el criado lo invitó a entrar preguntó que si podía hablar con el comandante Stourbridge. Preferiría, de ser posible, contárselo al comandante sin que Lucius tuviera que enterarse hasta que fuese necesario. Tal vez se trataba también de cobardía. No quería encargarse de decírselo a Lucius.

Lo acompañaron a la sala de estar, cuyas cristaleras estaban abiertas de par en par al césped bañado de sol. Harry Stourbridge estaba de pie junto al umbral, pero Monk acertó a ver la figura de su esposa más allá, en el jardín, con su pálido vestido contrastando con los vívidos colores de las plantas del arriate.

—¿Trae noticias, señor Monk? —le preguntó Stourbridge casi antes de que el criado cerrase la puerta que daba al vestíbulo.

Parecía inquieto. Tenía el rostro demacrado y unas manchas oscuras bajo los ojos, como si hubiese dormido poco. Sería una crueldad prolongar el suspense. Bastante duro era ya tener que matar la esperanza que aún abrigaba en su fuero interno.

—Lo siento, no son buenas —respondió Monk sin rodeos. Advirtió que el cuerpo de Harry Stourbridge se tensaba al tiempo que el último trazo de color abandonaba su cutis—. Creo que he encontrado el coche y los caballos —continuó—, y el cuerpo de un hombre que estoy casi seguro de que es Treadwell. Pero ni rastro de la señora Gardiner.

—¿Ningún indicio sobre Miriam? —Stourbridge se mostró desconcertado. Tragó saliva con dificultad—.

¿Dónde ha sido eso, señor Monk? ¿Sabe lo que le ocurrió a Treadwell, si es que es él?

—En Hampstead, junto al Heath. Lo lamento mucho; al parecer, Treadwell fue asesinado.

Stourbridge abrió mucho los ojos.

—¿Robo?

—Tal vez, pero, en ese caso, ¿qué iban a robarle? No llevaría dinero encima, ¿verdad? ¿Ha echado en falta algún objeto de la casa?

—¡No! No, claro que no; se lo habría dicho. Pero ¿por qué iba nadie a atacar y matar a ese pobre diablo?

—No lo sabemos...

—¿Sabemos?

—La policía de Hampstead. Seguí el rastro del carruaje hasta allí y luego fui a preguntarles —explicó Monk—. Un joven sargento, llamado Robb, me contó que estaba investigando un homicidio y por la descripción que me dio supuse que podía tratarse de Treadwell. Además, el carruaje y los caballos los encontraron a cosa de un kilómetro, prácticamente intactos. Los he ido a ver y, por lo que usted me contó, diría que son los suyos. Me temo que será preciso que envíe a alguien para identificarlos, y también el cadáver, para estar seguros.

—Por supuesto —asintió Stourbridge—. Iré yo mismo. —Dio un paso al frente sobre la brillante alfombra iluminada por el sol—. ¿Y no sabe nada de Miriam?

—Todavía no. Lo siento.

Verona caminaba hacia ellos por la hierba, pues la curiosidad la picaba demasiado como para mantenerse al margen.

Stourbridge se puso derecho cuando ella entró por la puerta cristalera.

—¿Qué sucede? —inquirió a su marido, mirando de soslayo a Monk—. Sabes algo. —Era una conclusión, no una pregunta—. ¿Es sobre Miriam?

Monk escrutó su semblante en busca del más ligero indicio de alivio, o de falsa sorpresa, y no vio nada.

—Todavía no —contestó Stourbridge antes de que lo hiciera Monk—, pero al parecer puede que haya encontrado a Treadwell...

—¿Puede? —Pescó la inferencia al instante y pasó la mirada de su marido a Monk—. ¿No se acercó a hablar con él? ¿Por qué? ¿Qué ha ocurrido?

—Ha sufrido una desgracia —dijo Stourbridge—. Me dispongo a acompañar al señor Monk para ver qué más sacamos en claro. Te lo contaré todo, por supuesto, en cuanto regrese. —Había determinación en su voz, la bastante como para que su esposa entendiera que no le diría nada por más que lo interrogara.

El alivio de Monk por no tener que contarle lo ocurrido a Lucius duró poco. Cruzaban el vestíbulo hacia la puerta principal cuando Lucius bajó la escalera, muy pálido y con los ojos muy abiertos.

—¿Qué ha descubierto? —preguntó, con la voz quebrada por el miedo—. ¿Es Miriam? ¿Dónde está? ¿Qué le ha sucedido?

Stourbridge se volvió y levantó las manos como si fuese a agarrar a Lucius por los hombros para calmarlo, pero el joven dio un paso atrás. Tenía la garganta tan acartonada que no podía articular palabra y tragó aire con dificultad.

—No sé nada sobre la señora Gardiner —se aprestó a decir Monk—, pero puede que haya encontrado a Treadwell. Necesito que alguien lo identifique para estar seguro.

Stourbridge apoyó una mano en el brazo de su hijo y le habló con delicadeza.

—Nada indica que Miriam se encontrara con él. No sabemos qué ocurrió ni por qué. Quédate aquí. Haré lo que sea preciso. Pero sé discreto. Hasta que estemos seguros, no tiene sentido que le demos un disgusto a la cocinera.

Lucius recordó no sin esfuerzo que no era el único afectado, el único afligido. Miró a Monk.

—¿Treadwell está muerto?

—Creo que se trata de Treadwell —puntualizó Monk—, pero lo encontraron solo, y el coche está vacío y no presenta desperfectos.

Las mejillas de Lucius recobraron una pizca de color.

—Voy con ustedes.

—No hay ninguna necesidad... —comenzó Stourbridge, y, al ver lo resuelto que estaba su hijo y dándose cuenta quizá de que le sería más fácil hacer algo que limitarse a esperar, dejó de protestar.

El viaje de Bayswater a Hampstead fue deprimente. Tomaron el otro coche de los Stourbridge, conducido por el mozo de cuadra, y cubrieron la mayor parte del trayecto en silencio, con Lucius sentado muy tieso de espaldas al sentido de la marcha, con los ojos muy abiertos y sombríos, consumido por sus temores. El comandante iba sentado al lado de Monk, con la vista al frente, aunque totalmente ajeno a las calles y las casas por donde pasaban. En un par de ocasiones hizo ademán de ir a decir algo, pero cambió de parecer.

Monk se concentró en determinar qué le diría a Robb si el cuerpo demostraba ser el de Treadwell, y no abrigaba ninguna duda seria de que no lo fuera. También resultaba imposible discutir si se trataba o no de un homicidio. El cadáver, fuese de quien fuera, no había sufrido semejante herida por un aciago accidente. Ocultar la información relativa a la huida con Miriam Gardiner, y el hecho de que ella se marchara sin dar ninguna explicación y que aún no hubiese aparecido, ahora sería un delito. Además, se daría a entender que tenían miedo de que estuviera envuelta en el asesinato. Nada de lo que dijeran después sería creíble a menos que fuese acompañado de pruebas.

No es que Harry o Lucius Stourbridge tuvieran la más remota intención de ocultar la verdad. Ambos estaban demasiado implicados emocionalmente como para ocultar nada. Su primera pregunta a Robb sería sobre lo que éste pudiera saber acerca de Miriam. Ellos estaban absolutamente convencidos de la inocencia de la joven en cualquier acto que fuera más allá de la infracción de los buenos modales y, cuando se detuvieran a pensar de qué modo podía estar implicada, ya sería demasiado tarde.

Así pues, ¿cómo le explicaría Monk al sargento su silencio a propósito de la otra persona que viajaba en el carruaje? Hasta entonces no la había mencionado.

Tuvieron que frenar bruscamente, ya que el tráfico era más denso y congestionaba la calle. A su alrededor, los conductores gritaban con impaciencia. Los caballos piafaban y relinchaban, haciendo sonar los arneses.

Lucius permaneció envarado, sin decir una palabra.

Stourbridge cerraba y abría los puños.

Por fin reanudaron la marcha.

Monk le contaría a Robb lo menos posible. Lo único que sabían con certeza era que Miriam abandonó la casa al mismo tiempo que Treadwell. Lo lejos que hubiesen ido juntos era harina de otro costal. ¿Debería advertir a Stourbridge y a Lucius de que no dijeran más que lo imprescindible sobre Miriam?

Miró sus rostros en tensión, con la mirada perdida en el vacío, consumidos por sus respectivos temores, y decidió que cualquier consejo sería invalidado por la emoción y que probablemente haría más mal que bien. Si al principio lo recordaban y luego lo olvidaban, darían la impresión de ser deshonestos.

Así que él también siguió callado.

Llegaron al depósito de cadáveres a las cuatro y diez. Robb ya estaba allí, caminando inquieto de un lado a otro, aunque no hizo comentario alguno sobre su retraso cuando se apearon. Todos ellos estaban impacientes por liquidar el asunto que los llevaba allí, de modo que hicieron poco más que intercambiar breves saludos antes de seguir a Robb al interior del edificio.

El empleado del depósito retiró un poco la sábana que cubría el cuerpo, mostrando sólo la cabeza.

Lucius inspiró sonoramente y pareció tambalearse ligeramente.

Stourbridge dejó escapar un pesaroso suspiro. Era militar, y por lo tanto tenía que haber visto la muerte muchas veces con anterioridad, y normalmente la de hombres a los que conocía en mayor o menor grado, pero este hombre pertenecía a su casa y el asesinato no era lo mismo que la guerra. La guerra no era un mal individual. Los soldados contaban con matar y ser matados. Con frecuencia, incluso respetaban a sus enemigos. No había odio de por medio. La violencia se mostraba de un modo desmesurado e impersonal. No era menor el dolor, ni la muerte y la pérdida de seres queridos resultaba menos irreversible, pero morir en la guerra suponía un infortunio. Aquí se trataba de algo distinto, de un mal próximo, deliberado y encubierto, y dirigido sólo contra una persona en concreto.

—¿Es su cochero, señor? —preguntó Robb, aunque no podía evitar darlo por sentado. Los dos rostros decían claramente que lo reconocían.

—Sí, lo es —afirmó Stourbridge en voz baja—. Es James Treadwell. ¿Dónde lo encontraron?

El empleado del depósito volvió a cubrirle la cabeza con la sábana.

—En la calle, señor —respondió Robb, invitándolos a separarse de la mesa y regresar hacia la puerta—. En el sendero de una casa adosada de Green Man Hill, a cosa de un kilómetro de aquí. —Robb era comprensivo, pero ante todo detective—. ¿Sabe si conocía a alguien en esa zona?

—¿Qué? —Stourbridge levantó la vista—. Ah..., no, creo que no. Es sobrino de nuestra cocinera. Se lo preguntaré. No tengo ni idea de adónde iba en sus días de asueto.

—¿Tenía el día libre cuando desapareció, señor?

—No...

—¿Le dio usted su permiso para utilizar el coche, señor?

Stourbridge dudó un instante antes de responder. Miró un momento a Lucius y volvió a apartar la vista.

—No, no tenía permiso. Me temo que las circunstancias en las que abandonó la casa son un tanto misteriosas y que ninguno de nosotros las entiende, sargento. Sabemos cuándo se marchó, pero eso es todo.

—Usted sabía que se había llevado el coche —señaló Robb—, pero no quiso informar a la policía. Es un coche muy hermoso, señor, y los caballos forman una pareja formidable. Valen una suma considerable.

—El comandante ya le ha comentado que Treadwell era pariente de su cocinera —intervino Monk—, quien lleva mucho tiempo sirviendo en la casa. Deseaba evitar el escándalo, a ser posible. Confiaba en que Treadwell recobrara el sentido común y regresara... incluso con una explicación razonable.

Lucius no pudo soportarlo más.

—¡Mi prometida iba con él! —saltó de repente—. La señora Miriam Gardiner. Fue para encontrarla a ella por lo que contratamos los servicios del señor Monk. Por Treadwell ya no podemos hacer nada, pobre diablo, pero ¿dónde está Miriam? ¡Deberíamos centrar todas nuestras aptitudes y nuestra atención en su búsqueda! Puede que esté herida..., en peligro... —La voz se le aguzaba descontroladamente a medida que la imaginación lo atormentaba.

Robb primero se sobresaltó, luego apretó con fuerza los dientes. No miró a Monk ni siquiera de reojo.

—¿Debo comprender que la señora Gardiner se marchó de su casa en el carruaje que conducía Treadwell? —inquirió.

—Eso creemos —contestó Stourbridge anticipándose a Lucius—. Nadie les vio partir. —Parecía haberse percatado de parte de la situación a pesar del silencio de Monk—. Pero no hemos vuelto a saber de ella desde entonces ni sabemos lo que le ha ocurrido. La preocupación ya nos saca de quicio.

—¡Hay que buscarla! —insistió Lucius—. Treadwell está muerto y Miriam puede correr peligro. Como mínimo estará asustada y afligida. ¡Tiene que desplegar a todos sus hombres para buscarla!

Robb permaneció inmóvil unos instantes, sin hablar debido a la sorpresa. Después, se volvió lentamente hacia Monk, con los ojos entrecerrados y una penetrante mirada.

—Omitió mencionar que una mujer iba de pasajera en el carruaje cuando Treadwell fue asesinado y que desde entonces se la da por desaparecida. ¿Por qué, señor Monk?

Monk había previsto la pregunta, aunque ninguna excusa resultaría satisfactoria y Robb lo sabría tan bien como él.

—La señora Gardiner se marchó con Treadwell —respondió con un porte tan sincero como pudo—. No sabemos cuándo se separó de él...

Lucius lo miraba fijamente, con los ojos muy abiertos por el horror.

—¡Sofismas! —espetó Robb.

—¡La realidad! —replicó Monk con la misma aspereza—. Eso fue hace cinco días. Si algo le ocurrió a la señora Gardiner, ya es demasiado tarde para que podamos hacer algo al respecto, excepto si meditamos y consideramos detenidamente los hechos antes de actuar. —Era plenamente consciente de la presencia de Lucius y

Harry Stourbridge. Sus emociones impregnaban el aire—. Si ella también hubiese sufrido un encuentro violento, a estas alturas ya la habrían encontrado. —No miró a ninguno de los dos y mantuvo la vista fija en Robb—. Si la han secuestrado, alguien pedirá un rescate y, de momento, nadie lo ha hecho. Si presenció el asesinato, es harto probable que se diera a la fuga, por su propia seguridad, y debemos tener sumo cuidado en los procedimientos para buscarla, no vaya a ser que le causemos precisamente el daño que ella trata de evitar. —Tomó aliento—. Y hasta que el comandante no ha identificado el cadáver de Treadwell no sabíamos que hubiese nada más que una desavenencia doméstica entre el señor Stourbridge y la señora Gardiner.

Lucius estaba consternado.

El comandante miraba a uno y a otro alternativamente y dijo con frialdad:

—Ahora ya sabemos esto, y la cuestión es qué hacemos a continuación.

—Descubrir todos los datos posibles —le contestó Monk— y deducir lo que podamos partiendo de ellos.

Robb se mordió el labio, con el semblante pálido. Se volvió hacia Lucius.

—¿No tiene idea de por qué la señora Gardiner se marchó de la casa?

—No, ni la más remota —se apresuró a responder Lucius—. No hubo ninguna discusión, ningún incidente que pudiera provocarlo. La señora Gardiner estaba sola mirando el partido de croquet cuando, sin previo aviso ni explicación, se marchó sin más.

—¿Con Treadwell?

—Se marchó en el carruaje —corrigió Stourbridge—. No iba a conducirlo ella.

Un destello de irritación cruzó el rostro de Robb y, acto seguido, se desvaneció, como si hubiese recordado el pesar de aquellos hombres.

—¿Saben si la señora Gardiner ya conocía a Tread-well, quizás a través de la cocinera?

—No —dijo Lucius al instante—. No conocía a nadie de la casa hasta que la llevé allí por primera vez.

—¿Dónde conoció a la señora Gardiner?

—En Hampstead Heath. ¿Por qué? Me parece de lo más normal que el cochero la trajera de vuelta aquí. Ella vive en Lyndhurst Road.

Robb frunció los labios.

—Eso dista menos de un kilómetro y medio del lugar donde encontramos el carruaje y un poco más de donde estaba el cuerpo de Treadwell. Me figuro que ya habrán ido a su casa para ver si se encontraba allí.

—¡Por supuesto! Nadie ha vuelto a verla desde que salió para dirigirse a Bayswater —contestó Lucius—. Fue el primer sitio donde miramos. Por favor, cuéntenos lo que sepa sobre la muerte de Treadwell, se lo ruego.

Estaban de nuevo en la calle. Lucius respiraba profundamente, como si intentara limpiar de sus pulmones el aire sofocante del depósito con su opresivo olor a muerte. Pese a ello, no apartaba la vista del rostro de Robb.

—Sólo sabemos que fue asesinado —contó Robb—. Ni siquiera sabíamos su nombre hasta que ustedes nos lo han dado, aunque por el uniforme dedujimos su ocupación.

—¿No encontraron nada en el carruaje? —preguntó Stourbridge frunciendo el ceño—. ¿Ninguna marca o mancha que indicara dónde estuvo? ¿Qué hay de los caballos? ¿Han resultado heridos?

—No, estaban perdidos, confundidos, conscientes de que algo iba mal. Nada indicaba que les hubieran hecho correr más de la cuenta. Los arreos no están rotos. Las riendas seguían atadas a la barra, como si el conductor se hubiese detenido para luego apearse, más que caerse. El carruaje en sí no presenta otros rasguños o marcas que los normales debidos al uso.

Stourbridge se volvió inquisitivamente hacia Monk.

—Aquí ya no pueden hacer nada más por ahora —le aseguró Monk—. Gracias por venir a identificar a Tread-well. Quizá lo mejor sea que regresen a casa para informar a su familia y, por supuesto, a la cocinera. Seguro que está ansiosa. En cuanto averigüe algo más, iré a contárselo.

Lucius no parecía dispuesto a irse.

—¡La respuesta tiene que estar aquí! —insistió de-sesperado, resistiéndose a marcharse sin conseguir algo más.

Su padre le tomó del codo.

—Es posible, pero al señor Monk le será más fácil hallarla si nosotros no le estorbamos.

Lucius no se movió.

—Vamos —le pidió el comandante con amabili-dad—, no haremos más que dificultar las cosas.

A regañadientes, todavía un tanto incrédulo, Lucius se despidió y acompañó a su padre.

—¿Se da cuenta de que ahora tengo que encontrar a esa mujer? —Robb hundió las manos en los bolsillos, mirando con gravedad a Monk. Se lo veía precavido, prudente, con los hombros un poco encorvados—. En el mejor de los casos será testigo del homicidio; en el peor, víctima a su vez.

Aquello no admitía discusión. Monk no dijo nada.

—O puede que sea culpable —continuó Robb—. Ese golpe pudo haberlo asestado una mujer si estaba lo bastante asustada o enfadada. Quizás ahora quiera since-rarse y decirme lo que sabe sobre esa tal señora Gardi-ner. Puesto que al parecer el señor Stourbridge le ha contratado para encontrarla, cabe suponer que sabe mu-cho más de lo que me ha referido hasta ahora.

No había forma de eludirlo y quizá fuese la única ma-nera de ayudar a Lucius Stourbridge. Tarde o temprano tendría que enfrentarse a la verdad, fuera la que fuese, o al menos a una parte de ella. Podrían ahorrarle algunos detalles, pero no la esencia. Si Miriam Gardiner estaba involucrada en el asesinato de Treadwell, no tardaría en ser de dominio público. Monk no podía protegerlo de eso, incluso en el supuesto de que sólo fuese una mera testigo. Y, salvo si Treadwell la había dejado en alguna parte antes de llegar al Heath, tal conclusión parecía inevitable. Se hacía evidente al ver la seriedad con que Robb miraba a Monk, haciendo caso omiso del tráfico rodado y de los transeúntes, que se veían obligados a rodearlos.

Monk le relató a Robb su entrevista con Lucius Stourbridge y su visita a Bayswater. No le dio más detalles que los imprescindibles para ser honesto y ninguna de sus impresiones, excepto que de momento se creía lo que le habían contado.

Robb estuvo pensativo, mordiéndose los labios.

—¿Y nadie le dio una idea de por qué la señora Gardiner se marchó de esa manera?

—No.

—¿Dónde trabajaba Treadwell antes de su destino en Bayswater? ¿Dónde nació?

Monk notó que se sonrojaba con fastidio. Se trataba de preguntas obvias y no se le ocurrió hacerlas. Era un descuido estúpido. Se había concentrado en Miriam, pensando que Treadwell sólo era alguien que conducía el carruaje para ella. El instinto lo empujaba a defenderse, pero no podía decir nada que no empeorase su omisión.

—No lo sé.

Sonó a falso, lo que era un craso error. Robb fue diplomático. Hasta dio cierta impresión de alivio.

—¿Y qué me dice de ella? —preguntó.

Esta vez Monk pudo contestar y lo hizo tan bien como supo.

El sargento meditó unos instantes antes de hablar.

—Entonces, una relación entre la señora Gardiner y ese cochero es poco probable, aunque no imposible. Según parece recurrió a él para que la sacara de casa de los

Stourbridge, al menos. —Miró nervioso a Monk—. ¿Y usted todavía no tiene idea de por qué?

—No.

Robb lanzó un gruñido.

—No puedo impedir que también la busque, por supuesto, y puede que dé con ella antes que yo. Pero, si está implicada en este crimen, aunque sea como testigo, y usted la ayuda, ¡lo acusaré! —Su joven rostro se mostraba inflexible, con los labios prietos.

—Por supuesto —convino Monk—. Yo haría lo mismo en su lugar. —Aquello era incuestionablemente cierto. Tenía la sospecha, por lo que había descubierto de su pasado, de que Robb estaba siendo más amable con él de lo que él lo había sido con los demás. Sonrió sombríamente—. Gracias por su cortesía. Espero que volvamos a vernos. Buenas tardes.

Monk llegó a la casa de Fitzroy Street poco después de las siete y encontró a Hester aguardando con la cena a punto. Era de lo más satisfactorio. La casa estaba limpia y olía ligeramente a lavanda y a cera para muebles. Había flores frescas encima de la mesa, un mantel blanco con motivos azules de punto de cruz, vajilla y cubiertos de plata. Hester sirvió empanada fría de ave de caza, con la masa crujiente, y verduras calientes, y luego crema de huevo con nuez moscada rayada, para acabar con queso y pan recién hecho. Quedaban incluso unas cuantas fresas que terminar. Monk se recostó con una sensación de inmenso bienestar, observando cómo Hester retiraba los platos, y se puso muy ufano al verla regresar al cabo de unos veinticinco minutos dispuesta a sentarse a conversar con él el resto de la velada. Quería hablarle sobre Treadwell, y sobre Robb y su abuelo.

—¿Ya has encontrado el coche? —preguntó Hester.

Monk se apoyó en el respaldo y cruzó las piernas.

—Sí. Y también a Treadwell.

Vio que abría los ojos y que luego ponía cara de comprender que aún no se lo había dicho todo. Adivinaba la tragedia antes de que él la expusiera con palabras. Pero no preguntó nada, sólo esperó.

—Fui a la comisaría de la zona para ver si sabían algo del coche. El sargento andaba ocupado con un caso de homicidio y aun así me dedicó unos minutos... —Supo que Hester llegaría a la conclusión antes sin darle tiempo a contársela.

—¡Treadwell! —exclamó ella, y tragó saliva—. ¿Miriam también? Dime que no. —Su voz sonó forzada, previendo el dolor.

—No —dijo enseguida Monk—. Seguimos sin rastro de ella. Hubiese preferido no sacarla a colación, pero llevé al mayor Stourbridge a identificar a Treadwell y Lucius insistió en ir también. Por supuesto, tuvieron que preguntarle a Robb acerca de Miriam.

—¿Robb es el sargento?

—Sí.

Le hizo una breve descripción, tratando de revivir con palabras la amabilidad que había visto en el joven sargento y su determinación, así como su incipiente nerviosismo, su necesidad de triunfar.

Advirtió por su expresión que había captado el interés de Hester. Era obvio que tenía claro que aún le quedaba mucho que oír.

—¿Cómo mataron a Treadwell? —preguntó.

—De un golpe en la cabeza con un objeto duro y pesado.

—¿Hubo pelea?

—No. Se diría que lo pillaron por sorpresa.

—¿Dónde lo encontraron? —Se inclinó hacia delante, absorta en su interés.

—En el sendero de una casita de Green Man Hill, justo al lado del Heath.

—Eso queda cerca del hospital —comentó en voz baja—. Una o dos de nuestras enfermeras a media jornada viven por allí.

—Dudo mucho que fuera a ver a una enfermera —dijo Monk en un tono seco, y entonces le vino a la mente la visita con Robb al anciano y la pobreza en la que vivían sumidos.

El regreso a casa de Robb sería muy distinto al suyo; nada de una esposa con una buena cena a punto y una apacible velada apurando las horas de sol. Encontraría a un anciano enfermo que precisaba cuidados, ser aseado y alimentado, que le cambiaran con frecuencia y que padecía dolores casi sin tregua. El dinero debía de escasear. Las medicinas sin duda eran caras, y quizá difíciles de conseguir.

—¿Qué? —se interesó Hester con voz muy queda, como si le leyera el pensamiento o, cuando menos, sus emociones.

Monk le contó la visita de la hora del almuerzo, vertiendo sus sentimientos en las palabras como una especie de liberación. No se había dado cuenta de lo mucho que le había costado guardarlos para sí, hasta ese momento en que podía compartirlos con ella con la certidumbre de ser entendido. Percibía su respuesta tan bien como si Hester hubiese contestado a cada una de sus frases, aunque no le interrumpió en ningún momento. Se mantuvo callada hasta que él terminó.

—Iré a verlo. Tal vez el hospital pueda...

Monk no le dejó acabar.

—¡No, no irás!

Ni siquiera sabía por qué lo decía, salvo que no quería que Robb pensara que se había entrometido, insinuando que no cuidaba del anciano como era debido. Le parecería una intrusión que un tercero mediara sin que se lo pidieran.

Hester se puso tiesa, cambiando por completo de postura.

—¿Cómo has dicho? —Su voz fue gélida.

Había llegado la hora de asegurarse de que ella lo entendía y de dejar claro entre los dos dónde residían los límites de la autoridad.

—No vas a inmiscuirte —manifestó rotundo. No le explicó por qué. Sus razones eran buenas, pero ésa no era la cuestión. Si le daba una explicación, sentaría un precedente—. No sería correcto.

—¿Por qué? —quiso saber Hester, con ojos brillantes y retadores.

Monk no se había propuesto iniciar una discusión. De hecho, eso fue precisamente lo que quiso evitar.

—No pienso discutirlo —respondió—. Te he dicho que no y con eso basta.

Se puso de pie como para dar por concluido el asunto. Robb se ofendería. No sería nada extraño que dedujera que Monk consideraba que los cuidados que prodigaba a su abuelo no eran lo bastante buenos. O peor aún, cabía que se sintiera presionado por dedicar parte de su jornada de policía a ir a casa a atender al anciano.

Hester también se levantó. Habló con voz grave y clara, pronunciando con cuidado cada palabra.

—¿Me estás diciendo si puedo o no hacer lo que creo que es correcto, William?

—Puedes hacer cualquier cosa mientras sea correcta —contestó con una débil sonrisa de alivio, pues le acababa de ofrecer una vía de escape—. Siempre. Sólo que eso no está bien.

—¿Quieres decir que puedo hacer lo que tú creas que está bien? —lo desafió ella.

—Puedes —convino Monk—. No tienes por qué hacerlo, la elección es tuya.

Y dicho eso se fue a su despacho, dejándola furiosa en medio de la habitación. No era ni mucho menos lo que deseaba, pero sólo contaba la victoria. Había sobradas razones para que él fuese el amo de su propia casa, por la felicidad de ambos. Cuando Hester se serenase se daría cuenta.

Estuvo sentado a solas durante más de una hora sin que ella se reuniera con él. Al principio la echó de menos; luego, se irritó. La conducta de Hester era infantil. No podía esperar salirse siempre con la suya.

¡Aunque siempre lo había hecho! Recordó con considerable desasosiego cómo gobernaba su propia vida en el pasado, lo testaruda que había sido. Se mostraba dogmática en todo y no se abstenía de manifestar sus opiniones ni siquiera en los momentos más inoportunos, y con un ingenio que las hacía aún más ofensivas para muchas personas. Monk se reía con ganas cuando él no era el blanco de sus desaires. Serlo no resultaba tan divertido.

No se trataba de que la lengua de Monk no fuese igualmente afilada o que él no tuviera tanto o más fundamento. Ésa era una de las razones por las que Hester veía aceptable casarse con él, pues así era su igual; bueno, de vez en cuando.

Ahora bien, no había que permitirle que se enfurruñara. Resultaba inadmisible. Se levantó y fue a su encuentro. Aquello no podía continuar.

La encontró sentada a la mesa, escribiendo. Levantó la vista cuando él entró.

—Qué bien —lo recibió sonriente—. Has venido a contarme el resto. Esperaba que lo hicieras. La tetera está en el fuego. ¿Te apetece una taza de té? También hay tarta.

Monk pensó en la noche que se avecinaba, tendido junto a su cálido y esbelto cuerpo, o bien tensa y dándole la espalda, o bien tierna y entregada entre sus brazos. Y, más aún, en el fondo de su corazón pensó en todo lo que habían compartido y que estaba por encima de cualquier batallita doméstica y de las convenciones de la conducta. El asunto podía esperar hasta otra ocasión.

Sin duda habría otras batallas, las habría a docenas, quizás a miles.

—Sí —aceptó, sentándose en la otra silla—. Un té me viene muy bien, gracias. Y tarta.

Obedientemente, con una discreta sonrisa, Hester se levantó a prepararlo.

4

Por la mañana, Monk salió de casa para seguir con la búsqueda de Miriam Gardiner, sólo que ahora con la dificultad añadida de tener que hacerlo sin al mismo tiempo conducir a Robb hasta ella. No subestimaba la inteligencia de Robb. Ya había pasado por la aleccionadora experiencia de verse superado por su agilidad mental, y el recuerdo aún lo picaba.

Los caballos eran animales inteligentes y, en gran medida, criaturas dadas a adquirir costumbres. Si Treadwell los había llevado a Hampstead con anterioridad, era harto probable que hubiesen regresado al mismo lugar. Por consiguiente, a las siete en punto de aquella tranquila mañana de verano, Monk se encontraba bajo el sol que brillaba en Lyndhurst Road, estudiando las pulcras fachadas con sus cuidados jardines y las escalinatas encaladas.

Conocía la dirección de Miriam por Lucius Stourbridge. Naturalmente, fue el primer sitio donde estuvo haciendo preguntas, pero todas ellas sólo consiguieron como respuesta la más rotunda ignorancia y una creciente inquietud. Con todo, Robb probablemente comenzaría por allí.

Permaneció de pie con el perezoso sol lamiéndole los hombros y oyendo los ruidos mañaneros de las puertas de las cocinas al abrirse y cerrarse y el porrazo ocasional de un palo de escoba golpeando una alfombra. Los pies de los chicos de los recados pisaban fuerte sobre el adoquinado, así como el paso irregular de uno de ellos, que acarreaba un pesado cubo de carbón. El único pensamiento que ocupaba la mente de Monk era que dónde estaba Miriam cuando James Treadwell fue asesinado. ¿Se encontraba presente? De ser así, ¿lo mató otra persona, o lo hizo ella misma? El médico había dicho que presentaba un único golpe, extremadamente fuerte, aunque ello no impedía que fuese obra de una mujer, dado que se utilizó un arma adecuada. Y Treadwell no murió en el acto, sino que se arrastró a gatas desde donde sucedieran los hechos, supuestamente en busca de ayuda. Ni Robb ni el médico de la policía habían insinuado dónde tuvo lugar el crimen, aunque no podía ser muy lejos.

¿Le asestó Miriam un solo golpe y luego se dio a la fuga? ¿Se llevó el coche, conduciéndolo ella misma? En tal caso, ¿por qué lo abandonó en una calle tan próxima?

Tal vez le entró el pánico y simplemente echó a correr cegada por el miedo, de forma instintiva. Era probable que no estuviese habituada a los caballos y no supiera conducir.

¿O es que hubo una tercera persona? ¿Acaso Miriam presenció el asesinato y huyó, quizá para salvar su propia vida? ¿O ni siquiera estaba allí?

No averiguaría nada si seguía divagando bajo el sol mientras el mundo despertaba y empezaba a bullir a su alrededor. Se puso en marcha y subió la escalinata de la puerta más cercana.

Llamó y le abrió una sirvienta con expresión asombrada y dispuesta a decirle al vendedor ambulante de turno dónde estaba la entrada que le correspondía y que no fuese tan impertinente de llamar a la puerta principal. Pero reparó en el rostro de Monk, paseó la vista desde el elegante abrigo hasta las botas lustrosas y cambió de parecer.

—Diga, señor —dijo con curiosidad, pasándose distraídamente una mano por el pelo para apartárselo de los ojos—. El amo todavía no se ha levantado, me temo. —Entonces cayó en la cuenta de su indiscreción—. Quiero decir que aún no ha desayunado.

Monk se obligó a sonreír a la muchacha.

—Estoy convencido de que puede usted ayudarme sin molestar a nadie. Creo que me he perdido. No conozco la zona demasiado bien. Ando buscando a la señora Gardiner. Tengo entendido que vive cerca de aquí.

Sabía perfectamente que vivía unas cinco casas más allá, pero quería enterarse de cuanto pudiera por boca de alguien que, sin duda, se habría fijado en ella y estaría al tanto de todos los cotilleos de las cocinas. Si, en efecto, existía alguna relación entre Miriam y Treadwell, cabía pensar que hubiesen sido menos cautelosos allí, lejos de Cleveland Square.

—¿La señora Gardiner? Ah, claro —respondió animadamente. Se asomó a la escalinata y señaló con el dedo—. Vive cuatro puertas más arriba. O puede que cinco, en el número ocho. Justo aquí al lado, en cualquier caso. No tiene pérdida.

—¿Sabría decirme si la encontraré en casa ahora? —preguntó Monk sin moverse.

—¿Cómo voy a saberlo? Hace más de una semana que no la veo. He oído que se vuelve a casar y me alegro por ella, de veras.

—¿El afortunado no será un caballero de cierta edad que vive a un par de kilómetros de aquí? —Monk adoptó un aire ingenuo.

—No sé, ni idea. Aunque no me suena. Viene en un carruaje la mar de elegante. Con unos caballos que da gozo verlos. Caminan paso a paso, como si fuesen máquinas.

—¿Del mismo color? —preguntó Monk con interés.

—El color no importa —contestó con mal disimulada impaciencia—. La altura y el paso es lo que los hace andar bien.

—Veo que entiende de caballos —observó Monk.

—Mi padre era cochero. No había otro mejor, aunque me esté mal el decirlo.

Monk le sonrió con bastante franqueza. Había algo, en el orgullo que demostraba por su padre, que lo complacía. Era algo sencillo y nada afectado.

—Los habrá visto por aquí a menudo, supongo. ¿Era bueno el cochero?

—No estaba mal —se mostró cautelosa en su juicio—. Aunque no tan bueno como mi padre. Demasiado torpe.

—¿Lo ha visto últimamente? Tengo que hablar con él. —Pensó que más le valía justificar de algún modo tantas preguntas.

—Hace varios días que no lo veo. —Negó con la cabeza como si constatarlo la desconcertara—. Pero viene por aquí bastante a menudo. A veces lo veo en High Street. Reconozco a los caballos. Suelen ir hacia el Heath.

—¿Quiere decir que no van a casa de la señora Gardiner? —se sorprendió Monk—. ¿A una taberna, tal vez?

—No hay ninguna por allí. Será que conoce a alguien.

—¡Gracias! Muchas gracias. —Dio un paso atrás—. Buenos días.

La sirvienta permaneció en el rellano, sonriendo mientras él se alejaba, antes de internarse de nuevo en la casa, donde la aguardaban tareas mucho menos interesantes.

Monk conversaba con un jardinero que arrancaba malas hierbas cuando vio a Robb doblar la esquina y dirigirse hacia él con el ceño fruncido y expresión meditabunda. Llevaba las manos en los bolsillos y, ante la concentración que reflejaba su rostro, Monk conjeturó que estaba meditando sobre algo que lo preocupaba.

Tanto mejor que estuviera tan absorto, de lo contrario sin duda lo habría reconocido y eso era algo que no deseaba lo más mínimo. Seguro que Robb buscaba a Miriam con tanta diligencia como él mismo. Monk tenía que dar con ella el primero, aunque sólo fuese para aconsejarla sobre lo que debía decir.

Dio las gracias al jardinero, giró sobre sus talones y se marchó a grandes zancadas, tan aprisa como pudo sin llamar demasiado la atención. Torció en la primera bocacalle que encontró.

Robb no pasó por delante. ¡Diantre! Eso significaba que se había detenido a hablar con el mismo jardinero. Era lo más lógico. De modo que el hombre le contaría a él también que había visto pasar al carruaje con regularidad a lo largo del último año o más. Y Robb le preguntaría que con quién acababa de hablar y el tipo le diría que le había facilitado la misma información que a él. Aunque no lo hubiese reconocido por su chaqueta de corte impecable y los anchos hombros, Robb sabría que se trataba de Monk. ¿Quién iba a ser si no?

¿Qué habría estado haciendo James Treadwell allí, aparte de recoger y llevar a Miriam a casa después de sus visitas a Lucius Stourbridge? ¿Tendría parientes en el vecindario? ¿Sería una mujer, o más de una? ¿Alguna clase de negocio? ¿Estaría relacionado con Miriam, o no?

Un vehículo como aquél lo recordaría cualquiera que entendiera de caballos. En esa zona no abundaban las cuadras ni las caballerizas donde guardarlos sin que quedaran a la vista. La gente del lugar usaba en su mayoría el transporte público, coches de punto y hasta el ómnibus. Los trayectos cortos se hacían a pie.

Dedicó las tres horas siguientes a peinar el barrio interrogando limpiabotas, chicos de los recados y a una fregona acerca de las casas. Detuvo a un repartidor de carbón para las cocinas, cuyos fuegos se mantenían encendidos para guisar incluso en días de verano tan calurosos como aquél, con la cara ennegrecida y gotas de sudor corriéndole entre la carbonilla que le cubría la piel.

En dos ocasiones más, le faltó el canto de un duro para tropezarse con Robb. Habló con un adolescente vendedor de periódicos y con un hombre que llevaba una bandeja de bocadillos de jamón, a quien compró lo que iba a constituir su almuerzo. La mayoría de ellos admitieron de buena gana conocer a Miriam Gardiner, al menos de vista, y sonrieron al decirlo, como si su recuerdo les fuese grato.

Ahora bien, sabían lo del asesinato de Treadwell y nadie quería que lo relacionaran con aquello, ni siquiera remotamente. Sí, lo habían visto en el pasado, pero no, últimamente no, y mucho menos la noche en que encontró la muerte. Sostenían la mirada severa de Monk con ojos perplejos y una negativa rotunda. Sólo le cabía esperar que Robb se encontrara con lo mismo.

Lo único que quedaba por hacer era acercarse a donde fue encontrado el cadáver e intentarlo de nuevo. Todo era cuestión de buscar a la clase de persona que estuviera en posición de observar las idas y venidas y que se supiese libre de hablar de ello sin terminar envuelta en algo que sólo podía resultar desagradable. Los sirvientes a los que se sorprendía cotilleando pagaban invariablemente las consecuencias. La ventaja que Monk tenía sobre Robb era no ser agente de policía. Aunque ser un civil también traía aparejados sus inconvenientes. Sólo podía persuadir; no obligar a nada.

Caminaba despacio por la acera soleada. Era un barrio agradable, con filas de casitas respetables. En el interior la sala principal estaría ordenada con mucha ceremonia y rara vez se utilizaría, llena de cuadros y de labores de bordado con mensajes temerosos de Dios y posiblemente con un retrato de la familia posando de manera afectada y vestida de domingo. La vida transcurriría esencialmente en la cocina y en los dormitorios. Se dirían oraciones cada noche y cada mañana. Los nombres de sucesivas generaciones figurarían en la Biblia familiar, que probablemente se abriría una vez por semana. Las mañanas de domingo serían de lo más sobrias, aunque los sábados las veladas igual se achispaban un poco, al menos en el caso de los hombres.

Trató de imaginar lo que haría Treadwell cuando iba a Hampstead. ¿Se encontraría con amigos, quizá con una mujer? ¿Por qué no? Sin duda sería una estupidez por su parte establecer amistad con una mujer de la casa de los Stourbridge, o de una lo bastante cercana como para que los demás estuvieran al corriente. Los rumores de patio trasero habían arruinado la carrera de más de un miembro del servicio.

¿Habría ido a comprar o pagar algo o a saldar o recaudar una antigua deuda? ¿O simplemente escapaba a su vida cotidiana de obediencia a un tercero? Allí, durante una hora o dos, sería su propio amo.

Cruzó la calle todavía paseando ya que seguía sin tomar ninguna decisión. Una muchacha lo adelantó. Iba ataviada con el uniforme almidonado y el típico vestido sencillo de las niñeras y llevaba a una niña pequeña de la mano. De vez en cuando, la chiquilla pegaba un brinco, agitando la cinta que le sujetaba el pelo, y la muchacha le sonreía. Desde algún lugar distante, probablemente el Heath, llegaban las notas de un organillo.

Si Treadwell hubiese ido allí no habría dejado el carruaje y los caballos sueltos y desatendidos. Aunque sólo se detuviese para ir a beber algo, tendría que haberlos dejado en un lugar adecuado, como el patio de un palafrenero.

Había una tienda al otro lado de la calle, un poco más adelante. No estaba a más de medio kilómetro de la casa de Miriam Gardiner. Sería un sitio excelente por el que comenzar. Avivó el paso. Ya tenía un objetivo concreto.

Abrió la puerta y una campanilla vieja sonó en alguna parte de la trastienda. Un anciano venerable salió de detrás de una cortina y miró expectante a Monk.

—Usted dirá, señor. Un día precioso, ¿verdad? ¿En qué puedo servirle, señor? ¿Té, velas, media libra de caramelos de menta tal vez? —Con un gesto de la mano abarcó el batiburrillo que lo rodeaba y que al parecer contenía aquellas cosas y más—. ¿O una tarjeta postal? ¿Un ovillo de cordel, quizás, o unas barritas de lacre?

—Un ovillo de cordel y lacre me resultarán muy útiles. Y los caramelos me parecen excelentes en un día tan caluroso como el de hoy. Gracias.

El hombre asintió con la cabeza varias veces, satisfecho, y comenzó a buscar los artículos solicitados.

—La señora Gardiner me dijo que usted tendría cualquier cosa que se me ocurriera —comentó Monk, observando atentamente al hombre.

—¿Ah, sí, eh? —El hombre ni siquiera levantó la vista—. Ella sí que es una dama encantadora, ¡lo que yo le diga! Me alegra ver que vuelve a casarse, y no lo digo por decir. Enviudó demasiado joven. ¡Vaya! Aquí está el lacre. —Lo mostró triunfante—. Tiene un color precioso, sí señor. No es muy anaranjado. No me gusta el que es muy naranja. El rojo es mejor.

—Me figuro que la conoce desde hace mucho tiempo —lo incitó Monk, como sin darle importancia y asintiendo con la cabeza a su vez para mostrar su aprobación ante el color del lacre.

—Válgame Dios, desde que llegó aquí de niña por primera vez, y no lo digo por decir —admitió el hombre—. ¡Pobrecilla!

Monk se puso tenso. ¿Qué debería decir para propiciar más confidencias sin hacer patentes su ignorancia y su curiosidad?

El hombre encontró el cordel debajo del mostrador y se incorporó con un ovillo en cada mano.

—Aquí tiene, señor —dijo triunfalmente, con la cara brillante—. ¿Cuál prefiere? Éste es buen cordel para paquetes y cosas así, y el otro es más suave, más adecuado para atar plantas. No corta los tallos, ¿ve?

—Me quedo con los dos —resolvió Monk, mientras las ideas se le agolpaban en la cabeza—. Y dos barras de lacre. Como bien dice, son de un hermoso color.

—¡Bien, bien! Y los caramelos de menta. ¡No olvidemos los caramelos de menta!

Dejó los ovillos de cordel encima del mostrador y volvió a desaparecer debajo de él, supuestamente en busca de más lacre. Monk confió en que no guardara los caramelos en aquellos recovecos polvorientos.

—No me constaba que fuese tan joven cuando ocurrió —probó suerte Monk, esperando sonar más distendido de lo que estaba.

—Válgame Dios, no tendría más de doce o trece años, y no lo digo por decir —deploró el hombre, que seguía de rodillas rebuscando en los armarios de debajo del mostrador. Sacó una enorme caja llena de sobres y papel de tela—. Pobre criatura. Era terriblemente pequeña. Ni un alma en el mundo, al parecer. Al menos no entonces. Pero, por supuesto, nuestra Cleo la apadrinó. —Sacó otra caja de papeles surtidos. Monk no tenía el más mínimo interés en el lacre, pero no quería interrumpir el flujo de información—. Es una buena mujer esta Cleo Anderson. Un corazón de oro, digan lo que digan —prosiguió el hombre con vehemencia.

—Por favor, no se tome tantas molestias. —Monk se avergonzaba de la cantidad de trabajo que le estaba causando y, además, ya tenía lo que quería—. No necesito más lacre, era sólo porque me gustaba el color.

—No nos demos por vencidos —farfulló el tendero desde las profundidades del armario—. Eso es lo que decían en Trafalgar, y también en Waterloo, sin duda. No puedo permitir que un cliente se marche insatisfecho.

—Me figuro que también conocerá al señor Tread-well... —Monk aventuró su última pregunta.

—No que yo sepa. ¡Ah! ¡Aquí está! Sabía que tenía un poco más en alguna parte. Media caja. —Retrocedió para salir del armario y se puso de pie, con los hombros cubiertos de polvo y una caja sin tapa en la mano. Dedicó una sonrisa radiante a Monk—. Aquí tiene, señor. ¿Cuánto quiere llevarse?

—Tres barras, gracias —respondió Monk, preguntándose para qué diablos lo iba a usar—. ¿Hay algún buen palafrenero por aquí cerca?

El hombre se apoyó en el mostrador y señaló hacia la izquierda, estirando el brazo.

—A menos de un kilómetro en esa dirección y una calle más arriba. No tiene pérdida. Subiendo hacia la casa de la señora Anderson está. Aunque eso ya lo sabrá, conociendo como conoce a la señora Gardiner. Veamos, en total son diez peniques y medio, señor. Ah..., y aquí tiene los caramelos. Eso suma otros dos peniques, por favor.

Monk tomó sus compras, dio las gracias, pagó y se dirigió hacia el establo del palafrenero, satisfecho consigo mismo.

Necesitaba encontrar a Miriam. Los detalles de juventud sólo serían valiosos en la medida en que explicaran su extraordinario comportamiento o indicaran dónde se encontraba ahora.

El palafrenero estaba ubicado exactamente donde le indicó el tendero.

—Sí —dijo el viejo, mordisqueando una paja. Era patizambo y olía a establo, a sudor de caballo, a heno y a cuero—. Venía a menudo. Un par de caballos bien hermosos traía. Perfectamente emparejados, paso a paso.

—¿Era bueno con los caballos? —preguntó Monk, como por azar.

—Yo no diría «bueno» —opinó el palafrenero—. «Normalillo», más bien.

Miró a Monk entrecerrando los ojos, esperando a que se explicara.

Monk hizo una mueca de disgusto.

—No es lo que él me dijo. Por eso pensé que sería mejor comprobarlo.

—Ya poco importa ahora. —El palafrenero escupió la paja—. Está muerto, el muy canalla. No es que le dedicara mucho tiempo yo. Ese cabrón era un fresco. Siempre soltando impertinencias. Aunque yo no le hubiese deseado un final así. Usted no es de por aquí o ya sabría que ha muerto. Asesinado, para más señas. En el sendero de la señora Anderson, como quien dice, y eso que ella sí que es una buena mujer. Cuidó de mi Annie, se portó de maravilla. —Negó con la cabeza—. Nada era demasiado trastorno para ella.

Monk aprovechó la ocasión.

—Una mujer excelente. También se hizo cargo de la señora Gardiner, creo, cuando sólo era una niña.

El palafrenero eligió otra brizna de paja y se la metió en la boca.

—Ah, sí. La encontraron deambulando por las calles muerta de miedo. Balbuceaba como una loca, la pobre, a duras penas sabía su propio nombre. Fue Cleo Anderson quien se hizo cargo de ella, la limpió y la crió como si fuese suya. Es una pena que ese fanfarrón se hiciera matar delante de su puerta. Esos líos no son convenientes para nadie.

—Los accidentes no pueden evitarse —apuntó Monk, en tono sentencioso, aunque su mente se preguntaba qué le habría ocurrido a la joven Miriam para causarle semejante trastorno mental.

Podía imaginarlo de sobra, al recordar su propio miedo después del accidente, los horrores que residían en su fuero interno. ¿Acaso ella había pasado por algo parecido? ¿Tampoco sabía quién era? ¿Era eso lo que la había aterrado haciéndole huir de Lucius Stourbridge, que tanto la amaba?

123

El palafrenero escupió la paja.

—¡No fue un accidente! —exclamó con sorna—. Como ya le he dicho, ¡lo asesinaron! De un golpe en la cabeza fue.

—Dejaba sus caballos aquí con bastante frecuencia —señaló Monk, volviendo al presente.

—Eso también se lo he dicho ya, ¿no? Claro que los traía. Éste es el mejor sitio en kilómetros a la redonda. Sé todo lo que hay que saber sobre caballos yo. —Esperó a que su interlocutor lo pusiera en entredicho.

Monk sonrió y echó una ojeada al animal más cercano.

—Salta a la vista —aprobó en un tono valorativo—. Se nota. Y su opinión sobre Treadwell probablemente sea la misma que había sacado yo. Un arrogante como la copa de un pino.

El palafrenero se mostró satisfecho. Asintió con la cabeza al decir:

—Eso es lo que le dije al policía que estuvo haciendo preguntas por aquí. Treadwell no era trigo limpio, le dije. Puedes saber mucho sobre un hombre por la forma en que trata a un caballo, si sabes en qué fijarte. Ya sabe lo que pasa, ¡a uno se le suben los humos!

Monk sonrió con pesar. Sabía que era cierto.

El palafrenero le devolvió la sonrisa, contento de no haberlo ofendido.

Monk le dio las gracias y se marchó, digiriendo la información que había obtenido no sólo acerca de la presencia de Treadwell allí, sino sobre la extraña vida anterior de Miriam y pensando en la coincidencia de que a Treadwell lo asesinaran en la puerta de la mujer que años atrás encontró a Miriam y se hizo cargo de ella. Y, por supuesto, Robb había tenido la misma idea. Monk debía extremar las precauciones para no conducirlo de cabeza a Miriam sin querer.

De nuevo en la calle, caminó despacio. No metió las

manos en los bolsillos, hacerlo le deformaría el traje y él era demasiado vanidoso para permitirlo. ¿Por qué tenía tanto miedo de conducir a Robb hasta Miriam? La respuesta era penosa. Porque temía que estuviese envuelta en la muerte de Treadwell, aunque fuese indirectamente. Se estaba ocultando de Lucius, pero también de la policía. ¿Por qué? ¿Qué era Treadwell para ella, además del cochero del carruaje de los Stourbridge? ¿Qué sabía o sospechaba él?

Había llegado el momento de visitar a Cleo Anderson. No quería tropezarse con Robb, de modo que se acercó con cautela, consciente de ser una figura llamativa con sus anchas espaldas y sus andares un pelo arrogantes.

Ya estaba en Green Man Hill cuando vio que Robb cruzaba la calle unos pasos por delante de él. Se paró en seco, inclinó la cabeza y levantó las manos como para encender un cigarrillo; luego, se volvió de espaldas e hizo como si pretendiera resguardar una cerilla del viento. Sin volver la vista atrás, pese a la inmensa tentación, se alejó con aire despreocupado y torció en la primera esquina que encontró.

Se detuvo y, para su consternación, se sorprendió temblando. Aquello era absurdo. ¿Qué había pasado para que anduviera escabulléndose por las esquinas para no ser reconocido por la policía? ¡Escondiéndose de un sargento, además! Pocos años atrás, los sargentos de todo Londres conocían su nombre y se ponían firmes en cuanto le oían. Al redescubrirse a sí mismo después del accidente había sido testigo de hasta qué extremo estaba arraigado el temor que su persona inspiraba. A la gente la preocupaba lo que él pensara de ellos, querían complacerlo y tenían pavor a su desdén, merecido o no.

¡Cuántas cosas habían cambiado!

Se sintió ridículo, viéndose allí de pie, en mitad de la acera, fingiendo encender un cigarrillo imaginario para que Robb no le viera la cara. Y es que, el hombre que fuera antaño, visto en retrospectiva, no le causaba ningún placer. Robb le hubiese tenido miedo; posiblemente habría respetado su pericia, pero ese temor se fundaría en el poder que él ostentaba y en su disposición a usarlo, así como en el empleo de su lengua viperina.

Seguía siendo impaciente, a veces sarcástico. Todavía despreciaba la cobardía, la hipocresía y la pereza, y no se molestaba en disimularlo. Ahora bien, también desdeñaba a los bravucones y sentía una punzada de dolor al pensar que quizá tiempo atrás él mismo lo había sido.

Si Robb iba a visitar a Cleo Anderson, fuera a propósito de Miriam o simplemente porque Treadwell había aparecido muerto en su sendero, el caso era que no tenía sentido aguardar allí hasta que se marchara. Podía transcurrir una hora o más. Mejor sería ir en busca de una cena decente y regresar a última hora de la tarde, cuando Robb ya se hubiera ido a casa, probablemente a atender a su abuelo.

Comió con apetito y luego llenó parte de la espera haciendo más preguntas sobre Miriam. Fingió tener una hermana que acababa de casarse y que estaba sopesando la posibilidad de mudarse a Hampstead. Se enteró de más de lo que esperaba, y el nombre de Miriam surgió asociado a una sociedad botánica, a los amigos de un grupo de misioneros en África, a un círculo de mujeres que se reunían cada dos viernes para comentar las obras de literatura que más les gustaban y a la lista de turnos de la iglesia más cercana. Tendría que haber pensado en la iglesia. Se maldijo por haber pasado por alto algo tan evidente. Le pondría remedio al día siguiente.

Entre una cosa y otra, para cuando llegó al umbral de Cleo Anderson con el último sol de la tarde, cuyas sombras eran tan largas que casi le llegaban a los pies desde el otro lado de la calle, notó que, tal como había dicho el palafrenero, se le habían subido los humos.

Teniendo en cuenta que Cleo Anderson ya había sacrificado buena parte de la tarde para contestar a las preguntas del sargento Robb, le abrió la puerta con notable cortesía. A Monk se le ocurrió que igual lo había tomado por un paciente. Al fin y al cabo, cuidar de los enfermos era su profesión.

A Cleo le bastó un segundo para ver que era un desconocido y que con toda probabilidad no pertenecía al vecindario. De todas maneras, no lo rechazó con cajas destempladas. Entrecerró un poco los ojos.

—Dígame, cielo, ¿qué puedo hacer por usted? —preguntó, apoyándose de modo que pudiera cerrar de un portazo si él intentaba entrar por la fuerza.

Monk se mantuvo expresamente a distancia.

—Buenas tardes, señora Anderson —le saludó. En ese preciso instante decidió no mentirle—. Me llamo William Monk. El señor Lucius Stourbridge me ha contratado para que encuentre a Miriam Gardiner. Tal como seguramente sabrá, desapareció de su casa, donde se hospedaba en calidad de invitada, y está desesperadamente preocupado por ella.

Se calló, al ver que la inquietud desdibujaba el rostro de la mujer, que se le aceleraba la respiración y se ponía tensa. De todos modos, como el cadáver de Treadwell había aparecido ante su puerta, no era raro que temiera por Miriam, a no ser que supiera que la joven se encontraba a salvo, no sólo protegida de cualquier daño físico, sino fuera de toda sospecha. Era obvio que no contaba con tal consuelo.

—¿Puede ayudarme? —le pidió Monk en voz baja.

Permaneció quieta un momento, reflexionando, y luego se hizo a un lado, abriendo la puerta de par en par.

—Será mejor que pase —lo invitó Cleo a su pesar. La siguió a un vestíbulo apenas lo bastante grande para albergar las tres puertas que se abrían a él. Cleo abrió la más alejada y entró en una sala limpia y sorprendentemente luminosa, con cómodas butacas junto a la chimenea. Una fila de armarios ocupaba toda una pared; todas las puertas estaban cerradas y los ojos de las cerraduras eran de latón. No había ninguna llave puesta.

—¿Le envía el señor Stourbridge?

La idea no parecía aliviarla demasiado. Seguía estando tensa y tenía las manos entrelazadas con fuerza, medio ocultas entre las faldas.

Monk había caminado kilómetros y le ardían los pies, pero sentarse sin que lo invitaran sería ponerla en un aprieto, y una falta de educación.

—Le aterra pensar que pueda haberle sucedido algo malo —contestó—. Sobre todo a la luz de lo que le ha ocurrido a Treadwell, el cochero.

A pesar de todos sus esfuerzos por dominarse, la mujer inspiró sonoramente.

—¡No sé dónde está! —Entonces se recompuso, esperando unos instantes a propósito—. No he vuelto a verla desde que se fue a Bayswater. Ella misma me lo contó, por supuesto. —Lo miró de un modo penetrante.

Monk tenía la firme convicción de que mentía, aunque no sabía hasta qué punto ni por qué. Percibía miedo en su rostro, pero nada que se asemejara a la culpa. Trató de abordar la cuestión con la mayor delicadeza.

—El señor Stourbridge está profundamente preocupado por Miriam. Sólo actuaría en su interés y por su bienestar.

Cleo habló con una voz cargada de emoción, conteniendo el llanto:

—Eso ya lo sé. —Suspiró entrecortadamente—. Es todo un caballero. —Pestañeó varias veces—. Pero Dios sabe bien que eso no cambia nada. —Estuvo a punto de agregar algo más, pero cambió de parecer y se calló.

—Usted fue quien encontró a Miriam por primera

vez, ¿verdad? —dijo Monk amablemente, con respeto más que preguntando.

Ella dudó un instante antes de decir:

—Sí, pero eso fue hace años. No era más que una cría. Doce o trece años tenía. —Una expresión de dolor y desconfianza le cruzó el semblante—. Tuvo un accidente. No sé lo que le ocurrió. Estaba histérica..., en un estado como yo no había visto nunca. No vino nadie a reclamarla ni a ocuparse de ella. La recogí. Qué iba a hacer, pobrecilla. —No apartaba los ojos de los de Monk—. Nadie preguntó por ella ni vino a buscarla. Cada día esperaba que llegara alguien, y fueron pasando las semanas y los meses y nadie vino. Así que me ocupé de ella como si fuese mía.

Tal vez percibió algo en la mirada de Monk, cierta comprensión. Parte de su desconfianza se desvaneció.

—Estaba muerta de miedo, la pobre —continuó—. No recordaba nada de lo que le había ocurrido.

Cleo Anderson se hizo cargo de Miriam y la crió hasta que la muchacha se unió, en respetable y aparentemente feliz matrimonio, a un hombre del barrio, de probada reputación. Luego, Miriam se quedó viuda, con los medios suficientes para vivir sin apreturas, hasta que conoció a Lucius Stourbridge mientras paseaba bajo el sol por Hampstead Heath.

Pero lo que importaba era lo sucedido una semana antes, y saber dónde se encontraba ahora.

—¿Conocía usted a James Treadwell? —preguntó Monk.

Su respuesta fue inmediata, sin un instante de reflexión.

—No.

Demasiado rápido. Pero Monk no quiso ponerlo en entredicho. Debía dejarle espacio para cambiar de parecer sin tener que defenderse.

Dejó que su sincera admiración se le reflejara en la voz.

—Así pues, usted era toda la familia que tenía Miriam después del accidente.

La ternura en los ojos de Cleo, en sus labios, era innegable. De habérselo permitido ella misma, habría roto a llorar. Pero era una mujer fuerte y estaba más que acostumbrada a la tragedia.

—Así es —admitió en voz baja—. Y ella fue lo más parecido a una hija que yo jamás haya tenido. Y nadie querría una mejor.

—Sin duda se alegró usted cuando se casó con un buen hombre, como el señor Gardiner —concluyó Monk.

—Por supuesto. ¡Y era muy buen hombre! Un poco mayor que Miriam, pero la amaba, me consta. Y ella le correspondía con su cariño.

—Tuvo que ser muy agradable para usted que viviera tan cerca.

Sonrió.

—Pues claro, pero no me importa donde viva mientras sea feliz. Y quería al señor Lucius como nunca se haya visto. Se le encendía toda la cara con sólo decir su nombre. —Esta vez las lágrimas le rodaron por las mejillas, sin que pudiera hacer nada por controlarlas.

—¿Qué sucedió, señora Anderson? —dijo Monk, casi en un susurro.

—No sé.

Lo cierto es que no esperaba otra respuesta. Estaba ante una mujer que protegía al único hijo que había criado y amado.

—Pero tuvo que ver usted a Treadwell, aunque fuese de lejos, cuando Miriam venía a visitarla mientras se hospedaba en Bayswater —insistió.

Ella titubeó sólo un momento.

—Vi a un cochero, pero nada más.

Podía ser cierto. Quizá Treadwell se arrastró hasta allí porque había oído a Miriam decir que Cleo era enfermera. Parecía concebible que no fuese más que eso. Ahora bien, ¿resultaba verosímil?

¿Quién mató a Treadwell... y por qué? ¿Por qué allí?

—¿Qué le ha contado al sargento Robb? —preguntó Monk.

La mujer se relajó un poco. Los hombros perdieron tensión bajo la tela oscura del vestido, una prenda sencilla, casi de uniforme, como las que había visto llevar a Hester cuando estaba de turno. Le sorprendió la punzada de familiaridad que eso le causó.

—Lo mismo que le estoy contando a usted —contestó Cleo—. No he visto a Miriam desde que se fue a casa del señor Lucius y su familia. No sé dónde está ahora y no tengo ni idea de lo que le ocurrió al cochero ni de cómo lo mataron ni por qué; excepto que conozco a Miriam desde que era niña y nunca le he visto perder los estribos ni arremeter contra nadie, y me jugaría la vida a que es así.

Monk la creyó, al menos en lo que a la última parte se refería. Aceptaba que considerara inocente a Miriam. Dudaba mucho que no tuviera idea de dónde se encontraba. Si a Miriam todo le fuera bien, sin lugar a dudas no hubiese huido de casa de los Stourbridge como había hecho ni habría evitado ponerse en contacto con Lucius. Si se le presentaron problemas, de la naturaleza que fueran, seguramente recurrió a Cleo Anderson, la persona que la había rescatado, que la cuidó y amó desde aquella primera vez.

—Espero que no tenga que llegar a esos extremos —le deseó muy en serio.

Le dio las buenas noches sin hacer más preguntas. Sabía que no iba a contestarle, al menos no con la verdad.

Compró un bocadillo a un vendedor ambulante que encontró a cosa de una manzana y charló con él mientras se lo comía. Luego, tomó un ómnibus para regresar a

Fitzroy Street y se alegró al sentarse, aunque fuese apretujado y soportando los bandazos de aquel medio de transporte.

Dejó volar sus pensamientos. ¿Adónde podía ir Miriam? Estaba asustada. No confiaba en nadie, salvo quizás en Cleo. Sin duda no confiaba en Lucius Stourbridge. No querría estar en terreno desconocido y, sin embargo, tendría que evitar a quienes se sabía que eran sus amigos.

La mujer gorda que iba a su lado sudaba copiosamente y se secó la cara con un pañuelo enorme. Un chiquillo hacía sonar un silbato en un tono muy agudo y su madre lo regañó con severidad, sin resultado. Un hombre anciano y con bombín respiraba haciendo pasar el aire por el diente que le faltaba. Monk lanzó una mirada iracunda al niño del silbato, que se detuvo a medio soplar. El hombre con un diente de menos sonrió aliviado.

Miriam acudiría a alguien en quien pudiera confiar, a alguien en quien también Cleo pudiera confiar, quizás, que le debiera un favor por sus atenciones en el pasado. Cleo era enfermera. Aunque se pareciera a Hester sólo remotamente, contaría con la confianza, y también la discreción incondicional, de un buen puñado de personas. Por ahí era por donde debía empezar, por aquellos a quienes Cleo Anderson hubiese cuidado. Se apoyó en el respaldo y se relajó, sin quitar el ojo de encima al niño, no fuera a darle por tocar el silbato otra vez.

El aire ya estaba en calma y templado a las nueve menos cinco, cuando Monk inició sus pesquisas al día siguiente. La voz del ropavejero resonaba mientras se alejaba lentamente del Heath hacia el sur. El rocío aún era espeso a la sombra de los árboles más grandes, pero el prado abierto ya estaba polvoriento y el coro de los pájaros que anunciaba el alba había cesado hacía horas.

No se molestó en ir tras los pacientes con familia numerosa ni, naturalmente, tras aquellos cuya enfermedad hubiese culminado en la muerte. Se enteró de toda suerte de desdichas y actos generosos. Cleo Anderson gozaba de una muy elevada reputación. Pocos tenían una palabra malsonante que decir a propósito de ella. Miriam también se había granjeado su parte de aprobación. Al parecer, con bastante frecuencia compartió de buen grado la carga que suponían los cuidados que prodigaba su madre, sobre todo después de enviudar, cuando dejó de llenar el tiempo velando por el bienestar del señor Gardiner.

Monk rastreó todos los indicios con alguna probabilidad de conducirlo hasta donde se encontrara Miriam. A última hora de la mañana se había cruzado en el camino del sargento Robb un par de veces y se preguntó si Robb también sería consciente de su presencia. Sin duda lo era, aunque sólo fuese por deducción, sin haberlo visto realmente.

Poco después de mediodía dobló la esquina de Prince Arthur Road y se paró en seco. A unos diez metros delante de él, Robb echaba un vistazo a su reloj de pulsera con inquietud y, al ver la hora, miró de mala gana a la casa de la otra acera; acto seguido, mordiéndose el labio, emprendió la marcha a paso vivo en dirección opuesta.

Por un instante Monk se quedó confundido, hasta que cayó en la cuenta de que Robb iba en dirección a su casa. Su abuelo llevaría solo desde primera hora de la mañana, prácticamente imposibilitado y sin duda necesitado de comida y, sobre todo, con aquel tiempo tan caluroso, de agua fresca que beber y asistencia para satisfacer sus necesidades personales. Robb nunca lo olvidaría, pese a las urgencias y las exigencias de su trabajo.

Monk se conmovió con una inmensa piedad por él, y también por el viejo enfermo que pasaba a solas un día tras otro, dependiendo de un muchacho desesperado por hacer bien su trabajo y dividido entre dos deberes.

Ahora bien, el primer deber de Monk era para con Miriam Gardiner, pues para eso lo había contratado Lucius Stourbridge y por ello él había dado su palabra. Robb disponía de muchos más recursos que él por la información dada a la policía, por su conocimiento de la zona y por su facultad de ordenar cooperación. Ambos deseaban lo mismo, encontrar a Miriam Gardiner; Monk, porque era su objetivo final; Robb, para averiguar lo que ella supiera sobre el asesinato de Treadwell, y puede que incluso para acusarla de complicidad. Era imprescindible que Monk la encontrara primero.

Paseó sin prisa hacia la casa a la que Robb había mirado brevemente antes de irse de tan mala gana. No tenía la menor idea de quién vivía allí ni de qué era lo que Robb esperaba encontrar, pero no tenía tiempo para investigaciones minuciosas. Aquélla era su única oportunidad de sacarle ventaja. Llamó a la puerta y dio un paso atrás, esperando a que abrieran.

La sirvienta que lo miró con ojos escrutadores no tendría más de catorce o quince años, pero estaba decidida a causar buena impresión.

—Usted dirá, caballero.

Monk sonrió.

—Buenas tardes. —El tiempo apremiaba—. La señora Gardiner me ha pedido que le diera un mensaje a su patrona, si es que se encuentra en casa.

Deseó conocer el apellido de la familia. Habría resultado más convincente.

Por un instante, la chica se quedó perpleja, aunque saltaba a la vista que quería ser servicial.

—¿Está seguro de haber ido a la casa correcta, señor? Aquí sólo vive el anciano señor Hornchurch.

—Vaya —soltó Monk, confundido. ¿Qué querría Robb del viejo señor Hornchurch?

El rostro de la chica se iluminó.

—¿Quizá se refería al ama de llaves? La señora Whitbread viene todos los días y limpia la casa y cocina para el señor Hornchurch. Se puso mala hace dos inviernos y la señora Gardiner era quien iba a cuidarla.

Monk notó el picor del sudor del alivio en la piel. Tuvo que tragar saliva para recobrar el aliento.

—Sí, claro. Eso es lo que tenía que haber dicho. Quizá sería más conveniente que fuese a hablar con la señora Whitbread a su casa. ¿Sabría decirme cómo llegar desde aquí? —Las personas a quienes recurriría Miriam serían a las que ella había ayudado en momentos de necesidad.

La chica parecía tener sus reservas.

—Puede. Se lo preguntaré. No le gusta que pasen a verla a su casa. Me figuro que, cuando no estás de servicio, como que quieres un poco de intimidad.

—Por supuesto —convino Monk, manteniéndose aún a cierta distancia del umbral—. Estoy seguro de que usted misma podría darle el mensaje, si tiene la amabilidad.

—Claro que sí —aceptó la chica, con evidente alivio.

Monk sacó un trozo de papel del bolsillo y un lápiz y escribió: «No diga nada sobre Miriam al sargento Robb». Dobló la nota dos veces, volviendo los extremos hacia dentro, y se la dio a la chica.

—Asegúrese de dársela cuanto antes —le pidió—. Y si viene la policía tenga mucho cuidado con lo que dice.

Abrió los ojos como platos.

—Así lo haré —prometió—. Nunca les digo nada a los guindillas, uno de mis patrones me lo enseñó. Es lo mejor. No sabes nada, no has visto nada, no has oído nada; y punto.

—Muy acertado. —Monk asintió con la cabeza, sonriendo otra vez—. Gracias —añadió, y se dispuso a partir.

Aguardaría hasta que la señora Whitbread finalizara sus tareas y entonces la seguiría. Tenía auténticas esperanzas de que podría conducirlo hasta Miriam. Mientras tanto, buscaría algo que comer y se mantendría bien apartado del camino de Robb cuando éste regresara para visitar a la señora Whitbread.

Fue paseando con toda tranquilidad por una acera que bordeaba un descampado y compró un bocadillo de ternera y cebolla en un tenderete. Estaba recién hecho y se lo comió con sumo placer. Compró otro y lo disfrutó tanto como el primero. Se preguntó cómo habría dado Robb con la señora Whitbread. Era una buena labor detectivesca. Reclamaba su respeto y se lo concedió con gusto. Le caía bien Robb y admiraba los cuidados que el joven le prodigaba a su abuelo.

No tenía que perder de vista la casa del señor Hornchurch para ver cuándo salía el ama de llaves, aunque debía mantenerse a distancia para que Robb no lo viera cuando regresara.

Suponía que Robb volvería por donde lo había visto irse, de modo que se sobresaltó con considerable sorpresa cuando oyó su voz detrás de él. Se volvió y lo vio a menos de un metro, con expresión adusta y los labios prietos.

—¿Me esperaba, inspector Monk? —dijo en un tono frío.

Monk sintió como si le dieran una bofetada. En una sola frase, Robb dejaba claro que estaba enterado del historial de Monk en la policía y de la reputación que se había ganado, tanto por su pericia como por su falta de misericordia. Lo veía escrito allí, en el rostro de Robb que, de pie, bajo el sol y moteado por los árboles, lo miraba con ojos precavidos, desafiantes. Monk advertía la rabia en aquel rostro, y algo más que bien podía ser miedo.

¿Tenía algún objeto mentir? No quería hacer de

Robb un enemigo, por motivos tanto prácticos como emocionales; de hecho, no se lo podía permitir. La preocupación primordial era Miriam. Su libertad, incluso su vida, podía depender de aquello. Y él no sabía si la joven era o no culpable de algo. Cabía que hubiese asesinado a Treadwell. Por otra parte, tal vez se encontrara en peligro, huyendo aterrada. No sabía más de la verdad ahora que cuando Lucius Stourbridge entró en su vivienda unos cuantos días atrás.

Cambió el peso de lado para adoptar un aire más informal. Enarcó las cejas.

—La verdad es que realmente confiaba en no tropezarme con usted —confesó sincero.

Robb curvó los labios hacia abajo.

—¿Pensaba que iba a regresar por donde me había ido? Lo habría hecho de no haberle visto, y debo admitir que fue por mera casualidad. Pero conozco esta zona mejor que usted. Le llevo ventaja. Me preguntaba si se dedicaría a seguirme. Sería lo más normal si usted no tuviese ideas por sí mismo. —Su voz contenía un desdén que escocía—. ¿Por qué me ha esperado aquí? Me figuro que ya sabía que iba a atender a mi abuelo.

Monk estaba perplejo, y también sorprendido de sentirse herido en lo más vivo. No merecía aquello por parte de Robb. Ciertamente, trataba de vencerlo en la búsqueda de Miriam, pero para eso lo había contratado Lucius Stourbridge. Robb no podía esperar otra cosa de él.

—Por supuesto, claro que sabía adónde iba —reconoció Monk, manteniendo la voz firme y casi inexpresiva—. Aunque la razón por la que no le he seguido ha sido porque, para empezar, no le estaba siguiendo. ¿Tanto le sorprende que mis investigaciones me lleven a los mismos lugares que a usted las suyas?

—No —rechazó Robb al instante—. Tiene usted una inmensa reputación, inspector Monk. —No aludió a la naturaleza de su carácter, pero la expresión de sus ojos habló por él, dejando a Monk sin espacio para abrigar esperanzas o hacerse ilusiones.

Lo asaltó el recuerdo de Runcorn, de su rabia siempre latente, apenas reprimida bajo su barniz de autocontrol, el miedo trasluciendo a sabiendas de que de un modo u otro, hiciera lo que hiciese, Monk sacaría lo mejor de él, socavaría su autoridad, hallaría antes la respuesta, le haría parecer estúpido o inepto. El miedo había calado tan hondo con los años que ya no era un pensamiento consciente, sino un instinto, como cerrar los ojos antes de recibir un golpe.

Después del accidente, Monk oyó retazos acerca de su persona aquí y allá, formó un rompecabezas con ellos y se enteró de cosas que ojalá no hubiesen sido ciertas. Lo más cruel era que durante más o menos el último año, sin duda habían dejado de serlo. Seguía teniendo la lengua afilada, por supuesto. Se mostraba intolerante. No soportaba a los idiotas, le gustara o no. ¡Pero no era injusto! Robb lo estaba juzgando por su pasado.

—Eso parece —se oyó decir con toda frialdad. También sabía que tenía fama por su habilidad—. Así que no debería sorprenderle que sacara las mismas conclusiones que usted y que encontrara a las mismas personas sin tener que seguirle el rastro.

Robb metió las manos en los bolsillos e inclinó los hombros un poco hacia adelante, tensando el cuerpo. Había desprecio y disgusto en su rostro, pero también la conciencia de hallarse ante un enemigo superior y cierta tristeza porque las cosas fueran así, una decepción.

—Tiene usted una ventaja sobre mí, señor Monk. Conoce mi punto flaco. Puede hacer al respecto lo que considere oportuno, pero no aceptaré un chantaje para que deje de investigar quién asesinó a James Treadwell, tanto si fue la señora Gardiner como si no.

Miró a Monk sin pestañear, con sus ojos castaños fijos en él.

A Monk le dio un mareo repentino. Desde luego, él nunca había sido de esa clase de personas que se rebajarían a chantajear a un joven sargento porque dedicaba parte de su jornada laboral a atender a un deber mucho más serio, el del amor por un anciano enfermo y solo que dependía por completo de él. No soportaba pensar que alguna vez hubiese sido así; al menos, no para perseguir a un ladrón o un asesino, pues había otras maneras; ¡y sin duda no para subir un peldaño más en la escala de mando!

De pronto tenía la boca seca y le costaba pronunciar las palabras. ¿Qué quería decir? No iba a suplicar; sería al mismo tiempo degradante e inútil.

—Lo que usted les cuente a sus superiores es asunto suyo —replicó en un tono glacial—. Como si no les cuenta nada. Personalmente, mi consideración para con ellos nunca me hizo ver que fuese necesario darles explicaciones. Mi trabajo hablaba por mí. —Sonaba arrogante y lo sabía, pero lo que decía era verdad. Nunca le dio explicaciones a Runcorn, ni tuvo intención de hacerlo. Percibió un destello de reconocimiento en el rostro de Robb; notó que le creía—. Y le aseguro que cometí muchos pecados —prosiguió Monk en un tono mordaz—, pero no encontrará a nadie que diga que me rebajé a chantajear. No encontrará a nadie que no supiera de sobra que no me era necesario.

Lentamente, los hombros de Robb se relajaron. Aún observaba a Monk detenidamente, pero en sus ojos desapareció la hostilidad y dejó de ser presa del miedo. Se humedeció los labios.

—Lo siento, tal vez haya subestimado su talento.

Eso iba a ser lo más parecido a una disculpa que pronunciara.

El talento no era lo que preocupaba a Monk, sino el

honor, pero carecía de sentido perseguirlo ahora. No conseguiría nada más. Ahora la cuestión era no perder de vista la casa, de modo que pudiera seguir a la señora Whitbread cuando saliera y, al mismo tiempo, esquivar a Robb para que no los siguiera a ambos. Y, por supuesto, todo aquello sólo tendría importancia si la sirvienta que abría la puerta no le daba a Robb la misma información que le había proporcionado a Monk, aun sin saberlo.

Sostuvo la mirada de Robb durante unos segundos, sonrió sin apartar la vista, se despidió de él, dio media vuelta y se alejó caminando en dirección opuesta a la casa. Tendría que dar un rodeo y regresar extremando las precauciones.

La señora Whitbread salió a las cinco menos cuarto. Robb no estaba a la vista. Mientras Monk la seguía a una distancia prudente, notó que el hastío desaparecía de pronto, que se le aguzaban los sentidos y que una burbuja de esperanza crecía en su interior.

No fueron muy lejos, tal vez a un par de kilómetros, antes de que la señora Whitbread, una mujer enjuta, sobria y de rostro delicado, se detuviera ante una casita en Kemplay Road y abriera la puerta principal con una llave.

Monk aguardó un momento, mirando a ambos lados para comprobar que no había nadie al acecho, y luego cruzó la calle hasta la puerta. Llamó.

Al cabo de uno o dos minutos la señora Whitbread abrió cautelosamente la puerta.

—¿Sí?

Monk le había dado muchas vueltas a lo que iba a decir. Era harto evidente que Miriam no deseaba ser encontrada ni por la policía ni por Lucius Stourbridge. De haber confiado en Lucius en aquel asunto, se habría puesto en contacto con él mucho antes. O bien temía que la denunciara a la policía, o bien trataba de protegerlo.

—Buenas tardes, señora Whitbread —la saludó con firmeza—. Traigo un mensaje urgente de la señora Anderson para Miriam. Necesito verla de inmediato. —Cleo Anderson era el único nombre en el que ambas mujeres tal vez confiarían.

La mujer titubeó sólo un instante antes de abrir más la puerta.

—Será mejor que entre —dijo muy deprisa—. Nunca se sabe quién puede estar espiando. Hoy ya he tenido una visita de los guindillas donde trabajo.

Monk entró y ella cerró la puerta.

—Lo sé. Fui yo quien los puso sobre su pista. No les habrá dicho nada...

—Claro que no —respondió, lanzándole una mirada fulminante—. No me fío un pelo de ellos. Es superior a mí.

Monk no dijo nada y la siguió por el pasillo hasta la cocina. De pie junto a la lumbre, de cara a ellos, con ojos como platos, estaba la mujer a la que había ido a buscar. Supo de inmediato que se trataba de Miriam Gardiner. Era tal como Lucius la había descrito, de estatura algo inferior a la media, rellenita de figura, con un rostro dulce y bien proporcionado, aunque con una evidente fuerza interior. A primera vista podía pasar por un encanto de mujer, dada a la obediencia y a complacer a quienes amaba, pero había una dignidad innata en ella que hablaba de algo mucho más profundo que de mera simpatía, algo intocable por nada salvo por el amor. Pese a la brevedad del momento, Monk comprendió por qué Lucius Stourbridge estaba dispuesto a dejarse el alma en su búsqueda, sin tener en cuenta la muerte de James Treadwell.

—Señora Gardiner —empezó, hablando en voz baja—, no soy de la policía y tampoco vengo de parte de la señora Anderson. He mentido porque temía que se marchara sin permitirme hablar con usted si sabía que vengo de parte de Lucius Stourbridge.

Se quedó paralizada, olvidando por completo los cacharros que humeaban sobre el fuego, hasta que la vibración de las tapaderas rompió el silencio que llenaba la habitación. Su terror casi podía tocarse en el aire.

Monk sentía la presencia de la señora Whitbread a su lado. Vio la furia de sus ojos, su cuerpo tenso, los labios prietos hasta dibujar una línea.

Agradeció que la sartén se encontrara en la pared opuesta, fuera de su alcance, pues no dudó que de lo contrario habría hecho uso de ella.

—No he venido para intentar llevarla de vuelta a Bayswater —explicó con calma, mirando a Miriam—. Ni a la policía. Si así lo prefiere, no le diré al señor Stourbridge dónde se encuentra. Me limitaré a decirle que está con vida y a salvo. Está desesperadamente preocupado por usted y esto le proporcionará algún consuelo, aunque diste de ser una explicación.

Miriam le devolvió la mirada, con el rostro casi blanco, transido por una angustia que hizo que Monk se sintiera culpable por lo que estaba haciendo, temeroso de lo que quizá descubriría.

—No sabe qué pensar —continuó con un hilo de voz—. Sólo le consta que usted es incapaz de hacer daño a nadie intencionadamente.

Miriam inspiró sonoramente y los ojos se le llenaron de lágrimas. Se los enjugó con impaciencia, aunque tuvo que aguardar un momento antes de dominarse lo bastante como para hablar.

—No puedo regresar. —Fue una afirmación de hechos consumados. No había esperanza en su voz, ninguna posibilidad de cambio.

—Haré cuanto pueda para mantener alejada a la policía —le prometió Monk, como si eso fuese la respuesta a lo que ella acababa de decir—, pero puede que no lo consiga. No me quitan el ojo de encima.

La señora Whitbread lo rodeó y fue hasta el fuego para apartar los cacharros antes de que se derramaran. Se volvió hacia Monk con amargo disgusto.

Miriam le dejó paso poniéndose en medio de la habitación.

—¿Qué ocurrió? —preguntó Monk con toda la amabilidad de que fue capaz.

Miriam tosió un poco y carraspeó. Su voz sonó ronca:

—¿Se encuentra bien Cleo, la señora Anderson?

—Sí.

No tenía sentido señalar el peligro que corría Cleo Anderson si Robb comprendía que ocultaba información o incluso que no fue la casualidad lo que llevó a Treadwell hasta su puerta.

Miriam pareció calmarse un poco. Sus mejillas recobraron un leve color.

—¿Dónde vio a Treadwell por última vez? —le preguntó Monk.

Miriam apretó los labios y negó con la cabeza imperceptiblemente, no tanto como negativa para él, sino para sí misma.

Monk mantuvo la voz baja, paciente, tan desprovista de amenaza como pudo:

—Tarde o temprano tendrá que contestar, si no a mí, a la policía. Lo asesinaron, le asestaron un golpe en la cabeza... —Se interrumpió.

Miriam se había puesto tan pálida que Monk temió que fuera a desmayarse. Se lanzó hacia ella, la agarró por los brazos para que no perdiera el equilibrio y la empujó a un lado y atrás hacia la silla de la cocina, sosteniendo todo su peso un momento hasta que la joven se desplomó en el asiento.

—¡Váyase! —ordenó furiosa la señora Whitbread—. ¡Fuera de aquí! —Buscó con la mirada el rodillo o la sartén para emplearlos contra él.

Monk no cedió terreno, aunque vigilándola.

—Ponga la tetera a calentar. Echarme no servirá para resolver esto. Cuando la policía venga, y vendrá, no lo hará tan amistosamente como yo. Lo único que querrán será pruebas y justicia, o lo que ellos creen que es justicia.

Miriam cerró los ojos. Era lo único que podía hacer para respirar despacio y mantenerse consciente.

La señora Whitbread, a regañadientes, se volvió y puso agua a calentar. Miró a Monk con cautela antes de sacar tazas, una tetera y una lata redonda de té. A continuación se fue a la despensa a por leche, haciendo resonar los tacones en el suelo de piedra.

Monk se sentó frente a Miriam.

—¿Qué ocurrió? —preguntó Monk—. ¿Dónde estaba Treadwell cuando lo vio por última vez? ¿Estaba vivo?

—Sí... —susurró la joven, abriendo los ojos, aunque los llenaba un horror tan profundo que no se podía aliviar con palabras.

—¿Estaba usted presente cuando lo mataron?

Negó con la cabeza, moviéndola apenas un centímetro.

—¿Sabe quién lo mató o por qué?

Ella no dijo nada.

La señora Whitbread regresó con una jarra de leche en la mano. Fulminó a Monk con la mirada, pero no interrumpió. Cruzó la cocina y vertió un poco de agua hirviendo en la tetera para calentarla.

—¿Quién mató a Treadwell? —repitió Monk—. ¿Y por qué?

Miriam lo miró fijamente y susurró:

—No se lo puedo decir. No puedo decirle nada. No puedo irme con usted. Por favor, váyase. No puedo ayudarle, no puedo..., no puedo hacer nada.

La voz de Miriam transmitía un dolor tan desesperanzado y atroz que la réplica de Monk murió en sus labios.

Sonó el silbido del agua. La señora Whitbread la apartó del fuego y se volvió hacia Monk.

—Márchese ya —le dijo desapasionadamente, mirándolo con dureza—. No tiene nada que hacer aquí. Dígale a Lucius Stourbridge lo que tenga que decirle, pero márchese. Si vuelve, Miriam no estará ya aquí. Hay muchas otras personas dispuestas a esconderla. Si el señor Stourbridge es el amigo que dice ser, se mantendrá bien alejado. Ya sabe dónde está la puerta.

Seguía sosteniendo el agua hirviente, que humeaba por el pitorro. No era exactamente una amenaza, pero Monk entendió perfectamente la determinación de la mujer.

Se puso de pie, echó un último vistazo a Miriam y se dirigió a la puerta. Entonces se acordó de Robb y cambió de parecer. La puerta trasera de la cocina probablemente daba a una carbonera conectada con un callejón.

—Le diré al señor Stourbridge que está usted viva y a salvo —dijo, casi en un susurro—. Sólo eso. Pero la policía no andará muy lejos de mí. Llevo dos días dándole esquinazo.

La señora Whitbread entendió lo que quería decir. Asintió con la cabeza.

—Tuerza a la izquierda —le indicó—. Saldrá otra vez a la calle. Cuidado con los cubos de la basura.

—¿Sólo te ha dicho eso?

Hester no dio crédito cuando Monk le contó lo sucedido. Se encontraban en la confortable sala de estar, que servía también para recibir a los clientes. Las ventanas estaban abiertas a la cálida brisa vespertina. Se oía el murmullo de las hojas de un árbol cercano y, más a lo lejos, el ocasional ruido de cascos del tráfico de la calle.

—Sí —contestó Monk, mirándola.

Hester no estaba cosiendo, como cabría esperar de tantas otras mujeres. Sólo se dedicaba a la costura cuando era estrictamente necesario. Estaba concentrada de pleno en lo que él decía, con la espalda erguida, los hombros tensos, la mirada penetrante. Toda la confusión y la tragedia que abrumaban a Monk no bastaban para ahogar la profunda satisfacción que lo embargaba por estar en su compañía. A veces ella lo sacaba de quicio; aún seguían en desacuerdo sobre un sinfín de cosas. Monk podría enumerar los defectos de Hester usando los dedos de las dos manos. Sin embargo, mientras ella estuviera presente, él jamás se sentiría solo y nada sería insoportable.

—¿Cómo es ella? —preguntó Hester.

Monk se quedó desconcertado.

—¿Que cómo es?

—Sí —se impacientó Hester—. ¡No te dio ninguna explicación! ¿No te dijo por qué huyó de la fiesta de los Stourbridge? Se lo preguntarías, digo yo.

No lo había preguntado. Para entonces ya sabía que no iba a contarle nada.

La voz de Hester subió una octava.

—¡No se lo preguntaste!

—Se negó a decirme nada —dijo Monk taxativamente—. Excepto que no se encontraba presente cuando mataron a Treadwell. Creo que ni siquiera sabía que estaba muerto. Cuando se lo dije, se horrorizó tanto que por poco se queda sin habla. Casi se desmayó.

—¡Entonces es que sabe algo! —exclamó Hester de inmediato.

Aquello era una deducción sin fundamento y, no obstante, él había sacado la misma conclusión. La miró y le sonrió sombríamente.

—Así que no has averiguado nada nuevo.

—Salvo el hecho de que la señora Whitbread estaba dispuesta a luchar para defenderla y a correr el riesgo de que la policía la persiguiese a ella —recapituló Monk—. Y también que casi con absoluta certeza Robb la encontrará, tarde o temprano.

No quería contarle a Hester la opinión que Robb se había formado de él. Era algo doloroso, un aspecto oscuro que prefirió que no conociera.

—Así pues, ¿cómo es? —preguntó Hester de nuevo.

Monk no salió con evasivas ni hizo comentario alguno sobre la impenetrable lógica femenina.

—Nunca había visto a nadie tan asustado —respondió con toda sinceridad—. O más angustiado. Pero no creo que le cuente a nadie lo que ocurrió ni por qué huye. Lo que está claro es que no se lo dirá a Lucius Stourbridge.

—¿Qué piensas hacer? —Su voz apenas fue más que un susurro y sus ojos estaban llenos de compasión.

Monk se dio cuenta de que ya había tomado una decisión.

—Le diré a Stourbridge que la he encontrado y que está viva y a salvo y que asegura no haber tenido nada que ver en la muerte de Treadwell, pero no le diré dónde se encuentra. Por lo demás, apuesto a que ya no estará allí cuando yo se lo cuente a él. La advertí de que Robb me andaba pisando los talones.

No fue preciso que agregara el riesgo que corría al obrar así. Hester lo sabía de sobra.

—Pobre mujer —dijo en voz baja—. Pobre mujer.

5

Hacía seis días que Monk investigaba la desaparición de Miriam Gardiner. Hester se había acostado pensando en ella. Se preguntaba qué tragedia la habría arrastrado a cometer semejante acto sin poder hablar de ello, ni siquiera con el hombre con el que se iba a casar.

Sin embargo, no fue eso lo que la despertó, temblorosa y tan tensa que la cabeza le dolía como si le fuera a estallar. Tenía una abrumadora sensación de miedo, de que algo terrible estaba sucediendo sin que pudiera hacer nada para evitarlo o remediarlo. No era ninguna nimiedad ni un asunto personal, sino algo de proporciones devastadoras.

Junto a ella, Monk dormía con el rostro relajado y completamente en paz a la luz mortecina del alba. Estaba tan inconsciente de la presencia de Hester como si se encontraran en habitaciones separadas, en mundos distintos.

No era la primera vez que ella se despertaba con aquella sensación de impotencia y agotamiento y, no obstante, incapaz de recordar lo que había soñado, tanto en aquella ocasión como en las anteriores.

Tenía ganas de despertar a Monk, de hablar con él, de oírle decir que eran cosas sin importancia, irreales, pertenecientes al mundo de los sueños. Pero eso sería egoísta. Él esperaba que fuese más fuerte. Le causaría una decepción, y ella no lo soportaría. Permaneció con la mirada clavada en el techo, sintiéndose espantosamente sola, pues así se había despertado y no encontraba el modo de ahuyentar esa sensación. Se trataba de algo de lo que ansiaba escapar, pero sabía que era imposible. Ese algo la tenía rodeada.

La luz que se colaba por la rendija de las cortinas se ensanchaba en el suelo. En cuestión de una hora o así sería tiempo de levantarse y enfrentarse al nuevo día. Debía ocupar la mente con aquello. Siempre era mejor mantenerse ocupada. Había batallas que valía la pena librar, siempre las había. Volvería a hablar con Fermin Thorpe. Resultaba imposible razonar con él porque le daban miedo los cambios, temía perder parte del control que ejercía y, por consiguiente, ver menguada su importancia.

Probablemente significaría escribir otro sinfín de cartas, pocas de las cuales llegaban a recibir una respuesta útil. ¿Cómo era posible que alguien escribiera tantas palabras que luego, una vez desenmarañadas de las cláusulas subordinadas y los añadidos excluyentes, significaran tan poco?

Florence Nightingale estaba confinada en su casa —había quien decía que incluso en cama— y pasaba casi todo el tiempo escribiendo cartas.

Por supuesto, las suyas eran considerablemente efectivas. En los cuatro años transcurridos desde el final de la guerra había logrado cambiar gran cantidad de cosas, sobre todo relacionadas con la arquitectura de los hospitales. Primero, naturalmente, su atención estuvo centrada en los hospitales militares, y consiguió aquella victoria, a pesar de un cambio gubernamental que supuso la pérdida de su principal aliado. Ahora dirigía su formidable voluntad hacia los hospitales civiles e, igual que Hester, a la formación de las enfermeras. Pero se trataba de una batalla contra tenaces e intrincados intereses que ostentaban un inmenso poder. Fermin Thorpe sólo era uno de tantos, un ejemplo típico de los médicos que ocupaban puestos de responsabilidad por todo el país.

La salud de la pobre Florence se había ido deteriorando a partir de su regreso. A Hester le costaba aceptarlo, e incluso imaginárselo. En Scutari, Florence parecía infatigable, la última mujer de la tierra en sucumbir a desmayos y palpitaciones, fiebres inexplicables y dolores y flaquezas en general. Ahora parecía que éste era precisamente el caso. Los médicos habían perdido las esperanzas de salvar su vida en repetidas ocasiones. Ya no le permitían recibir visitas de su familia por si la emoción del encuentro resultaba demasiado fuerte. Amigos y admiradores leales robaban tiempo a sus ocupaciones para cuidarla hasta que llegara el fin, intentando que sus últimos meses en la tierra le resultaran tan agradables como fuese posible.

Así había ocurrido una y otra vez. En los últimos tiempos, en todo caso, parecía recobrada y rebosante de nuevas y vigorosas ideas. Había propuesto la creación de una escuela de formación de enfermeras y atacaba sistemáticamente a la oposición. Se decía que nada la deleitaba tanto como un conjunto de estadísticas que pudiera usarse para demostrar que el agua fresca y la buena ventilación eran necesarias para el restablecimiento de los pacientes.

Hester sonrió para sí al recordar a Florence bajo el tórrido sol de Turquía, ordenando resueltamente a un sargento del ejército que le presentara las cifras sobre los muertos de la semana anterior, su fecha de ingreso en el hospital, la naturaleza de sus heridas y la causa de la muerte. El pobre hombre estaba tan agotado que ni siquiera discutió. Lo mismo le daba una tarea inútil que otra, sólo la compasión por sus compañeros y su sentido de la decencia lo hacían renuente a obedecer. Florence trató de explicarle, con su pálido rostro iluminado y los ojos brillantes, que podía sacar una información valiosísima de esos datos. Podían deducirse cosas, aprenderse lecciones, encauzar errores y tal vez corregirlos. Había personas que morían innecesariamente, se causaban daños que cabía evitar.

El ejército, igual que Fermin Thorpe, no escuchó. Ésa era la impotencia que la abrumaba: heridas, enfermedades y muerte por todos lados, demasiado poca gente para cuidar de los pacientes, la ignorancia frustrando gran parte de lo poco que hubieran podido hacer.

¡Qué derroche tan insensato y monstruoso! ¡Qué mofa de todo lo bueno, feliz y hermoso de la vida!

Y allí estaba ella, tendida y sumamente cómoda en la cama con Monk durmiendo a su lado. El futuro se extendía con una promesa tan brillante como el día que comenzaba a clarear detrás de la cortina. Sería lo que ella hiciera de él. Salvo si permitía que el pasado lo ensombreciera, que los viejos recuerdos la paralizaran, dejándola inservible.

Todavía deseaba despertar a Monk y hablarle; no, eso no era cierto, lo que quería era que él le dijera cosas. Ansiaba escuchar su voz, su convicción, su determinación para luchar y vencer.

Le habría gustado levantarse y hacer algo que la distrajera de sus pensamientos, pero entonces lo molestaría y eso sería lo mismo que despertarlo deliberadamente. De modo que permaneció quieta y con la vista fija en los dibujos que el sol hacía en el techo, hasta que por fin se durmió otra vez.

Al despabilarse por segunda vez se encontró con que era Monk quien la despertaba con delicadeza. Se sintió como si acabara de trepar desde el fondo de un pozo, y aún le dolía la cabeza.

Le sonrió y se obligó a estar alegre. Si Monk percibió algún artificio en ello, no lo hizo saber. Quizá ya estaba pensando en Miriam Gardiner y seguía preocupado con lo que podría hacer para ayudarla y lo que iba a decirle a Lucius Stourbridge.

A media mañana, mientras recorría el pasillo principal se topó con Fermin Thorpe.

—Vaya, buenos días, señorita..., señora Monk. —Se detuvo para hacer patente que quería hablar con ella—. ¿Cómo se encuentra, hoy? —Continuó de inmediato para que no le interrumpiera con una respuesta—: En referencia a su deseo de que las mujeres reciban formación para ser enfermeras, he conseguido un ejemplar del libro de don J. F. South, publicado hace tres años, que estoy seguro será de su interés y le ilustrará sobre el tema. —Le sonrió, mirándola fijamente a los ojos. Junto a ellos pasó un estudiante de medicina, de quien hizo caso omiso indicando así la seriedad de su intención—. Puede que usted no esté al corriente de quién es el autor, de modo que se lo contaré para que pueda juzgar correctamente la importancia de su opinión y otorgarle el peso que merece. —Tensó un poco los hombros y levantó el mentón—. Es el director médico del Hospital de Saint Thomas y, más aún, es el presidente del Colegio de Médicos y conferenciante sobre las teorías de John Hunter. —Dio a sus palabras un estudiado énfasis para que no se perdiera ni un matiz de toda su importancia—. Voy a citárselo, señorita..., señora Monk. Este caballero no está «en absoluto dispuesto a permitir que el personal de enfermería de nuestros hospitales sea ineficiente o susceptible de ser mejorado por ninguna Institución de Enseñanza especializada». —La cita la dijo engolando la voz—. Como señala más adelante, hasta las enfermeras jefe a cargo de un pabellón sólo pueden aprender mediante la experiencia. —Le sonrió con creciente confianza—. Las enfermeras son subordinadas, tienen el rango de criadas y sólo necesitan la instrucción más elemental.

Dos enfermeras pasaron junto a ellos, remangadas y con la cara roja por el esfuerzo.

Hester abrió la boca para protestar, pero él continuó, levantando más la voz para impedirle hablar.

—Sé todo lo que hay que saber sobre la fundación de la señorita Nightingale para formar a jovencitas, pero debo informarle, señora, que sólo se cuentan tres cirujanos y dos médicos entre sus partidarios. Eso sin duda constituye un claro indicio de la consideración que tal iniciativa ha suscitado entre los más distinguidos, cualificados y experimentados profesionales del país. Así pues, señora Monk —prosiguió pronunciando su nombre con la satisfacción de haberlo recordado—, confío en que dedique sus notables energías al verdadero bienestar tanto de las enfermeras como de los pacientes que tenemos aquí y que vele por su limpieza, su sobriedad y su obediencia a cuanto se les ordena, con puntualidad y exactitud. Buenos días. —Y sin esperar una respuesta, pues al parecer daba por sentado que sería afirmativa, se alejó a grandes zancadas hacia el quirófano, satisfecho de haber zanjado el asunto.

Hester estuvo demasiado furiosa los primeros minutos para poder hablar; luego, cuando hubiera podido hacerlo, ninguna palabra le parecía adecuada para expresar su indignación. Se fue en dirección opuesta, hacia la sala de espera de los médicos.

Allí encontró a Cleo hablando con un anciano a todas luces asustado y que hacía cuanto podía por disimularlo. Presentaba varias llagas abiertas en ambas piernas, que sin duda le dolían horrores y que no tenían aspecto de ser precisamente recientes. Sonreía a Cleo, pero se estrujaba las manos hasta el punto de ponerse blancos los nudillos, y estaba sentado con la espalda muy tiesa.

—Hay que vendarlas con regularidad —le explicaba Cleo con delicadeza—. Hay que mantenerlas limpias o nunca se curarán. Yo misma lo haré, cuando venga pregunte por mí.

—No puedo venir todos los días —objetó el anciano, con educación, pero con absoluta firmeza—. Es imposible, señorita.

—Pues no debería serlo. —Lo contempló medita-bunda, bajando la vista a las botas gastadas y la chaqueta raída—. Bueno, entonces supongo que tendré que ir yo. ¿Queda muy lejos?

—¿Por qué iba usted a hacer eso? —preguntó él con recelo.

—Porque es la única manera de hacer que esas llagas mejoren —respondió Cleo de manera cortante.

—No quiero favores —se opuso el anciano, irritán-dose—. ¡No quiero que ninguna enfermera entre en mi casa! ¿Qué pensarían de mí los vecinos?

Cleo hizo una mueca y soltó:

—¡Pues que a su edad tiene mucha suerte de ligarse a una mujer tan guapa como yo!

El anciano sonrió a su pesar.

—Sea como sea, no puede venir.

Ella lo miró, cargada de paciencia.

—Dice usted que es soldado y es incapaz de obede-cer órdenes de quien sabe más que usted. Y no se equi-voque conmigo, porque en lo que a esas llagas respecta soy su sargento.

El anciano tomó aire y lo dejó escapar sin contestar.

—¿Y bien? —insistió Cleo—. ¿Piensa decirme dón-de vive, o tendré que perder tiempo averiguándolo?

—En Church Row —respondió a regañadientes.

—Y voy a tener que recorrer toda la calle pregun-tando por usted, ¿no es eso? —siguió Cleo, con las cejas enarcadas.

—Número veintiuno.

—¡Muy bien! ¡Ha sido peor que extraer una muela!

El pobre hombre no acababa de ver la gracia del chiste. Sonrió con aire vacilante.

Cleo le devolvió la sonrisa, y entonces vio a Hester y se acercó a ella, tratando de aparentar que no había per-dido la compostura.

—No voy a hacerlo durante mi jornada en el hospital

—dijo en un susurro—. Ese buen hombre luchó en Waterloo y mire en qué estado se encuentra. —Su expresión se ensombreció y olvidó la deferencia debida a un superior en la escala social. Sus ojos se llenaron de ira—. Todo por los soldados, decíamos, cuando pensábamos que los franceses iban a invadirnos y que podíamos perder. Ahora, cuarenta y cinco años después, hemos olvidado por completo la dignidad de nuestro empeño y nadie quiere cuidar de un anciano con llagas por todas las piernas, que no tiene dinero y habla de guerras de las que nada sabemos.

Hester evocó vívidamente a los hombres que conoció en Scutari y en Sebastopol y las tiendas de los cirujanos después de la caótica carga en Balaclava. Eran tan jóvenes y padecían dolores tan atroces... Esos rostros cenicientos habían poblado sus sueños la noche anterior. Los veía con toda claridad en su imaginación. Quienes sobrevivieron serían ancianos al cabo de cuarenta años. ¿Acaso la gente se acordaría de ellos? ¿Tal vez surgiría una nueva generación acostumbrada a la paz, resentida y hastiada de los viejos soldados que llevaban consigo las heridas y el dolor de guerras antiguas?

—Encárguese de que sea atendido —le pidió Hester en voz baja—. Es lo único que importa. Y hágalo cuando le parezca oportuno.

Cleo le devolvió la mirada, abriendo un poco los ojos, insegura por un instante de si debía creerle al pie de la letra. Apenas se conocían la una a la otra. Allí tenían un mismo objetivo, pero cuando se iban a casa lo hacían a mundos distintos.

—Esas deudas nunca se llegan a entender —reflexionó Hester—. Y mucho menos a saldar.

Cleo permaneció inmóvil.

—Estuve en Scutari —le explicó Hester.

—Ah... —Era sólo una palabra, menos que una palabra, pero encerraba una inmensa comprensión y un profundo respeto.

Cleo asintió levemente con la cabeza y fue a atender a otro paciente.

Hester salió otra vez de la habitación. No estaba de humor para supervisar que se observaran las reglas morales o que todas las enfermeras fueran limpias, prolijas, puntuales y sobrias.

Mientras desandaba lo andado por el pasillo se cruzó con una enfermera que llegaba tarde, con el chal aún en los hombros.

—¡Llega tarde! —le recriminó Hester con aspereza—. ¡Que no vuelva a pasar!

La mujer se asustó.

—No, señorita —dijo obedientemente, y avivó el paso, quitándose el chal por el camino.

Justo frente a la puerta del boticario, Hester se encontró a un joven estudiante de medicina sin afeitar y con la chaqueta desabrochada.

—Va muy desaliñado, señor —señaló con la misma aspereza—. ¿Cómo espera que sus pacientes confíen en usted si tiene aspecto de haber dormido con la ropa puesta y de llegar con el primer correo? ¡Si aspira a ser un caballero, más le vale cuidar su aspecto!

El joven se quedó tan asombrado que no contestó, sino que permaneció inmóvil mientras ella pasaba por delante de él camino de la sala de espera de los cirujanos.

Pasó la mañana tratando de consolar y de insuflar ánimos a los hombres y las mujeres que aguardaban para ser atendidos. No había olvidado la crítica de Florence Nightingale sobre que el dolor mental de un paciente podía ser como mínimo igual a su dolor físico y que era tarea de toda buena enfermera disipar la duda y levantar la moral siempre que fuera posible. Un semblante alegre no tenía precio, así como una grata conversación y la disposición a escuchar con paciencia y optimismo.

Al final de la mañana, Hester se sentó a una mesa del

comedor del personal agradeciendo aquel respiro de una hora. Al cabo de quince minutos Callandra se reunió con ella. Por una vez llevaba el pelo bien recogido con las horquillas, y la falda y la chaqueta de corte impecable hacían juego. Sólo su expresión estropeaba el efecto. Parecía sumamente desdichada.

—¿Qué sucede? —preguntó Hester en cuanto Callandra se hubo acomodado tan bien como pudo en la silla de respaldo duro, pero sin haber comenzado aún su porción de empanada de ternera, la cual no parecía revestir mucho interés para ella.

—Han desaparecido más medicamentos —le informó su amiga, en voz tan baja que apenas fue audible—. Ya no cabe la menor duda. Detesto pensar que alguien está robando sistemáticamente las cantidades que echamos en falta, pero no hay otra explicación verosímil. —Tensó el rostro, apretando los labios—. Imagínate la que armará Thorpe, para acabar de arreglarlo.

—Ya he tenido una interesante charla con él, esta mañana —dijo Hester sarcástica, haciendo caso omiso de su plato de cordero frío con patatas nuevas—. Tuvo la desfachatez de citarme al señor South. Ni siquiera me dio ocasión de responderle, aunque tampoco es que tuviera nada que decir. Ahora quiero preguntarle que si no podríamos crear una especie de suministro especial para los hombres que lucharon por nosotros en el pasado y están ya viejos y enfermos.

Callandra frunció el ceño.

—¿Qué clase de suministro?

—No lo sé. —Hester hizo una mueca—. Me figuro que no es el momento más oportuno para sugerir que les proporcionemos medicinas y vendajes a cargo del hospital, ¿verdad?

—Eso ya lo hacemos —comentó Callandra, sorprendida.

—Sólo si vienen aquí —señaló Hester—. Algunos

no pueden venir cada día. Están demasiado viejos o enfermos, o cojos, para tomar un ómnibus. Y un coche de punto es demasiado caro, suponiendo que fueran capaces de subirse a él.

—¿Quién distribuiría las medicinas a domicilio? —preguntó Callandra, con curiosidad y un principio de entendimiento en la mirada.

—Nosotras —respondió Hester al instante—. No es necesario que lo haga un médico, basta una enfermera con experiencia y segura de sí misma; alguien con formación.

—Y digna de confianza —agregó Callandra con determinación.

Hester suspiró. El fantasma de las medicinas robadas seguía rondando. No podían seguir ocultándoselo a Fermin Thorpe por mucho más tiempo. Era feo, deshonesto, un abuso de confianza, tanto a los estamentos del hospital como a las demás enfermeras, pues todas serían tachadas con el mismo estigma de ladronas. También era una falta de honor para con los enfermos a quienes estaban destinadas las medicinas.

—Es una pescadilla que se muerde la cola, ¿verdad? —Hester mostró un conato de desesperación—. Mientras no tengamos mujeres formadas que respondan a una vocación de honradez y sean tratadas con respeto y recompensadas como es debido, no estaremos en condiciones de evitar que esto siga pasando constantemente. Y, mientras las cosas sigan así, la gente, sobre todo quienes son como Thorpe, y al parecer eso incluye a toda la clase médica, tratará a las enfermeras como a la clase más inferior de criada.

Callandra frunció los labios con una mueca de indignación.

—No conozco a ninguna criada que no tomara como un insulto, al punto de despedirse, que la comparasen con una enfermera.

—Lo que resume completamente aquello por lo que combatimos —concluyó Hester, pinchando media patata y un buen pedazo de cordero frío.

—La Escuela Nightingale está a punto de abrir sus puertas. —Callandra hizo un esfuerzo visible por mostrarse más esperanzada—. Aunque creo que se las ven y se las desean para encontrar aspirantes como Dios manda. Se precisa una moral muy elevada y dedicación absoluta, por supuesto. Las reglas son casi tan estrictas como en un noviciado.

—No las llaman «hermanas» porque sí —comentó Hester con un ramalazo de humor.

Pero otros asuntos ocupaban su mente. Había estado pensando otra vez en el abuelo del sargento Robb, solo todo el día, incapaz de cuidar de sí mismo, pendiente de que Robb desatendiera sus obligaciones laborales. Tenía que ser una carga de miedo y compromiso para él.

¿Y cuántos otros hombres ancianos habría, pobres y enfermos, víctimas de guerras que los jóvenes no recordaban? Y mujeres ancianas, también, quizá viudas de hombres que no volvieron a casa, o aquellas que se quedaron solteras porque el hombre que iba a ser su marido murió en el frente.

Se inclinó un poco sobre la mesa.

—¿No sería viable crear un cuerpo de alguna clase que visitara a esas personas..., al menos para solventar los problemas más aparentes, aconsejar cuándo se necesita un médico...?

Le hizo interrumpirse la mirada de Callandra, que le habló con dulzura.

—Estás soñando, querida. Ni siquiera hemos conseguido enfermeras como Dios manda para los dispensarios de beneficencia vinculados a los asilos de pobres ¿y quieres disponer de enfermeras que los visiten en sus casas? Vas cincuenta años por delante de tu tiempo. Aunque es un hermoso sueño.

—¿Qué me dices de un cuerpo especial de enfermería destinado a los hombres que han perdido la salud luchando en nuestras guerras? ¿No lo ves como una exigencia del honor, cuando menos?

—Si el honor obtuviera cuanto requiere, el mundo sería un lugar muy diferente. —Callandra tomó el último bocado de empanada—. Tal vez el progresismo egoísta tenga más probabilidades de éxito.

—¿A qué te refieres? —preguntó Hester de inmediato.

Callandra la miró a los ojos.

—Hasta la fecha las mejores reformas en la enfermería se han llevado a cabo en los hospitales militares, debido casi por completo a la labor de la señorita Nightingale. —Pensaba mientras hablaba, con la frente fruncida—. Se han diseñado nuevos edificios con el agua más limpia, mejor ventilación y pabellones menos abarrotados...

—Eso ya lo sé. —Hester dejó de prestar atención a su plato, pendiente del dato que relacionaría las dos cuestiones.

—Estoy convencida de que al señor Thorpe le gustaría que lo consideraran un hombre progresista... —expuso Callandra, y Hester hizo una mueca, pero no interrumpió— sin correr ningún riesgo real. Un dispensario de beneficencia para soldados veteranos sería un buen compromiso.

—Claro que lo sería. Salvo que debería llamarse de otra manera. La mayoría de los soldados preferiría morir antes que verse aceptando caridad del consejo del distrito. Y no deberían tener que pasar por eso. Es lo menos que podemos hacer por ellos. —Retiró la silla y se puso de pie—. Aunque tendré mucho tacto cuando hable con el señor Thorpe.

—¡Hester! —Callandra la llamó con apremio, pero Hester ya estaba en la puerta y, si la oyó, no dio muestras de ello.

Un momento después Callandra tenía la mirada perdida en la habitación vacía.

—Imposible —rechazó Thorpe sin titubeos—. Es totalmente inviable. Ya hay asilos que cuidan de los indigentes...

—No le estoy hablando de indigentes, señor Thorpe. —Hester trataba de no exaltarse, aunque le costaba trabajo—. Estoy pensando en los hombres que sufrieron heridas o perjuicios para su salud luchando en la Guerra de Independencia española o en grandes batallas, como la de Quatre Bras o la de Waterloo...

Thorpe frunció el ceño.

—¿Quatre Bras? ¿De qué diablos habla? —preguntó con impaciencia.

—Fue inmediatamente anterior a Waterloo —le explicó Hester, aun sabiendo que sonaría condescendiente—. Entonces no se trataba de luchar para ampliar el Imperio; luchábamos para librarnos de la invasión y no convertirnos en un pueblo sometido.

—No necesito lecciones de historia, señora Monk —dijo irritado—. Cumplieron con su deber, tal como hacemos todos. Estoy seguro de que toda mujer joven ve cierto encanto en los uniformes, y eso los convierte en héroes...

—Nadie convierte en héroe a nadie, señor Thorpe —le corrigió Hester—. Me preocupan los heridos y los enfermos que necesitan nuestra ayuda y que, a mi juicio, tienen derecho a contar con ella. Estoy convencida de que como patriota y como cristiano estará usted de acuerdo en eso.

Toda una gama de emociones encontradas surcó el rostro de Thorpe, pero no iba a negar la valoración que Hester hacía de él, aun cuando sospechara que encerraba una considerable dosis de sarcasmo.

—Por supuesto —convino a su pesar—. Lo someteré a consideración. Tengo la certeza de que es algo que todos deseamos hacer, siempre y cuando sea posible.

La expresión de su rostro dio por zanjado el asunto. No seguiría discutiendo con ella, se limitaría a mentir. No cabía duda de que iba a considerarlo, pero indefinidamente.

Hester tuvo claro que la habían vencido, al menos en aquella escaramuza. Cada vez que lo iba a ver, él sonreía, se mostraba de acuerdo con ella y decía que estaba explorando distintas posibilidades. Y ella nunca podía demostrar que no fuera así. Comprendía de forma abrumadora los obstáculos a los que se enfrentaba Florence Nightingale y no le sorprendía lo más mínimo que hubiese acabado en la cama, rendida, con fiebre y dificultades para digerir, y con un ardor mental capaz de consumir todas las fuerzas de su cuerpo.

Devolvió la sonrisa a Fermin Thorpe y mintió a su vez.

—Estoy segura de que usted lo conseguirá. Un hombre capacitado para dirigir un hospital tan grande como éste será capaz también de ejercer la oportuna influencia y presentar los argumentos sociales y morales necesarios para convencer a quien corresponda de la justicia de semejante causa. Si no fuese usted capaz, no podría ser el hombre indicado para Hampstead..., ¿me equivoco?

No habría osado decir algo por el estilo si dependiera de la buena voluntad de aquel hombre el que Hester tuviera un techo sobre su cabeza; ¡pero no era así! Ella estaba casada con un marido que la mantenía. Se encontraba allí como dama voluntaria, igual que Callandra, y no como trabajadora asalariada. Era una sensación maravillosa, casi eufórica. Se sentía libre de presentar batalla sin trabas, y sin duda lo seguiría haciendo.

El rubor de las mejillas de Thorpe se intensificó.

—Me complace que valore mi posición, señora Monk —le agradeció, apretando la mandíbula—. No siempre he tenido tan claro que fuera usted plenamente consciente de que en efecto dirijo este hospital.

—No sabe cuánto lo lamento —contestó Hester—. Basta con echar un vistazo alrededor para constatar el nivel de eficiencia.

Thorpe pestañeó, dándose perfecta cuenta del doble sentido implícito. Su tono fue infinitamente condescendiente al decir:

—Me consta que es una mujer de buen corazón, aunque me temo que su incomprensión de las finanzas dificulta su juicio de lo que es posible hacer. Por ejemplo, el coste de los medicamentos es mucho mayor de lo que probablemente calcula usted y por desgracia padecemos un considerable número de hurtos a manos de un personal indigno. —Abrió mucho los ojos—. Si tuviera a bien centrar su atención en la honestidad y sobriedad de las enfermeras, perderíamos mucho menos y, por consiguiente, tendríamos más que ofrecer a los enfermos que confían en nosotros. Vuelque sus energías en eso, señora Monk, y estará prestando un gran servicio. ¡Honestidad! Eso es lo que salvará a los enfermos de sus enfermedades y a los moralmente desposeídos de pagar por sus pecados, sean espirituales o temporales.

Sonrió la mar de satisfecho con su sentencia.

Hester optó por una retirada táctica antes de que ahondara en la cuestión de los medicamentos robados.

Ya había tomado la decisión de visitar al señor Robb para ver si había algo que pudiera hacer por él. No lograba quitarse de la cabeza la descripción que hiciera Monk de su sufrimiento, y eso era algo que podía combatir prescindiendo de la autoridad de Fermín Thorpe.

Hacía una agradable tarde de verano y no había que andar mucho hasta la calle donde Monk le había dicho que vivía Robb. No sabía el número, pero le bastó con preguntar una vez para dar con el domicilio.

Las casas estaban todas limpias y un tanto destartaladas, algunas con la escalinata encalada, otras simplemente bien barridas. Dudó entre llamar o no. Por lo que Monk le había referido, el anciano no podía levantarse a abrir y, sin embargo, entrar sin anunciarse supondría una tremenda intrusión en la intimidad de un hombre demasiado enfermo hasta para defender su pequeña guarida.

Resolvió quedarse en el umbral y llamarlo por su nombre. Aguardó unos instantes en silencio y volvió a llamarlo.

—¿Quién es? —La voz sonó como un murmullo grave.

—Me llamo Hester... Monk. —Le faltó poco para decir Latterly. Todavía no estaba acostumbrada a usar su nuevo nombre—. Mi marido le visitó el otro día. —No debía darle a entender que le tenía lástima, que era digno de recibir caridad. Sería muy fácil herirlo con una frase imprudente—. Me habló tan bien de usted que he querido conocerle por mí misma.

—¿Su marido? No lo recuerdo... —Comenzó a toser y la cosa empeoró tan aprisa que Hester dejó a un lado los modales, abrió la puerta y entró.

La habitación era pequeña y se hallaba abarrotada de muebles, aunque tan limpia y ordenada como cabía esperar de un lugar que estaba siempre ocupado y donde era preciso tener a mano todo lo necesario para vivir.

Fue directamente hasta el fregadero, buscó una taza, la llenó de agua del aguamanil que había encima de la mesa y se la dio a beber, acercándosela a los labios. No podía hacer mucho más por él. Vio que el cuerpo del anciano se estremecía mientras jadeaba para inhalar y oyó el ruido de la flema en el pecho, aunque demasiado profunda para que pudiera vomitarla.

Al cabo de uno o dos minutos la tos remitió, antes de lo que Hester esperaba, y el anciano tomó el agua agradecido, bebiendo a pequeños sorbos que iba tragando lentamente. Le devolvió la taza.

—Lo siento, señorita —dijo con voz ronca—. Tengo un poco de bronquitis. Ya ve qué estupidez en esta época del año.

—Puede pasar en cualquier momento si uno es propenso a ella —le animó Hester sonriéndole—. A veces en verano es peor. Cuesta más recobrarse.

—Pues tendrá usted razón —convino, asintiendo levemente con la cabeza. Aún estaba pálido y tenía las mejillas un poco sonrosadas. Hester supuso que tendría unas décimas de fiebre—. ¿Qué puedo hacer por usted, señorita? Si busca a mi nieto, no está aquí. Es policía y está trabajando. Es muy bueno. Sargento.

Su orgullo era patente, pero, más aún, transmitía una especie de tajante certeza que nada tenía que ver con la naturaleza del trabajo de su nieto, sino con su carácter como hombre.

—Es a usted a quien vengo a ver. —Debía encontrar un motivo que le resultara aceptable—. Mi marido me contó que fue usted marinero y que vivió días de gloria, que participó en algunas de las batallas más importantes de la historia de Inglaterra.

La miró de soslayo.

—¿Y a santo de qué una joven dama como usted se interesa por historias de antiguas batallas que se libraron y ganaron antes de que hubiera nacido?

—Si se hubieran librado y perdido, yo estaría hablando en francés —bromeó ella, buscando sus ojos con una sonrisa.

—Bueno..., supongo que es verdad. Con todo, eso no explica que venga hasta aquí para verme.

Desconfiaba un poco de ella. Las jóvenes de hablar refinado y buenos modales no visitaban sin más a un viejo marinero enfermo que, a juzgar por el contenido de la habitación, se las veía y deseaba para conseguir el dinero suficiente incluso para comer, por no mencionar el calentarse en invierno.

Una parte de la verdad sería la mejor explicación, y quizá no resultaría tan irrelevante como pudiera parecer de entrada.

—Fui enfermera del ejército en Crimea. Sé más sobre guerras de lo que se imagina. No creo que haya visto más batallas que usted, pero he visto unas cuantas y más de cerca de lo que hubiese querido. Desde luego, he participado en lo que sucede después. —De pronto hablaba con apremio, diciendo la pura y cruda verdad—. Y no conozco a nadie con quien pueda comentar o rememorar los sufrimientos que aún se me aparecen en sueños. Nadie espera eso de una mujer. Piensan que es mejor olvidar..., que es más fácil. Pero no siempre lo es...

La miraba fijamente, con atención. Sus ojos eran claros, de un azul pálido. Probablemente los tuvo más oscuros de joven.

—Vaya, vaya... ¿En serio? ¡Con lo poquita cosa que parece usted! —Contempló su figura más bien demasiado esbelta y sus anchos y delgados hombros, aunque con admiración, no con desaprobación—. A veces, en la mar, nos encontrábamos con que los enjutos y nervudos resistían más que los grandullones como bueyes. Reconozco la fuerza, cuando hace al caso es una mera cuestión de espíritu.

—No le falta razón —convino Hester—. ¿Le apetece una bebida caliente? La preparo en un periquete, si lo desea. Le aliviará un poco el pecho. —Entonces, por si pensaba que lo trataba con condescendencia, agregó—: Me gustaría mucho hablar con usted y no podré si vuelve a darle un ataque de tos.

Él entendió muy bien sus intenciones pero ella había suavizado convenientemente la petición.

—Es usted muy astuta. —Le sonrió, señalando la cocina—. El cacharro del agua está ahí, y hay té en esa lata. Habrá algo de leche en la despensa, quizá. Aunque igual no tenemos hasta que Michael vuelva a casa.

—No tiene importancia —desechó Hester, poniéndose en pie—. Está muy bueno sin leche si no es demasiado fuerte.

Se disponía a calentar la tetera para preparar el té cuando la puerta se abrió y Hester se volvió y vio a un hombre joven en la entrada de la habitación. Era de estatura media, atlético, con unos preciosos ojos oscuros. Saltaba a la vista que estaba enojado.

—¿Quién es usted? —preguntó tajante, adentrándose más—. ¿Y qué hace aquí?

Dejó la puerta abierta a su espalda, como para que a ella le fuese más fácil salir.

—Soy Hester Monk. —Lo miró de hito en hito—. He venido a visitar al señor Robb. Tenemos mucho en común y ha tenido la amabilidad de escucharme. Para poder hablar con más comodidad, me ha permitido preparar una taza de té.

El joven la miraba con rotunda incredulidad. Por la expresión de sus ojos cabía suponer que pensaba que ella estaba allí para robar los escasos víveres del anaquel que tenía detrás.

—¿Puede saberse qué tiene usted en común con mi abuelo? —le exigió, frunciendo el entrecejo.

—No pasa nada, Michael —intervino el anciano—. No me importaría verla enfrentarse contigo. Apuesto a que sacaría lo mejor de ti; con su lengua, lo llevas claro. ¡Fue enfermera en Crimea! Ha visto más batallas que tú, como yo. No trae mala intención.

Michael miró indeciso a su abuelo, luego de nuevo a Hester. A ella le inspiró respeto la forma en que el joven protegía al anciano y esperó haber actuado igual de encontrarse en su lugar. Al fin y al cabo, sin duda ella era una intrusa. Pero al abuelo Robb no había que tratarlo como si fuese un crío, aunque físicamente estuviera poco menos que imposibilitado. Tuvo que reprimirse para no defenderlo, pues tenía las palabras en la punta de la lengua.

El anciano miró a Hester con brillo en los ojos y dijo:

—No le importaría preparar una taza más, ¿verdad, señorita?

—Claro que no —contestó con sencillez.

Retiró la última taza de su gancho en el estante que hacía las veces de aparador. Terminó de calentar la tetera, puso una ración escasa de hierbas y vertió el agua hirviente, de espaldas a Michael. Oyó cerrarse la puerta y sus pasos al cruzar la estancia.

Él se puso a su lado y habló en voz muy baja.

—¿La ha enviado Monk?

—No. —Estuvo a punto de añadir que a ella Monk no la «enviaba» a ninguna parte, pero, pensándolo bien, eso no era cierto. Con frecuencia la enviaba a distintos lugares a investigar esto o aquello—. Hasta donde yo sé, no tiene ni idea de que estoy aquí. Recordé lo que me contó del señor Robb y me entraron ganas de visitarlo. No tengo intención de llevarme nada que le pertenezca, sargento Robb, ni de causar ningún mal a su abuelo, ya sea entrometiéndome o mostrándome condescendiente. Y tampoco me interesan sus asuntos policiales respecto a la señora Gardiner.

Se puso rojo como un tomate, pero sus ojos no perdieron un ápice de dureza, mostrando una considerable animadversión.

—Es usted en extremo directa, señora.

De pronto Hester sonrió.

—Sí, lo sé. ¿Prefiere que me ande con rodeos? Puedo dar marcha atrás y proporcionarle diez minutos de conversación críptica, si así lo prefiere. Bueno, tal vez cinco...

—¡No, no se moleste! —Rechazó levantando la voz sin proponérselo—. Lo...

Fuera lo que fuese lo que iba a decir se vio interrumpido por un nuevo ataque de tos del anciano. Se había echado hacia delante con dificultad, estaba medio fuera del asiento y era obvio que sufría lo suyo, con la cara roja y gotas de sudor en los labios y la frente.

Michael giró sobre sus talones y se precipitó hacia él, lo sujetó entre sus brazos y lo ayudó a sentarse bien de nuevo. Por un instante se olvidó por completo de Hester.

El anciano se esforzaba en respirar, tratando desesperadamente de inhalar aire hasta sus pulmones dañados, con unas convulsiones que le sacudían todo el cuerpo. Vomitó flema abundante, de color amarillo oscuro y salpicada de sangre.

Hester ya había deducido que el hombre estaba gravemente enfermo y aquello lo confirmaba angustiosamente. Ojalá pudiera hacer algo, pero al menos hasta que la tos cediera nada podía hacerse por él salvo darle el apoyo físico que su nieto le estaba brindando.

De haber estado en el hospital le hubiese administrado una dosis minúscula de morfina, calmando así los pulmones desgarrados para que tuviera ocasión de descansar. Jerez mezclado con agua habría supuesto un buen reconstituyente. Echó un vistazo a los anaqueles para ver qué había en ellos, pensando rápidamente en un modo de darle lo que le hacía falta sin herirlo en su orgullo. Sabía de sobra que la ansiedad hacía enfermar a la gente, que el miedo era capaz de destruir las ansias de vida. La humillación y el convencimiento de que uno era inútil, una carga para sus seres queridos, había precipitado la muerte de más de una persona que se hubiese recobrado de haberse considerado valiosa.

Vio pan y queso, tres huevos, un trozo primorosamente envuelto de ternera fría, algunas verduras crudas y una porción de empanada. No era gran cosa para alimentar a dos hombres. Quizá Michael Robb compraba su almuerzo mientras estaba de servicio. Por otro lado, era harto probable que sacrificara gran parte de su propio bienestar para cuidar de su abuelo, pero de tal modo que el anciano no se diera cuenta.

Había un armario cerrado y dudó, reacia a entrometerse más de la cuenta. ¿Habría forma de conseguir que Kristian Beck visitara al señor Robb y le recetara morfina? Era muy viejo y su enfermedad había avanzado demasiado para que un tratamiento lograra algo más que aliviarle el sufrimiento, pero sin duda ese aspecto de la medicina devenía tan importante como cualquier otro. Muchas dolencias no se curaban. Ninguna enfermera digna de ser llamada así abandonaba a esos pacientes.

¿De qué podría echar mano mientras tanto? Un mero té caliente bastaría para calmarlo, en cuanto recobrara el dominio de sí mismo y pudiera beber. Entonces vio un tarrito de miel líquida.

Sirvió una taza de té, agregó miel y suficiente agua fría para que fuese bebible, se la llevó y esperó a una pausa del acceso de tos. Entonces, se puso enfrente de Michael y acercó la taza a los labios del anciano.

—Tome un sorbo. Le hará bien.

Obedeció con torpeza, y puede que la miel calmara los espasmos de su garganta, pues se le relajó el cuerpo y comenzó a serenarse. Fue tomando la infusión a sorbitos. Pareció que, al menos por el momento, el ataque había remitido.

Hester retiró la taza y fue al fregadero, donde encontró un barreño que debía de servir para lavar los platos, vertió el resto del agua caliente y automáticamente puso más a calentar. Añadió un poco de agua fría, comprobó la temperatura con la mano y regresó a la butaca del anciano con un paño y una toalla.

Estaba agotado y muy pálido, pero bastante más sosegado. El hecho de haber perdido el control, aunque sólo un momento, era obvio que lo avergonzaba.

Michael se inquietó, consciente de los sentimientos de su abuelo, y adoptó un aire enojado y protector. Aquello debería ocurrir en privado y esa mujer era una intrusa.

Hester retorció el paño sobre el agua caliente y lavó con delicadeza el rostro del viejo, luego el cuello y después, al ver que no protestaba, le desabrochó la camisa y se la quitó, notando los ojos de Michael clavados en ella. Aclarando el paño cada dos por tres, lavó los brazos y el torso del viejo. En ningún momento dijo nada, como tampoco ellos.

En cuanto Michael tuvo claro lo que hacía Hester y vio que aliviaba a su abuelo en lugar de incomodarlo más, fue en busca de una camisa limpia y regresó con ella. Estaba sin planchar, pero olía a limpio y era bastante suave al tacto. Hester ayudó al anciano a ponérsela, se llevó luego el barreño de agua y lo vació fuera, en el arroyo.

Cuando entró de nuevo en la habitación se encontró al viejo Robb sonriéndole, con algo más de color en las mejillas, y a Michael aún cauteloso, aunque menos agresivo.

—Gracias, señorita. Siento mucho haberla molestado —se disculpó el anciano, un tanto inquieto.

Ella sonrió.

—No lo ha hecho. Aún confío en que con el tiempo tengamos ocasión de hablar y me cuente historias de cosas que sólo he imaginado.

—Eso puedo hacerlo ahora mismo —se ofreció con renovado entusiasmo.

—Otro día será —cortó Michael con acritud—. Estás cansado...

—Estoy muy bien —le cortó él—. No te preocupes tanto, Michael. Ya te he dicho que esta señora es una de las enfermeras de Crimea, así que apuesto a que sabe todo lo que hay que saber sobre enfermos. Vuelve a tu guardia, muchacho. Me consta que hay cosas importantes que sólo puedes hacer tú. —Lo miró con firmeza, y añadió con más fuerza en la voz y un dejo de su antigua autoridad—: Y no te preocupes.

Michael miró a Hester, frunciendo un poco el ceño y apretando los labios.

—Agradezco su amabilidad, señora Monk. —Titubeó; su rostro reflejaba una lucha interior—. Y estoy seguro de que mi abuelo disfrutará de su compañía.

—Y yo de la suya —asintió Hester—. Procuraré venir siempre que pueda. Suelo estar en el hospital, que no queda lejos.

—Gracias.

Sin duda, Michael intuía el alivio que supondría para el anciano contar con la compañía y la ayuda de esa mujer sin la angustia de saber que apartaba a su nieto de sus obligaciones, ya que cada minuto que pasaba allí constituía en última instancia un riesgo para su carrera. Aun así, el joven policía seguía enfadado pese a la gratitud, por más sincera que ésta fuese.

—No hay de qué —contestó Hester.

El sargento fue hacia la puerta y le indicó que saliera con él.

—Adiós, abuelo —dijo con dulzura—. Procuraré no llegar tarde.

—No te preocupes —repitió él—. Estaré la mar de bien.

Eran palabras valientes, y las pronunció como si pudieran ser ciertas, aunque todos ellos sabían muy bien que tal vez no fuera así.

En cuanto cruzó el umbral, Michael bajó la voz y miró a Hester con intensidad al decir:

—Es usted una buena enfermera, señora Monk, y no dude que agradezco la forma en que cuida de él, mejor de lo que yo sé. Y no le ha hecho sentir que lo hacía por caridad. Tiene usted don de gentes. Supongo que será fruto de haber estado en la guerra y todo eso.

—También es fruto de que su abuelo me cae bien —señaló Hester sinceramente.

Nada en sus ojos le indicó si él le creía o no.

—Espero que no piense que nada de lo que haga aquí alterará el orden de las cosas, porque no será así —prosiguió él sin alterarse—. No dejaré de buscar a Miriam Gardiner. Y cuando la encuentre, cosa que haré, si es culpable de matar a James Treadwell la arrestaré y la acusaré, haga lo que haga usted por mi abuelo. —Su rostro se endureció aún más y la voz se le puso ronca—: Y tanto si lo cuenta usted en comisaría como si no. —Se ruborizó levemente—. Y si esto la ofende lo siento.

—Estoy acostumbrada a que me ofendan, sargento Robb —contraatacó ella, sorprendida de lo mucho que le había dolido la insinuación—, pero debo admitir que es una forma totalmente nueva de decir que mi trabajo no tiene ningún valor, que es deficiente o, en general, de una naturaleza moralmente cuestionable.

—No he querido decir... —comenzó él, pero se tragó las palabras, con las mejillas aún más rojas.

—Sí que lo ha hecho —replicó Hester, aprovechándose de su bochorno—, aunque supongo que puedo comprenderlo. Debe de sentirse muy vulnerable abandonando su puesto para cuidar a su abuelo. Le juro que no tengo ningún motivo para estar aquí, excepto el de ofrecerle a él las atenciones propias de mi profesión y para comentar juntos viejos recuerdos que no puedo compartir con nadie que no haya vivido las experiencias de donde provienen. Tendrá que creerme, o no, según lo demuestren las circunstancias.

Y sin aguardar a ver su reacción dio media vuelta y entró en la casa, dejando la puerta entornada para que la cálida brisa pasara. Apenas prestó atención a los pasos de Michael cuando él se alejó.

Se quedó mucho más tiempo del que se había propuesto en principio y en realidad habló relativamente poco, respondiendo a unas cuantas preguntas sobre cómo fue su vida en el hospital de Scutari, e incluso describiendo a Florence Nightingale. El anciano mostró mucho interés en saber cosas de esa mujer, qué aspecto tenía, cómo eran su porte, su voz y hasta su forma de vestir; tanta era su reputación que los más nimios detalles lo mantenían en vilo. Hester estuvo encantada de contestar y revivía los recuerdos con tanta intensidad que casi llegó a oler de nuevo la mezcla de sangre y vinagre, la peste nauseabunda de la gangrena y los demás hedores acres de la enfermedad. Sentía de nuevo el calor del verano y oía el zumbido de las moscas, como si el benigno sol inglés que entraba por las ventanas fuese el mismo de entonces y en el exterior hubiese una calle turca.

Mediada la tarde el hombre se quedó dormido y Hester se levantó y ordenó un poco el espacio dedicado a la cocina, disponiéndolo todo para preparar más té por si al despertar al anciano le apetecía. Ella lo tomaría con gusto, ya fuera con leche o sin ella. Le pasó por la cabeza salir a comprar un poco de leche, pero resolvió no hacerlo. Sería un desaire a la hospitalidad, una pequeña herida innecesaria. El té se podía tomar muy bien sin leche.

Abrió el armario cerrado para ver si contenía algo que pudiera aliviarlo si le sobrevenía otro ataque, alguna clase de hierba, como manzanilla, para asentar el estómago, o matricaria para aliviar la jaqueca o hasta un poco de quinina para bajar la fiebre. La sorprendió gratamente encontrar todas esas cosas, así como un paquetito que le hizo pensar en la morfina. Tras probarlo con la punta humedecida del dedo vio confirmada su intuición. Aquello era un botiquín bastante respetable, demasiado ajustado a unas necesidades concretas como para haber sido reunido por un aficionado o por casualidad, y demasiado caro para adquirirlo con el sueldo de sargento de policía, salvo economizando desesperadamente en todo lo demás.

Cerró el armario sin hacer ruido y se volvió hacia la habitación, meditabunda. La morfina era uno de los principales medicamentos que desaparecían del hospital. Hester daba por sentado, como todo el mundo, que se robaba para los adictos a quienes se les había administrado contra el dolor y ya no podían sobrevivir sin ella. Pero quizá la estaban robando para curar enfermos que no podían ir al hospital, personas como John Robb. Sin duda seguía tratándose de un hurto, pero en su fuero interno no era capaz de desaprobarlo.

Lo que más le picaba la curiosidad era quién la había llevado allí y si Michael conocía la procedencia. ¿Sería ése, al menos en parte, el motivo de su alarma ante la presencia de una intrusa?

No lo creía. La inteligencia le decía que era posible, mas el instinto lo negaba de plano.

El propio anciano, dormido tan plácidamente al sol de la tarde, sin duda sabría quién la había llevado, pero ¿sabría también que igual era robada? Quizá lo suponía, aunque tampoco le pareció probable. No se lo preguntaría. No había ninguna decisión que tomar. La cuestión no había aflorado dándole pie a investigar. Se sentó y aguardó con paciencia a que despertara; entonces prepararía más té, con un poco de miel. No estaría de más que comprara un paquete, al menos para reponer lo que ella había consumido.

El hombre se despertó muy descansado y encantado de encontrarla aún allí. Comenzó a hablar animadamente de inmediato, sin esperar siquiera a que Hester terminara de servir el té.

—Me ha preguntado sobre mis tiempos en la mar. Bueno, por supuesto lo más glorioso fue la batalla, ¡qué si no! —La miró con expectación y los ojos brillantes.

—¿La batalla? —se extrañó Hester, poniéndose de cara a él.

—¡Vamos, muchacha! Sólo hay una batalla para un marinero, sólo una batalla para Inglaterra; ¡por Inglaterra, más bien!

Ella sonrió.

—Ah... ¿Se refiere a Trafalgar?

—¡Claro que me refiero a Trafalgar! Me toma el pelo, ¿verdad? Seguro que sí.

—¡Estuvo en Trafalgar! ¿En serio? —Estaba impresionada, y no le importó que su voz y sus ojos lo reflejaran.

—Ya lo creo. Nunca lo olvidaré así viva cien años, cosa que no ocurrirá. Un gran día fue..., y terrible también. Apuesto a que no ha habido otro igual ni volverá a haberlo.

Hester vertió agua en el té.

—¿En qué barco iba?

—Hombre, en el *Victory*, por supuesto.

Lo dijo con tan marcado y tajante orgullo que por un momento Hester oyó la voz del joven que debía de ser más de medio siglo atrás, cuando Inglaterra estuvo a punto de ser invadida por los ejércitos de Napoleón, a los que nada impedía la conquista, excepto las murallas de madera de la armada británica y la destreza y el arrojo de Horatio Nelson y de los hombres que navegaban con él. Notó que la conmovía el mismo orgullo, un escalofrío de emoción aun a sabiendas del coste, pues ella también había presenciado batallas y conocía su realidad además de su gloria.

Acercó el té y le ofreció una taza. Él la aceptó, y sus ojos se encontraron con los de Hester por encima del borde.

—Estuve allí —dijo en voz baja—. Recuerdo aquella mañana como si fuese ayer. La primera señal llegó a eso de las seis. Fue el diecinueve de octubre. El enemigo había izado las gavias. Al menos eso nos dijeron después. Entonces salieron del puerto a vela. Habían dado las nueve y media y ya era pleno día en la mar cuando la noticia llegó al *Victory*. —Negó con la cabeza—. Todo el día dando bordadas de ceñida hacia Gibraltar sin conseguir avistarlos. La visibilidad era mala, tiene que hacerse a la idea. El tiempo empeoraba cada vez más. Íbamos con las gavias rizadas y estábamos demasiado cerca de Cádiz.

Hester asintió con la cabeza y tomó un sorbo de té, sin interrumpir.

—El almirante dio orden de poner rumbo al noroeste, de regreso a nuestra primera posición. Eso ya era al día siguiente, ¿comprende?

—Sí, claro. Sé que la batalla fue el veintiuno —precisó Hester.

John Robb movió la cabeza en sentido afirmativo, mostrando su aprobación.

—Al amanecer del veintiuno, el almirante ya lo tenía todo controlado. Estábamos a veintiuna millas al noroeste del cabo de Trafalgar y a barlovento del enemigo. —Le sonreían los ojos, de color azul brillante como el mar en aquella jornada histórica—. Puedo oler aún el salitre del aire —agregó en voz baja, torciendo el gesto como si el resplandor del agua todavía lo deslumbrara—. Nos ordenó formar dos columnas y largar todo el trapo.

Hester siguió callada.

Él sonreía, haciendo caso omiso del té.

—Hice una muesca en mi cañón, ya lo creo, igual que el hombre que servía a mi lado. Recuerdo que era irlandés. El almirante vino a ver cómo andaban los ánimos. Nos preguntó que qué hacíamos. El irlandés le dijo que marcábamos la señal de nuestra próxima victoria, como todos los demás, por si caíamos en la batalla. Nelson se rió y dijo que él haría un montón de muescas en los barcos del enemigo. Hacia las once de la mañana el almirante bajó a rezar y escribió en su diario, tal como supimos después. Luego, subió a reunirse con todos nosotros. Entonces fue cuando ordenó izar la señal. —Sonrió y negó con la cabeza, regodeándose en el recuerdo—. Se disponía a escribir «Nelson confía», pero el teniente de navío Pascoe le dijo que el término «esperar» figuraba en el código Popham y no había que deletrearlo. De modo que lo que envió fue: «Inglaterra espera que todos los hombres cumplan con su deber». —Se encogió un poco de hombros, mirándola para asegurarse de que Hester sabía que aquellas palabras se hicieron inmortales. Vio que así era y se sintió satisfecho—. La verdad es que no sé qué ocurrió en la columna de sotavento —añadió.

No dejaba de mirarla, pero con los ojos perdidos en el azul del mar, viendo los grandes barcos, con las velas hinchadas por el viento en lo alto de los mástiles que arañaban el cielo, dando un rodeo para enfrentarse al enemigo, todos los hombres en sus puestos, con los músculos tensos, silenciosos junto a sus cañones, y las cubiertas pintadas de rojo para que no se viera la sangre cuando la carnicería empezara.

Hester adivinaba en esos ojos y en la curva de los labios el recuerdo de una luz más intensa que la de aquel verano inglés, el cabeceo de la cubierta mientras el buque surcaba las olas, la espera, y luego el fragoroso estruendo de los cañones, el olor a nitrato, el escozor del humo en los ojos y la nariz.

—No puede figurarse el ruido —prosiguió en un tono tan bajo que fue casi un susurro—. Hace que esas máquinas de tren que hay ahora parezcan silenciosas. Artillero era yo, y de los buenos. Nadie sabe cuántas andanadas disparamos ese día. Pero sería la una y media cuando alcanzaron al almirante. Caminaba inquieto por el alcázar. Con el capitán, el capitán Hardy. —Torció el gesto—. Hubo idiotas que dijeron que estaba desfilando con el pecho lleno de medallas. ¡No han estado en una batalla naval! Además, cuando estaba en la mar nunca se vestía así. Iba de faena, con una chaqueta corriente azul, como todos los demás. Tenía copias de lentejuelas de sus insignias, pero si alguna vez ha pasado usted una temporada en la mar ya sabe cómo se deslustran en cuestión de días. —Volvió a negar con la cabeza—. Tampoco las iba a ver nadie durante la batalla. Había humo por todas partes. No reconocías a tu propia madre a tres metros. —Se detuvo para recobrar el aliento.

Hester pensó en darle más té, recién hecho y caliente, pero vio que el recuerdo era más importante, así que permaneció sentada.

Él reanudó el relato, le contó cómo se enteraron de la victoria y del aplastante dolor que embargó a toda la flota cuando se supo que Nelson había muerto. Luego vinieron las demás pérdidas, barcos y hombres desaparecidos, los heridos, amarrar bien las presas y por fin la tormenta que se levantó para causar aún más devastación. Lo detallaba todo con palabras vívidas y sencillas, y su emoción era tan aguda como si aquello hubiese sucedido semanas antes, no cincuenta y cinco años atrás.

Le refirió cómo metieron el cuerpo de Nelson dentro de un barril de coñac para conservarlo, de modo que pudiera ser enterrado en Inglaterra para cumplir su última voluntad.

—Era un hombre bajito. Me llegaba a la barbilla —lo describió, sorbiendo por la nariz—. Fue muy extraño. Conseguimos la mayor victoria naval de todos los tiempos, salvamos a nuestro país de la invasión y regresamos a casa con los pabellones a media asta, como si hubiésemos perdido, porque él había muerto.

Guardó un momento de silencio.

Hester se levantó y puso agua otra vez a hervir. Preparó una cena ligera cortando unas rebanadas finas de empanada que dispuso en la bandeja, con el té.

Después de comer con apetito, el anciano le contó el funeral de Nelson y cómo todo Londres salió a la calle para darle el último adiós.

—Lo enterraron en un ataúd especial —agregó con orgullo—. Sencillo como la muerte y la mar. Hecho con madera sacada de los restos del buque insignia francés en la batalla del Nilo. Se puso más contento que unas Pascuas cuando Hallowell se la entregó, tiempo atrás. Pusieron la capilla ardiente en el Painted Hall del Hospital de Greenwich. Los primeros dolientes llegaron el cuatro de enero. —Sonrió son suma satisfacción—. El mismísimo príncipe de Gales. —Suspiró profundamente y tosió un poco, pero levantó la mano para impedir que ella le interrumpiera—. Allí estuvo cuatro días, mientras todo el mundo pasaba a presentarle sus respetos. Luego lo llevamos río arriba, el miércoles por la mañana. El ataúd iba en una de las lanchas reales construidas para el rey Carlos II, toda cubierta de terciopelo negro, con plumas negras de avestruz, y fuimos en flotilla hasta Londres. Otras once lanchas había, todas las compañías de librea con sus estandartes al viento. Nunca he visto tanto oro y colorido. Soplaba un viento recio. Sonaron salvas a cada minuto hasta que llegamos a Whitehall Stairs. —Se detuvo otra vez, pestañeando con fuerza, aunque no pudo evitar que le saltaran las lágrimas y le rodaran por las mejillas—. Al día siguiente lo llevamos a Saint Paul. Un gran desfile, aunque casi todo infantería. Los únicos marineros éramos nosotros, la tripulación del propio *Victory*. —Se le quebró la voz, aunque fue tanto por orgullo como por pesar—. Yo era uno de los que llevaban nuestras enseñas. Las abríamos de vez en cuando para que la multitud viera los agujeros que tenían. Todo el mundo se quitaba el sombrero cuando pasábamos. Hacían un ruido como el de la mar. —Se frotó las mejillas con la mano—. Por nada del mundo me cambiaría por ningún hombre vivo que no haya estado allí.

—Y yo a usted no le entendería si hiciera eso —comentó Hester, sonriéndole y sin sentir la menor vergüenza por estar llorando a su vez.

John Robb asintió lentamente con la cabeza.

—Es usted una buena chica. Sabe lo que significa, ¿verdad?

Fue una afirmación, no una pregunta. Tomó aire como para darle las gracias, pero lo consideró innecesario, casi inadecuado. Eso implicaría una deuda, y no había ninguna.

Antes de que Hester tuviera ocasión de decir algo a modo de respuesta se abrió la puerta y entró Michael Robb. Sólo entonces se dio cuenta ella del tiempo que llevaba allí. Ya estaba atardeciendo. Las sombras eran más oscuras y se prolongaban por el suelo. Se sintió cohibida y notó que se ruborizaba. Automáticamente, se puso de pie.

La alarma y la desaprobación de Michael resultaban imposibles de ocultar. Vio las lágrimas que bañaban el rostro del anciano y lanzó una mirada iracunda a Hester.

—He pasado la mejor tarde en años —le explicó, con tacto, el abuelo a su nieto—. Me ha hecho mucha compañía. Hemos charlado sobre toda clase de cosas. Siento una especie de paz interior. Vamos, siéntate y toma una taza de té. Pones cara de estar sufriendo, muchacho, y se te ve derrengado.

Michael titubeó, mostrando su confusión. Miró alternativamente a uno y otra antes de aceptar que su abuelo decía la verdad sobre su estado de ánimo, así como en lo referente a que Hester le había brindado el valioso regalo de su compañía sin empañarlo con el cumplimiento de un deber o la búsqueda de una recompensa. Una amplia sonrisa de alivio le iluminó el semblante, abriéndose paso a través del cansancio y mostrando por un momento al joven que quería ser.

—Sí —asintió con vehemencia—. Sí, encantado.

—Se volvió hacia Hester—. Gracias, señora Monk. —Se le ensombreció la mirada—. Lo siento... He hallado a Miriam Gardiner.

Hester fue presa de un frío interior. La dulzura del momento se desvaneció.

—He tenido que arrestarla por el asesinato de Treadwell —concluyó, observándola para juzgar su reacción.

—¿Por qué? —protestó ella—. ¿Por qué diablos iba Miriam Gardiner a asesinar al cochero? Si quería huir de Lucius Stourbridge, por la razón que sea, lo único que tenía que hacer era pedir a Treadwell que la dejara en cualquier parte. Él nunca hubiera sabido adónde habría ido ella después. —Tomó aire—. Y, si simplemente se fue a algún lugar cercano a su casa, Lucius sabría mejor dónde buscarla que Treadwell.

A Michael no pareció causarle ningún placer el comentario, ni siquiera satisfacción. Probablemente se moría de ganas de quitarse las botas, que sin duda apretarían sus ardientes pies tras una larga jornada, pero la presencia de Hester se lo impedía.

—El motivo más obvio es que Treadwell sabía algo acerca de ella que habría echado por tierra sus planes de casarse con el heredero de los Stourbridge —explicó—. No digo que no amara al joven señor Stourbridge, pero, tanto si era así como si no, hay un montón de dinero en juego, mucho más del que ella haya visto junto en su vida.

Hester quiso protestar arguyendo que a Miriam no le importaba el dinero, pero no sabía si eso era verdad. Tenía impresiones, sensaciones, y apenas ningún conocimiento real de ella.

Fue hasta la cocina y puso más agua a calentar, dejando el aguamanil casi vacío.

—Lo siento —continuó hablando Michael, cansinamente, y se dejó caer en una silla—. Es demasiado evidente para pasarlo por alto. Ambos salieron de casa de los Stourbridge juntos. Vinieron hasta Hampstead

Heath. Encontramos el cadáver de él y ella huyó. Sin duda, cualquier persona inocente se hubiera quedado, o al menos habría regresado para informar de lo sucedido.

Hester pensó deprisa.

—¿No cabe que ambos fueran atacados por un tercero y que ella tuviera demasiado miedo de esa persona como para contarle a nadie lo ocurrido?

Él la miró dubitativo y en el tono de su voz quedó claro que no lo creía así.

—¿Tanto miedo como para no decir nada una vez arrestada?

—¿Conoce a esa Miriam Gardiner, joven? —preguntó el anciano, mirando apenado a Hester.

—No..., no, no la conozco. —Ella misma se sorprendió de que fuera así, en vista de lo mucho que la afectaba. No tenía sentido—. Yo... Lo cierto es que sé muy poco sobre ella... Supongo que me he puesto en su lugar... sin querer.

—¿En su lugar? —repitió Michael—. ¿Qué la llevaría a usted a abandonar a un hombre golpeado, agonizante, pero aún con vida, y huir sin dar la cara hasta que la policía le diera caza y entonces no dar ninguna explicación pese a ser arrestada por haberlo matado?

—No lo sé —admitió a regañadientes—. No..., no se me ocurre nada..., pero eso no significa que no pueda haber un motivo.

—Está protegiendo a alguien —afirmó el anciano, negando con la cabeza—. Las mujeres son capaces de cualquier cosa para proteger a quienes aman. Le apuesto doble contra sencillo, joven, que, si no lo mató ella misma, sabe quién lo hizo.

Michael miró brevemente a Hester, frunciendo los labios, y argumentó:

—Puede que tuviera una aventura amorosa con Treadwell. Puede que él la obligara a seguir con el lío y que ella quisiera acabarlo por el asunto de Stourbridge.

Hester no discutió más. Toda la razón estaba de parte del sargento y ella no tenía armas para combatirla. Volvió su atención a la tetera.

Cuando llegó a casa, Monk estaba allí y Hester se quedó perpleja al ver que había preparado empanada fría de ave de caza y verduras para cenar y que la mesa ya estaba puesta. Cayó en la cuenta de lo tarde que era y se disculpó sinceramente. También se sentía muy agradecida. Estaba acalorada y cansada, y los botines le apretaban como si hubiesen encogido un número.

—¿Qué pasa? —preguntó Monk, al verle los hombros vencidos y adivinar en su expresión que había algo más que cansancio.

—Han encontrado a Miriam —respondió, levantando la vista hacia él desde donde se había sentado para desabrocharse los botines.

Él permaneció en el umbral, mirándola con fijeza.

—La han arrestado —prosiguió Hester en voz baja—. Michael Robb piensa que mató a Treadwell, fuese porque sabía algo acerca de ella que desbarataría su oportunidad de casarse con Lucius o porque tenía un romance con él y quería ponerle punto final.

Monk se puso muy serio, lo que acentuaba sus rasgos.

—¿Cómo te has enterado?

Comprendió que le debía una explicación, aunque fuese con un poco de retraso.

—Yo estaba visitando a su abuelo, que está gravemente enfermo, cuando el sargento volvió a su casa.

—¿Y Robb te lo ha contado así, por las buenas? —La miraba con los ojos muy abiertos.

—Sabía que soy tu esposa.

—Ah. —Titubeó—. ¿Y piensas que Miriam mató a Treadwell?

No le quitaba ojo de encima, tratando de interpretar no sólo sus palabras, sino sus sentimientos. Se lo veía extrañamente vencido, como si hubiese abrigado la misma irracional esperanza de que Miriam fuese inocente.

Brindaba un gran consuelo saber que no era ella la única decepcionada, desilusionada incluso. Se quitó los botines e hizo rotar los tobillos antes de levantarse y acercarse a él. Sonrió y lo besó en la mejilla.

—Gracias por la cena.

Monk sonrió satisfecho.

—No lo tomes por costumbre —dijo con aire de suficiencia.

Hester prefirió no replicar y lo siguió hasta la mesa.

6

Monk no lograba dejar de pensar en el arresto de
Miriam Gardiner. Durmió profundamente, pero, al despertar, el recuerdo de esa desdicha fue lo primero que le
vino a la cabeza, obsesionándolo, hasta que no tuvo más
remedio que resolver ir a verla.

Para evitar un posible tropiezo con la autoridad pe-
nitenciaria mintió sin ningún escrúpulo, mirando con
franqueza a los ojos del carcelero al decirle que era el
consejero legal de la detenida, con quien, por consiguiente, estaba autorizado a consultar.

La encontró sentada sola en una celda, con las manos cruzadas en el regazo y el semblante pálido, pero tan
compuesta que en cierto sentido daba hasta miedo. No
había enojo en ella, ninguna voluntad de luchar, ninguna indignación ante la injusticia. No se mostró contenta
ni contrariada al verlo, como si diera por sentado que la
presencia allí del detective no iba a alterar nada.

La puerta de la celda se cerró tras él y oyó que echa-
ban el pesado cerrojo. El suelo, de piedra negra, abarca-
ría unos cinco pasos por cinco y las paredes estaban encaladas. Una única abertura en lo alto, tapada por un
cristal muy grueso, sólo dejaba entrar una luz mortecina,
desprovista de color. El cielo del otro lado tanto podía
ser gris como azul. El aire estaba viciado, olía a décadas,
quizá siglos, de enojo y desesperación.

—Señora Gardiner... —comenzó. Había ensayado
lo que iba a decirle, pero en ese instante le pareció ina-

propiado. Necesitaría inteligencia, brillantez incluso, si pretendía ayudarla en una situación tan espantosa de confusión y pesar, y, sin embargo, lo único que se le antojó natural o remotamente apropiado fue la emoción—. Esperaba que Robb no diera con usted, pero, ya que lo ha hecho, le ruego que me permita hacer lo que esté en mi mano para ayudarla.

Lo miró con cara de no comprenderlo, casi sin expresión.

—No puede ayudarme, señor Monk. Y no lo digo en detrimento de sus aptitudes, es sólo que mi situación no lo permite.

Se sentó delante de ella.

—¿Qué ocurrió? —preguntó en un tono apremiante—. ¿Sabe quién mató a Treadwell?

La joven mantuvo la vista apartada, fijándola en un lugar oscuro que sólo ella podía ver.

—¿Lo sabe? —repitió con más dureza.

—Nada de lo que le diga servirá de nada, señor Monk —contestó ella con determinación, sin un ápice de esperanza, ni un argumento siquiera. No tenía la menor voluntad de luchar.

—¿Lo mató usted?

Levantó la cabeza despacio, con los ojos muy abiertos. Antes de que ella hablara, Monk supo lo que iba a decir.

—No.

—Entonces, ¿quién lo hizo?

Miriam apartó la vista otra vez.

Monk rebuscaba en su mente. Lo único que justificaba el silencio era que estuviese protegiendo a alguien. ¿Se habría formado una idea del precio que iba a pagar?

—¿Treadwell la amenazó? —preguntó.

—No.

Ni su voz ni el perfil de su rostro traslucían sorpresa. ¿A quién protegía? ¿A Cleo Anderson, que había sido como una madre para ella? ¿A algún otro amante del pasado o a un pariente de su primer marido?

—¿Estaba amenazando a alguna otra persona? ¿Le hacía chantaje a usted? —insistió. A sus labios acudían toda suerte de argumentos sobre su incapacidad para ayudarla si ella misma no se ayudaba, pero morían sin ser dichos, pues resultaba penosamente obvio que aquella mujer lo daba todo por perdido—. ¿Treadwell le hacía chantaje a propósito de algo de su vida aquí, en Hampstead?

—No. —Levantó la cabeza de nuevo—. No hay nada con lo que se me pueda hacer chantaje.

Le saltaron las lágrimas. La emoción se había abierto paso entre el hielo de la desesperación, pero sólo por un instante, antes de desvanecerse otra vez. La celda inhóspita con el catre de madera y el colchón de paja, las paredes desnudas y el aire sofocante apenas eran reales para ella. Su mundo estaba en su interior y en su dolor. Seguramente, aún no había imaginado siquiera lo que la aguardaba si no presentaba alguna clase de defensa. O bien tenía un motivo para atacar a Treadwell, o bien lo había matado otra persona. La única alternativa que quedaba era que no hubiese estado presente y no supiera lo que había ocurrido. Entonces, ¿por qué no lo decía?

Veía su figura encorvada, medio dándole la espalda, indiferente.

—¡Miriam! —Alargó el brazo y la tocó. Tenía el cuerpo rígido—. ¡Miriam! ¿Qué ocurrió? ¿Por qué se marchó de casa de los Stourbridge? ¿Fue por algo relacionado con Treadwell?

—No... —Había un conmovedor nudo de emoción en su voz—. No —repitió—. No tenía nada que ver con Treadwell. Lo único que hizo él fue conducir el coche.

—¿Se lo pidió por las buenas y accedió, así, sin más? —se extrañó Monk—. ¿No le pidió él ninguna explicación?

—Explicación, no. Recompensa.

—¿Le pagó?

—Mi relicario. Qué más da.

Que se desprendiera con tanta facilidad de una joya tan personal daba la medida de lo desesperada que debía de estar. Se preguntó qué habría sido del relicario. No se encontraba con las ropas de Treadwell. ¿Se lo llevaría el asesino?

—¿Dónde está ahora? ¿Lo recuperó?

Ella frunció el ceño.

—¿Que dónde está? ¿No lo tiene él... en su cuerpo? —preguntó a su vez.

—No.

Levantó ligeramente los hombros, sin llegar a encogerlos.

—Pues entonces no lo sé. Pero no importa. No desperdicie sus esfuerzos en eso, señor Monk. Quizás irá a parar a manos de alguien a quien le guste. Prefiero eso a que se haya perdido en un arroyo, pero, si tiene que ser, sea.

—¿A qué debo dedicar mis esfuerzos, Miriam?

Tardó tanto en contestar que Monk estaba a punto de repetir la pregunta cuando por fin habló.

—Consuele a Lucius... —Y sin previo aviso perdió la compostura, inclinó la cabeza y se cubrió el rostro con las manos. Los sollozos le sacudían todo el cuerpo.

Monk ansiaba poder ayudarla. Estaba sola, vulnerable, para enfrentarse a un juicio y casi seguro a una muerte horrible.

El impulso pudo más que la sensatez. La agarró del brazo.

—¡Las palabras no le brindarán ningún consuelo cuando usted esté en el banquillo o cuando el juez se ponga el birrete y la condene a la horca! ¡Dígame la verdad ahora que aún estoy a tiempo de hacer algo! ¿Por qué se marchó de casa de los Stourbridge? O, si no quiere decirme eso, al menos dígame qué ocurrió en Hampstead. ¿Quién mató a Treadwell? ¿Dónde estaba usted? ¿Por qué se dio a la fuga? ¿De quién tiene miedo?

Le llevó unos minutos recobrar el dominio de sí misma. Luego, se sonó y, evitando mirarlo a los ojos, contestó con voz baja y entrecortada:

—No puedo decirle por qué me marché, sólo que tuve que hacerlo. Lo que ocurrió en Hampstead fue que atacaron y asesinaron a Treadwell. Pienso que quizá por culpa mía, pero yo no lo hice, se lo juro. Nunca he hecho daño a nadie a propósito. —Lo miró con los ojos enrojecidos—. Por favor, dígale esto a Lucius, señor Monk. Nunca he hecho daño a nadie deliberadamente. Quiero que él me crea... —La voz se le quebró en un sollozo.

—Él ya lo sabe... —la tranquilizó Monk, más amable—. No es Lucius lo que debe preocuparla. Dudo mucho que alguna vez piense mal de usted. Es el resto del mundo, sobre todo el sargento Robb y, también, el jurado ante el que la presente. ¡Y lo hará! A no ser que dé usted una versión mejor. ¿Vio a la persona que atacó a Treadwell? Al menos contésteme sí o no.

—Sí. Pero nadie me creerá, suponiendo que lo dijera..., cosa que no haré —concluyó de modo tajante.

No había lugar a pensar que esperara ser disuadida. No le importaba lo que Monk pensara, y él lo percibía en todo el ser de la joven, desde el cuerpo desplomado hasta la voz apagada.

—¡Pruebe conmigo! —le instó desesperadamente—. Dígame la verdad y deje que yo decida si la creo o no. Si es inocente, tiene que haber otro culpable, y hay que encontrarlo. De lo contrario, ¡la ahorcarán a usted!

—Ya lo sé. ¿Cree que no me he dado cuenta?

Monk se había preguntado fugazmente si Miriam estaría en plena posesión de sus facultades mentales, si no sería mucho más frágil de lo que Lucius creía, pero ese pensamiento duró sólo un instante.

—¿Quiere ver a Lucius? ¿O al comandante Stourbridge?

—¡No! —Se apartó de él bruscamente, mostrando auténtico miedo por primera vez—. No..., no quiero. Si tiene intención de ayudarme, no me lo vuelva a pedir.

—No lo haré.

—¿Me da su palabra? —Lo miró fijamente, escrutando su expresión.

—Sí. Pero le advierto otra vez que nadie podrá ayudarla hasta que cuente la verdad. Ya que a mí no, ¿se lo contaría a un abogado, a alguien que estaría obligado a guardar en secreto cualquier cosa que le diga, sin que importe lo que sea?

Un amago de sonrisa le cruzó el semblante.

—No serviría de nada. Es la verdad en sí misma lo que hiere, señor Monk, no el uso que de ella se haga. Gracias por venir. Estoy segura de que su intención era generosa, pero no me puede ayudar. Por favor, déjeme a solas. —Le dio la espalda, dando por finalizada la visita.

Monk no tenía más alternativa que retirarse. Se puso en pie, vaciló un momento más, sin saber qué hacer, y llamó al carcelero para que le dejara salir.

Nada más cruzar la verja se encontró con Michael Robb. Parecía cansado y Monk sintió un oscuro regocijo al no ver ningún aire de triunfo en él.

Se quedaron frente a frente en la acera caliente y polvorienta.

—Ha estado con ella —dijo Robb, exponiendo lo que ambos sabían.

—No le contará nada —contestó Monk, no como respuesta, sino porque era así—. No hablará con nadie. Ni siquiera quiere ver a Stourbridge.

Robb lo miró de arriba abajo, desde la pulcra corbata y los hombros de la chaqueta de corte impecable hasta las punteras de las botas lustradas.

—¿Usted sabe lo que ocurrió? —preguntó, enarcando las cejas.

—No.

El sargento metió las manos en los bolsillos con deliberada informalidad, pareciendo casi desaliñado a su lado.

—Lo averiguaré —aseguró—. No importa el tiempo que me lleve, averiguaré qué le ocurrió a Treadwell, o lo suficiente como para interponer una acción judicial. Hay algo en su pasado, o en el de ella, que provocó que esto ocurriera. —Escrutaba el rostro de Monk mientras hablaba, sopesando su reacción, tratando de adivinar lo que él sabía.

—Más vale que sea así —comentó Monk con ironía—. De momento, lo único que tiene son sospechas y eso no basta para ahorcar a una persona.

Robb hizo una mueca casi imperceptible, con el cuerpo en tensión. Era una palabra fea, una realidad desagradable.

—Y así será —dijo en voz muy baja—. Puede que Treadwell fuese un mal hombre y, por lo que sé, quizá mereciera un castigo, pero el día en que permitamos que el hombre de la calle decida eso por sí mismo, sin juicio, sin responder ante nadie, entonces perderemos el derecho a llamarnos civilizados. Ese día la ley pertenecerá a los más rápidos y los más fuertes, no a la justicia. Ya no seremos una sociedad. —Se mostraba cohibido al decirlo, temeroso de que Monk fuera a reírse de él, aunque también orgulloso.

Monk esperó no haber hecho nada en el pasado que llevara a Robb a imaginar que se mofaría de su decisión. Probablemente no lo sabría nunca. Un carro fuerte pasó junto a ellos con gran estruendo.

—No seré yo quien se lo impida —contestó Monk, ecuánime—. Ninguno de nosotros puede permitirse una venganza privada. —Se preguntó si Robb tenía idea de cuánta verdad encerraba aquella frase.

—A ella le iría mejor si hablara. —Robb frunció el ceño—. ¿No puede persuadirla? De lo contrario tendré que ponerme a hurgar, a investigar toda su vida, todos sus amigos, su primer marido..., todo.

—Es lo que tienen los homicidios. —Monk asintió con la cabeza y encogió levemente los hombros—. Tienes que enterarte de más cosas de las que quieres saber, de todos los secretos que no guardan relación con el crimen, así como de los que sí hacen al caso. Las personas inocentes se ven despojadas de su máscara, de la fachada que a veces oculta errores enmendados mucho tiempo atrás. Tienes que saber todo lo que la víctima hizo en el pasado que pudiera servir para inducir a alguien a dar el paso último y terrible de matarla, has de conocer hasta las manchas de su piel para descifrar el odio que la destruyó. Por supuesto, conocerá usted a Treadwell y llegará a compadecerlo, y probablemente también a odiarlo.

Absortos como estaban, hacían caso omiso de los transeúntes.

—¿Ha resuelto muchos homicidios? —preguntó Robb. No era un desafío; su rostro reflejaba respeto y curiosidad.

—Sí. Algunos los entendí, y yo mismo podría haberlos cometido. Otros eran tan a sangre fría, tan premeditados, que me daba miedo pensar que otro ser humano, con quien yo mismo había hablado, fuera capaz de ocultar tanto mal tras un rostro que me parecía de lo más normal y corriente.

Robb le sostenía la mirada. Durante varios segundos, ninguno de los dos se movió, ajenos a los ruidos de la calle a su alrededor.

—Me parece que éste será del primer tipo —observó el sargento por fin—. Ojalá no fuese así. Ojalá no me llevara a descubrir alguna vergüenza íntima de la vida de la señora Gardiner que le sirviera a Treadwell para hacerle chantaje, para amenazarla con destruir la felicidad que ella había encontrado. Pero tengo que investigar. Y si descubro algo tendré que presentarlo como prueba.

—Esto sí era un desafío.

Monk pensó en lo joven que era el sargento Robb y se preguntó qué pruebas él mismo había encontrado, o perdido, cuando tenía su edad. Y, ya puestos, también pensó en qué haría si estuviera en su lugar.

Sólo que no lo estaba. Ya no tenía ningún interés en el caso. Su tarea había concluido, aunque no de un modo satisfactorio.

—Claro que sí —asintió. Y añadió, a modo de prevención—: Hay cientos de juicios a emitir. Tiene que establecer cuáles le corresponden a usted y cuáles no. Buenos días, sargento Robb.

Robb lo miró a los ojos, bajo el sol.

—Buenos días, señor Monk. Conocerle ha sido una experiencia interesante.

Dio la impresión de ir a agregar algo más, pero cambió de parecer y se alejó hacia la verja de la prisión.

Monk ya no tenía más obligaciones relativas al caso, ni siquiera morales. Miriam se había negado a contarle nada, tanto de su huida de Cleveland Square como de lo ocurrido en Hampstead. No había más que hacer.

Hester aún estaba en el hospital, pese a lo avanzado de la tarde.

Se sentó ante el escritorio a contestar cartas, medio ausente, y se alegró de oír sonar la campanilla de la puerta. Abrió y, al ver a Lucius Stourbridge, se le cayó el alma a los pies. ¿Debía manifestar condolencia por la situación? Lucius lo había contratado para encontrar a Miriam, y eso era lo que Monk había hecho. Ahora bien, el resultado no podía ser más catastrófico, aunque no por culpa suya.

Lucius estaba demacrado, ojeroso y con las mejillas

pálidas bajo el cutis oliváceo, lo que le confería un aspecto cetrino, casi gris. Era un hombre inmerso en una pesadilla.

—Me consta que ya ha hecho cuanto le pedí, señor Monk —comenzó, antes de que Monk tuviera ocasión de invitarlo a entrar—. Y que ha intentado por todos los medios ayudar a la señora Gardiner, incluso ocultando su paradero a la policía, aunque pese a ello la encontraran y la arrestaran... —Le costó tanto pronunciar aquellas palabras que se le quebró la voz, viéndose obligado a carraspear antes de proseguir—. Por el asesinato de Treadwell. —Tragó saliva—. Sé que no ha podido hacer semejante cosa. Por favor, señor Monk, al precio que sea, le daré todo lo que poseo, ¡por favor, ayúdeme a demostrarlo! —Se quedó plantado en el umbral, con el cuerpo envarado, los puños cerrados, los ojos atormentados.

—No es una cuestión de precio, señor Stourbridge —contestó Monk despacio, luchando contra el sentido común y cuanto la inteligencia le dictaba—. Pase, por favor. Es una cuestión de lo que es posible y lo que no lo es. Ya he hablado con ella —continuó mientras Lucius lo seguía hacia la sala de estar—. No está dispuesta a contarme nada de lo ocurrido. Lo único que se avino a decir fue que no mató a Treadwell.

—Claro que no lo mató —protestó Lucius, aún de pie—. Tenemos que salvarla de... —Fue incapaz de pronunciar la palabra—. Tenemos que defenderla. No sé... No sé cómo ni... —Se calló—. Pero conozco su reputación, señor Monk, y si hay un hombre en Londres que pueda ayudarnos ése es usted.

—Si conoce mi reputación, sabrá que no le ocultaré la verdad cuando la descubra —advirtió Monk—. Incluso si no es lo que usted desea escuchar.

Lucius levantó el mentón.

—Puede que no sea lo que deseo escuchar, señor

Monk, pero de ningún modo será que Miriam mató a Treadwell de alguna manera ilegítima. Estoy convencido de que lo hizo otra persona y ella no se atreve a decirlo porque tiene miedo, sea por sí misma o por un tercero. —Le tembló un poco la voz—: Y, si es Miriam la causante de la muerte, o fue por accidente o defendiéndose de una amenaza demasiado inmediata y flagrante como para tolerarla.

Monk abrigaba muy pocas esperanzas de que la solución fuese tan cómoda. Si era ése el caso ¿por qué no lo había dicho Miriam sin más? Nadie la culparía por defender su virtud. Con toda nitidez acudieron a su mente las imágenes de la cabeza de Treadwell y de sus rodillas descarnadas, sin ninguna otra herida. No se había visto envuelto en una pelea con nadie. Recibió un soberano golpe que le provocó una hemorragia interna en el cráneo y murió poco después. Durante ese lapso se movió a gatas desde donde tuvo lugar el ataque, probablemente en busca de ayuda. Conocía la zona y probablemente sabía incluso que Cleo Anderson era enfermera e intentó llegar a su casa. ¿Acaso Miriam se limitó a ver cómo se arrastraba sin hacer nada por ayudarlo? ¿Por qué ni siquiera dio parte del incidente, si sus actos estaban justificados? Esconderse no era propio de una mujer honrada, por más víctima que hubiese sido de un asalto.

Además, y tal vez fuese aún más condenatorio, ¿qué podría tener ella a mano para infligir semejante golpe y por qué Treadwell, si la estaba amenazando, se encontraba dándole la espalda?

—Señor Stourbridge —dijo en un tono muy grave—, no sé si seré capaz de averiguar la verdad de lo ocurrido. Si usted quiere, yo lo intento. Pero abrigo menos esperanzas que usted de que sea algo que le resulte grato saber. De momento, los datos disponibles no indican que sea inocente.

Lucius estaba muy pálido.

—Pues encuentre más datos, señor Monk. Cuando los haya reunido todos, se demostrará el honor de Miriam. La conozco. —Fue una declaración de fe ciega, y su rostro no admitía discusión, ninguna apelación a algo tan nimio como la razón.

A Monk le hubiese gustado pedirle paciencia y así ganar tiempo para considerar todas las consecuencias, pero no había tiempo. Robb ya estaría investigando. El fiscal iniciaría el procedimiento criminal en cuanto contara con pruebas suficientes, tanto si éstas explicaban toda la historia como si no. Y no había nada en lo que fundamentar una defensa.

—¿Está convencido? —insistió una vez más, aun sabiendo que era en vano.

—Sí —respondió Lucius de inmediato—. Aquí tengo veinte guineas y le daré más según necesite. Todo lo que quiera, no tiene más que pedírmelo. —Sacó una bolsa de monedas de piel y se la ofreció.

Monk no tomó el dinero enseguida.

—Lo primero será su ayuda práctica —estableció—. Si la muerte de Treadwell no fue obra de Miriam, puede que sea un ataque casual, cosa que no creo, o quizá se debe a algo relacionado con su vida o su carácter, y me refiero a usted mismo. Comenzaré por enterarme de cuanto pueda al respecto. Así evitaré seguir los pasos del sargento Robb, para no dar la impresión de estar entorpeciendo su labor. Además, si en efecto averiguo algo, tendré más oportunidades de guardarme la baza de contárselo o no, según convenga a nuestros intereses.

—Sí..., sí —convino Lucius, visiblemente aliviado al contar por fin con un plan de acción—. ¿Qué debo hacer? —Encogió un poco los hombros—. He tratado de pensar en qué clase de hombre era Treadwell y me he quedado en blanco. Lo veía casi a diario. Ahora está muerto, asesinado a manos de Dios sabe quién, y no soy capaz de dar una respuesta inteligente.

—No espero sacar ninguna conclusión de sus observaciones —lo tranquilizó Monk—. Me gustaría hablar con los demás sirvientes y luego descubrir cuanto pueda acerca de la vida de Treadwell fuera de Bayswater. Preferiría enterarme de todo eso antes que la policía, si es posible.

—Por supuesto —aceptó Lucius—. Gracias, señor Monk. Le quedaré eternamente agradecido. Si hay algo que...

Monk le interrumpió.

—Por favor, no me dé las gracias hasta que no las merezca. Puede que no averigüe nada más o, peor aún, que lo que averigüe sea algo que usted hubiese preferido no saber.

—Necesito saberlo —se limitó a decir Lucius—. Hasta mañana, señor Monk.

—Adiós, señor Stourbridge —respondió Monk, y echó a andar hacia la puerta para abrírsela.

Monk llegó a la casa de Cleveland Square a las diez en punto de la mañana siguiente y con la ayuda de Lucius interrogó a los criados, tanto del servicio doméstico como de las cuadras y los jardines, acerca de James Treadwell. Se mostraron muy reacios a hablar de él y más aún a hablar mal, pero de la expresión de sus rostros y por sus incómodas frases el detective dedujo que Treadwell no era muy apreciado, aunque se lo respetaba porque hacía bien su trabajo.

Así surgió el retrato de un hombre que daba muy poco de sí mismo y cuyo sentido del humor se basaba más en la crueldad que en la buena voluntad, pero un hombre lo bastante consciente de la jerarquía del personal de la casa como para no pasarse de la raya ni herir demasiados sentimientos. Sabía cómo cautivar y tenía gestos generosos de vez en cuando si ganaba en las apuestas, cosa que se daba con bastante frecuencia.

Ninguna criada aludió a intenciones molestas. No había desaparecido nada. Nunca culpó a nadie de sus muy escasos errores.

Monk registró su habitación, que seguía vacía por no haberse contratado aún un sustituto. Todas sus pertenencias se encontraban tal como él las dejara. El cuarto estaba arreglado, pero había un libro sobre caballos de carreras abierto encima de la mesilla de noche, una caja de cerillas mal cerrada junto a una vela en el alféizar de la ventana y un elegante chaleco colgado del respaldo de la silla. Daba toda la impresión de ser la habitación de un hombre que tenía previsto regresar.

Examinó detenidamente la ropa y las botas. Se sorprendió al ver lo cara que era, pues había algunas prendas casi tan buenas como las suyas. Sin duda, Treadwell no las había pagado con sus ingresos como cochero. Si el dinero procedía del juego, debió de dedicarle mucho tiempo, además de tener una suerte considerable. Cada vez iba haciéndose más desagradablemente obvio que contaba con otra fuente de ingresos, bastante más lucrativa.

Preguntó, sin ninguna esperanza, que si tal vez heredaba esa ropa, de Lucius o de Harry Stourbridge. No lo sorprendió constatar que no era así. Tales dádivas iban a parar a criados que llevaban más tiempo al servicio de los señores y no solían desprenderse de ellas.

En lo que a Miriam Gardiner respectaba, no se enteró de nada que no le hubiesen dicho ya: no estaba habituada a tener criados y, por consiguiente, no trataba al cochero con la distancia apropiada, aunque eso era igualmente válido para el resto de la servidumbre de los Stourbridge. Nadie había observado nada llamativo en su relación con Treadwell. Todos sin excepción hablaron bien de ella y se mostraron confundidos y apenados por su desdichada situación.

Monk pasó el día siguiente en Hampstead y en Kentish Town, tal como le había dicho a Lucius que haría. Anduvo kilómetros, hizo preguntas hasta que tuvo la boca seca y la voz tomada. Llegó a casa pasadas las nueve, cuando aún quedaba algo de luz y una brisa vespertina ya había templado el calor de la tarde.

Lo primero que quería hacer era quitarse las botas y poner sus doloridos pies en remojo, pero la presencia de Hester lo refrenó. No parecía una actividad muy atractiva y él era demasiado pudoroso como para permitírselo. Así pues, tras aceptar su bienvenida con sumo placer, se sentó al fresco en el despacho que hacía las veces de sala de estar, con un vaso de limonada fría al alcance de la mano y las botas bien abrochadas, y contestó a sus preguntas.

—Gustos caros, muy por encima de lo que Stourbridge le pagaba. Por lo menos tres veces más.

Hester frunció el ceño.

—¿Juego?

—Los jugadores ganan y pierden. Según parece disponía de dinero con bastante regularidad. Pero es que, además, sólo tenía un día libre cada dos semanas. Ganar tanto jugando requiere más dedicación.

Hester lo miraba atentamente, con ojos inquietos. Curiosamente, no lo acosaba a preguntas, para mayor sorpresa de Monk.

—Se me ocurrió que quizá tenía una amante solvente y dispuesta a hacerle regalos costosos —continuó Monk—, pero, por lo que he visto al recorrer los sitios que solía frecuentar en su tiempo libre, parece que tenía dinero y adquiría las cosas él mismo. Le gustaba gastar. No era especialmente discreto en su dispendio.

—¿Y crees que lo ganaba honradamente? —Abrió más los ojos.

—No... Pienso que no tenía miedo de que nadie descubriera su falta de honradez. No era dinero robado. Hay otros medios fraudulentos...

—¿Al alcance de un cochero? ¿Cuáles?

La respuesta era obvia. Miró a Hester, tratando de sondear la emoción oculta en sus ojos. Le pareció ver renuencia y temor, aunque no manifiestos. Nada que fuese a compartir con él.

Se sintió excluido. Resultaba asombrosamente desagradable, una sensación de soledad que no había vuelto a experimentar desde la noche extraordinaria en que ella aceptó su propuesta de matrimonio. No sabía cómo hacerle frente. La sinceridad, demasiado instintiva en él, puso en su boca las únicas palabras que podía pronunciar.

—Chantaje.

—Vaya.

Hester lo miró con tanto aplomo que él estuvo doblemente convencido de que le ocultaba sus pensamientos y que éstos se relacionaban con la conversación que mantenían. Sin embargo, ¿cómo podía saber nada ella sobre Treadwell? Había estado trabajando en el hospital de Hampstead; ¿o no?

—Es la posibilidad más verosímil —dijo Monk, tratando de no alterar la voz—. Eso o robar, para lo que no andaba sobrado de tiempo. Vivía en casa de los Stourbridge y allí no ha desaparecido nada. Le gustaba vivir bien en su tiempo libre, comer en sitios caros, beber cuanto le apeteciera, ir a teatros de variedades y ligar con cualquier mujer que le echara el ojo.

Hester no se mostró sorprendida, sólo triste y, en todo caso, más afligida.

—Entiendo.

—¿Ah, sí?

—No... Quiero decir que sigo tu razonamiento. Realmente da la impresión de que haya estado haciendo chantaje.

Monk no soportaba aquella barrera. La rompió bruscamente, aun sabiendo que la respuesta podría herirlo.

—¿Qué pasa, Hester?

Al hablar, Hester tensó la espalda y sacó un poco el mentón.

—No sé a quién hacía chantaje, ni siquiera si lo hacía, pero me temo que puedo adivinarlo. Es algo de lo que me he enterado cuidando a los enfermos y, por consiguiente, no te lo puedo decir. Lo siento. —Su rostro hacía patente que en efecto lo sentía, y dejaba igualmente claro que no cambiaría de postura.

Él lo lamentó por ella. Anhelaba poder ayudarla. La sensación de que lo dejara al margen era casi como la de sentir frío en el cuerpo. Debía protegerla para evitar que ella misma se lastimara. El peligro era mucho mayor de lo que tal vez Hester calculaba.

—Dime, ¿tienes constancia de que se haya cometido un delito?

—Moralmente, no —se apresuró a contestar—. Nadie ha hecho nada que pueda ofender la sensibilidad de un cristiano.

—Salvo la de un policía —concluyó Monk sin titubeos.

Hester abrió los ojos.

—¿Eres policía?

—No...

—Es lo que pensaba. Tampoco es que eso cambie las cosas. Sería deshonesto que te lo dijese, aunque pertenecieras a la policía. No puedo.

Monk no dijo nada. Era exasperante. Podía estar en posesión de la pieza que faltaba para dar sentido a todo aquel embrollo. Ella también lo sabría y, sin embargo, no se lo contaría. Su creencia en la confidencialidad y su propio concepto del honor los anteponía incluso a su amor por él.

Era algo duro de aceptar, y también hermoso, como una luz clara. No hacía verdadero daño. Estaba bastante seguro de querer que las cosas fuesen así. Tuvo la tentación de insistir para convencerse por completo de que Hester no daría su brazo a torcer. Pero eso la pondría en una situación embarazosa. Quizá no entendería sus motivos y terminaría pensando que estaba decepcionado o, peor aún, que era puerilmente egoísta.

—William —dijo ella.

—Dime.

—¿Sabes algo, de todos modos?

—No. ¿Por qué?

—Estás sonriendo.

—¡Vaya! —se sorprendió—. ¿Ah, sí? No, no sé nada. Supongo que simplemente estoy... contento...

Se inclinó hacia delante y, para gran sorpresa de Hester, la besó lentamente, con detenimiento, y con creciente pasión.

El día siguiente era el undécimo desde que Monk recibiera la primera visita de Lucius Stourbridge para localizar a su novia. Ahora ella estaba en la cárcel acusada de homicidio y Monk apenas había averiguado nada sobre lo ocurrido el día de la fuga. Aún sabía menos de lo que la ocasionó, salvo quizá la amenaza de revelar una parte de su pasado que a juicio de la joven arruinaría su vida o la de alguien a quien amaba. Y al parecer no iba a contárselo a nadie. Ni siquiera el juicio y la ejecución la amedrentaban.

¿Qué secreto sería tan espantoso?

No lograba imaginar ninguno y, mientras tomaba un coche de punto para ir a la comisaría de Hampstead, no dejaba de darle vueltas.

Llegó poco antes de las nueve y le dijeron que el sargento Robb estuvo trabajando hasta tarde la noche anterior y aún no se había incorporado al servicio. Monk dio las gracias al sargento de guardia y se marchó, caminando a paso vivo bajo el sol, hacia el domicilio de Robb. No tenía tiempo que perder, aunque temiera que sus descubrimientos, si es que los hacía, le revelaran cosas que preferiría con mucho no saber. Quizá por eso se apresuraba. Las buenas noticias se saboreaban, las malas debían tragarse como una medicina con sabor repugnante. Cuando menos, cabía acortar la espera, pues la esperanza resultaba dolorosa.

No quería decirle gran cosa a Robb, sólo referirle lo que había averiguado sobre los extravagantes hábitos dispendiosos de Treadwell. Había dudado sobre si pasarle o no esa información. Para Miriam significaba un móvil solido, si era víctima de su chantaje. Pero cuando alguien hace chantaje a una persona es probable que se lo haga también a otras y, por consiguiente, habría más sospechosos. Quizás una de esas personas estaba al acecho y Miriam huyó del lugar del crimen no por ser culpable, sino porque no podía probar su inocencia.

Era una esperanza muy endeble y Monk no acababa de creer en ella. ¿Y si había un hijo ilegítimo de Miriam y Treadwell en algún lugar? ¿O si, simplemente, él conocía la existencia de un hijo ilegítimo, sin más? Eso bastaría para arruinar su matrimonio con Lucius Stourbridge.

Pero ¿por un chantaje valía la pena correr el riesgo de ir a la horca?

¿O, sencillamente, a Miriam le entró el pánico y ahora creía que ya estaba todo perdido? Esto sí resultaba creíble.

Por sí solo, Monk no daría abasto para investigar a todas las posibles víctimas de Treadwell. Aquello requeriría contar con los efectivos y la autoridad de la policía.

Llegó a casa de Robb y llamó a la puerta. Al cabo de unos minutos fue el propio Robb quien abrió, con aspecto cansado y agobiado. Saludó a Monk con cortesía, aunque acusando aún más su nerviosismo.

—¿Qué ocurre? Sea tan breve como pueda, por favor. Voy con retraso y todavía no le he dado el desayuno a mi abuelo.

A Monk le habría gustado echar una mano, pero no tenía las aptitudes necesarias, cosa que lamentó.

—Me he enterado de más cosas sobre James Treadwell y pensé que debía compartirlas con usted. Permita que se las cuente mientras desayuna —propuso Monk.

Robb aceptó a regañadientes.

Monk se disculpó ante el anciano por la intromisión y, tras tomar asiento, relató lo que había descubierto durante los dos últimos días. Mientras lo hacía y Michael preparaba pan y té y atendía a su abuelo, los ojos de Monk vagaron por la habitación. Vio abierta la puerta del armario y el estante con las medicinas, aún bastante lleno; también advirtió que había huevos en un cuenco encima de la mesa, junto al fregadero, y una botella de jerez en el suelo. Michael se portaba muy bien con su abuelo. Aquello tenía que costarle hasta el último penique de su salario de sargento. Monk conocía muy bien ese salario y sabía cuánto daba de sí. A duras penas alcanzaba para dos, sobre todo si uno de ellos necesitaba cuidados constantes y medicinas caras.

Michael retiró el plato y la taza y los lavó en una cacerola que había al lado del fregadero, dando la espalda a la habitación.

El anciano miró a Monk.

—Buena mujer su esposa —dijo con amabilidad—. Nada le representa un problema. Viene y escucha mis historias con los ojos como luceros. Vi que le resbalaban las lágrimas por las mejillas cuando le conté la muerte del almirante y cómo volvimos a Inglaterra con los pabellones a media asta después de Trafalgar.

—Quedó encantada con ese relato —apreció Monk con sinceridad. No le costaba imaginar a Hester sentada en aquella silla, viéndolo todo con tanta claridad que el terror y el pesar le hicieran llorar—. Tuvo que pasar un buen rato aquí para escuchar un episodio tan largo.

—Ella también ha visto batallas —señaló el anciano con una sonrisa—. Me habló de sus experiencias. Con tanta serenidad como quepa esperar, pero yo veía en sus ojos lo que realmente sentía. Eso se nota, ya me entiende. Quienes realmente lo han experimentado no son muy dados a hablar. Pero de vez en cuando lo necesitas, y vi que ella lo necesitaba.

¿Sería verdad? Hester necesitaba hablar de sus experiencias en Crimea, incluso habiendo pasado el tiempo, y lo compartía con aquel anciano, al que apenas conocía, antes que con él o con Callandra. Pero claro, ellos no habían visto ninguna guerra, no podían entenderla, y aquel buen hombre sí. Las más de las veces era mejor olvidar el horror. De vez en cuando, no obstante, aparecía en la superficie de la mente y había que plantarle cara. Monk lo sabía de sobra, era como cuando lo asaltaban los fantasmas de su pasado, que no eran más que sombras borrosas para él.

—Habrá venido varias veces —comentó en un tono intrascendente.

El anciano asintió con la cabeza.

—Pasa todos los días, aunque sólo sea media hora, para ver cómo sigo. No abunda la gente que se preocupa por los enfermos y los viejos que no son de su familia.

—No —convino Monk, reconociendo con cierto pesar que era verdad. El anciano no lo había dicho con autocompasión, sino como un hecho probado. Se imaginaba el enojo y la compasión de Hester no sólo por John Robb, sino por todos aquellos a los que éste representaba. Habló llevado por el instinto—: ¿Le preguntó por otros marineros y soldados?

—¿Se refiere a gente como yo? Sí que lo hizo. ¿No se lo ha contado?

—Me temo que no presté la debida atención.

Robb sonrió y asintió de nuevo con la cabeza. Tampoco él había escuchado siempre a las mujeres como era debido. Lo comprendió.

—Se ocupará de ellos —continuó Monk, odiándose por esos pensamientos que sobre medicinas desaparecidas y chantaje ocupaban su mente sin poder pasarlos por alto—. Es una buena enfermera. Antepone sus pacientes a sí misma; como un buen soldado, lo primero es el deber.

—Así es. —Una vez más, el anciano asintió con la cabeza, con la mirada enternecida—. Es una gran mujer. Conozco a unas cuantas buenas enfermeras. Vienen a cada rato para ver cómo te encuentras.

Monk era consciente de lo que estaba haciendo, pero lo veía necesario.

—¿Y le traen medicinas?

—Por supuesto —admitió Robb—. No puedo ir a buscarlas por mi propio pie y Michael tampoco sabría lo que necesito.

El anciano ignoraba que hubiera algo irregular en aquello. Hablaba de la amabilidad de la que era objeto. Lo tenebroso estaba todo en la mente de Monk.

Michael acabó de limpiar y ordenar para tener que hacer lo mínimo imprescindible si se las apañaba para pasar por casa a mediodía. Dejó un tazón de agua al alcance del anciano y otra rebanada de pan y volvió a comprobar que estuviera cómodamente instalado. Entonces se volvió hacia Monk y dijo:

—Tengo que ir a la comisaría. Pensaré en lo que me ha dicho. Podría haber alguien más presente cuando mataron a Treadwell, aunque no hay ningún indicio de que así fuera ni de quién pueda ser. Además, ¿por qué huyó Miriam Gardiner? ¿Por qué no nos cuenta la verdad ahora?

A Monk se le ocurrían varias respuestas, aunque ninguna de ellas convincente y tampoco absolutoria.

Cada vez le gustaba menos el temor que adquiría forma en su mente, aunque ya no podía eludirlo. Se levantó para despedirse del anciano, deseándole suerte y sintiéndose un hipócrita, antes de seguir a Michael Robb al exterior soleado y ruidoso.

A unos cien metros se separaron. Robb giró a la izquierda; Monk, a la derecha, hacia el hospital. Ahora estaba casi seguro de saber la causa de la inquietud de Hester y por qué no la podía compartir con él. Las medicinas desaparecían del hospital. Cuando los medicamentos desaparecían de ese modo solía ser porque los robaban, bien para satisfacer la adicción del propio ladrón, bien para venderlos. Hester había visitado varias veces el domicilio de John Robb y sin duda reparó en el armario de las medicinas. El anciano fue totalmente franco al decir que se las llevaba una enfermera. De ahí era fácil concluir que los ladrones no actuaban movidos por el egoísmo, sino todo lo contrario. Alguien robaba medicinas para dárselas a viejos y enfermos demasiado pobres para comprarlas por sí mismos.

John Robb no sabía nada al respecto. Aparte de la culpabilidad y el peligro que entrañaba aquello, su orgullo jamás le permitiría aceptar ayuda a tan alto coste. La aceptaba porque la creía pagada de antemano.

Hester había sido muy precisa con las palabras al negar que tuviera conocimiento de un delito: «Moralmente, no». Legalmente, lo era casi seguro.

La cuestión estaba en si lo sabía Treadwell.

¿Por qué no? Iba a Hampstead casi todos los días que libraba, y el cadáver apareció en el sendero de la casa de una enfermera, Cleo Anderson. Monk recordó vivamente la defensa de Miriam que hizo la mujer y la negativa a revelar su paradero desde la huida de Cleveland Square. Detestaba investigar aquello, pero la conclusión se manifestaba ineludible. Era a Cleo Anderson a quien James Treadwell había estado haciendo chantaje, nada tenía de casualidad que el cochero apareciese ante el umbral de su puerta. Quizá se arrastrara hasta allí deliberadamente, sabiendo que se moría y decidido hasta el fin a incriminarla y así hallar al mismo tiempo justicia y venganza. Su cadáver conduciría inevitablemente a la policía hacia ella.

Tal vez, después de todo, Miriam no tendría nada que ver con el asesinato, pero, sabedora de que Cleo Anderson robaba medicinas y teniendo una deuda de gratitud para con ella por sus atenciones en el pasado, no podía ganar su propia liberación a cambio de implicar a Cleo. Esto explicaría su silencio. La deuda era impagable.

Monk advirtió que estaba avivando el paso, esquivando a los transeúntes que paseaban al calor de media mañana; había vendedores ambulantes de bocadillos, de manzanas acarameladas y de refrescos de menta, y feriantes que regateaban por una buena ganga. Apenas reparó en ellos. El ruido de la calle se reducía a un murmullo indistinguible. Quería acabar con aquello de una vez.

Subió la escalinata del hospital y entró por la gran puerta principal. Casi de inmediato lo recibió un joven ataviado con chaleco y con la camisa arremangada y manchada de sangre.

—¡Buenos días, caballero! —lo saludó con tono de eficiencia—. ¿Necesita un médico o un cirujano? ¿En qué puedo servirle, señor?

Monk notó que le entraba el pánico y lo aplacó con un esfuerzo tremendo. Gracias a Dios no necesitaba ni a uno ni a otro. El estoicismo de aquellos a quienes sus males llevaban hasta allí merecía su más reverencial admiración.

—Gozo de buena salud, gracias —se apresuró a decir—. Me gustaría ver a lady Callandra Daviot, si es que se encuentra aquí.

—¿Cómo ha dicho?

El joven se quedó perplejo. Saltaba a la vista que jamás se le había ocurrido que alguien deseara ver a una mujer, a cualquier mujer, en lugar de a un médico cualificado.

—Me gustaría ver a lady Callandra Daviot —repitió Monk, vocalizando—. O, si no se encuentra aquí, a la señora Monk. ¿Dónde debo esperar?

Detestaba aquel lugar. Los pasillos grises olían a vinagre y lejía y le recordaban otros hospitales, como aquel en el que despertó después del accidente sin saber quién era. El pánico de entonces había remitido hacía tiempo, pero le costaba muy poco revivirlo.

—Ah, pues pruebe por allí. —El joven agitó la mano en el aire señalando en dirección a la sala de espera de los médicos, giró sobre sus talones y siguió su camino.

Monk fue a la sala de espera, donde media docena de personas aguardaban sentadas, tensas por la aprensión, demasiado enfermas o nerviosas como para hablar entre sí. Felizmente, Callandra Daviot apareció poco después.

—¡William! ¿Qué haces aquí? Supongo que quieres ver a Hester. Me temo que está fuera. Ha salido a..., a visitar a un paciente —terminó tras un instante de duda.

—Viejo, enfermo y pobre, me figuro —repuso él en un tono seco.

Callandra lo conocía demasiado bien. Captó el doble significado de sus palabras.

—¿Qué sucede, William?

Aunque Monk se había puesto de pie automáticamente y le sacaba un palmo de cabeza, Callandra se las seguía arreglando para hacerle sentir como si tuviera que responder con prontitud y sinceridad.

—Tengo entendido que están desapareciendo medicinas de la farmacia. —Fue una aseveración.

—¿Hester ha solicitado tu colaboración en el asunto? —preguntó Callandra, asombrada e incrédula.

—No, claro que no. ¿Por qué? ¿Se ha resuelto el problema?

—No creo que debas preocuparte por eso —contestó ella con severidad—. Al menos, de momento.

—¿Por qué? ¿Porque es una enfermera quien se las está llevando? —La frase sólo pretendía ser un desafío a medias, pero sonó como si lo fuera del todo.

—No sabemos quién es. Y puesto que admites que Hester no te ha pedido que investigues para nosotros, ¿por qué estamos discutiendo el asunto? No veo que tenga ningún interés para ti.

—Te equivocas. Por desgracia, lo tiene, y mucho. —Bajó la voz, olvidando el reciente conato de enfrentamiento para mostrar sólo pesar—: Ojalá pudiera pasarlo por alto. No es el hecho de que falten medicinas lo que me atañe, es la posibilidad de que quien se las haya llevado sea víctima de un chantaje por los robos, pese a que creo que hace el mejor uso posible de las medicinas.

—¡Chantaje! —Callandra lo miró consternada.

—Sí... y homicidio. Lo siento.

Callandra no dijo nada, pero la seriedad de su rostro revelaba miedo, y Monk tuvo la impresión de que ella también adivinaba qué más había detrás de esos robos, del ir mermando las existencias a lo largo de meses, quizás años, para ayudar a quienes se considerase necesario. Ningún individuo tenía derecho a emitir tal juicio y, no obstante, si nadie lo hacía, ¿quién se preocuparía, quién quebrantaría las normas para demostrar que había que cambiarlas?

—¿Sabes quién es? —preguntó Monk.

Lo miró de hito en hito y respondió:

—No tengo la más remota idea.

Ambos comprendieron que era mentira y que ella no daría su brazo a torcer. En realidad, Monk no esperaba que lo hiciese, y ni siquiera le habría gustado.

—¡Y Hester tampoco! —agregó Callandra con firmeza.

—No... Ya me lo figuro —lo aceptó Monk, con un amago de sonrisa—. Pero quizá podrías darme una estimación de las cantidades y los tipos de medicamentos.

Callandra dudó.

—Sin duda preferirás hacer esto tú misma en lugar de obligarme a preguntárselo a otras personas —insistió Monk, sin pestañear.

Callandra se dio cuenta de que aquello era una amenaza muy mal disimulada. Monk la llevaría a cabo por más que le desagradara.

—Sí —se rindió—. Ven conmigo y te daré una lista. Sólo es una conjetura, por supuesto.

—Por supuesto —convino Monk.

Monk trabajó el resto del día y buena parte del siguiente, primero con la lista de medicinas de Callandra y, luego, yendo a ver a quienes visitaba Cleo Anderson, para enterarse de cuáles eran las enfermedades que padecían. No tuvo que hacer muchas preguntas entre los enfermos y los pobres. Estaban más que dispuestos a hablar bien de una mujer que parecía tener todo el tiempo del mundo y una paciencia infinita para ocuparse de sus necesidades y que, con mucha frecuencia, les llevaba las medicinas que el médico les había prescrito. Nadie lo cuestionaba ni dudaba de dónde obtenía la quinina, la morfina o los demás polvos e infusiones que les administraba. Estaban simplemente agradecidos.

Cuanto más averiguaba, más detestaba Monk lo que estaba haciendo. Una y otra vez se abstuvo de hacer la pregunta final que habría demostrado el delito. No apuntó nada. No tomó declaración a los testigos ni se llevó ninguna prueba consigo.

En la tarde del segundo día dirigió su atención a la propia Cleo Anderson, a su casa, sus gastos, qué compraba y dónde. No le había pasado por la cabeza que pudiera pedir algo a cambio de los cuidados que prodigaba y las medicinas que suministraba. Aun así, se asustó al comprobar lo frugal que era su existencia, mucho más de lo que se podía esperar de su salario de enfermera. Su ropa estaba raída y descolorida. No le sentaba bien y cabía suponer que se la habían dado los parientes agradecidos de aquellos pacientes que hubiesen fallecido. Su comida era de lo más simple; una vez más, a menudo proporcionada por los hogares que visitaba: pan, copos de avena, un poco de queso y encurtidos. Al parecer, solía comer en el hospital y lo hacía encantada.

La casa era de su propiedad, un legado de tiempos mejores, aunque en bastante mal estado y con la necesidad urgente de rehacer el tejado.

Nadie sabía que bebiera o jugara.

Así pues, ¿adónde iba a parar su dinero?

Monk no tenía la menor duda de que iba a parar al bolsillo de James Treadwell, al menos mientras él vivía. Después de su muerte sólo dos semanas antes, Cleo Anderson había adquirido una mesa de cocina de segunda mano, una jofaina con su jarra y dos toallas, cosa que nadie le había visto hacer en años.

Monk se encontraba en la calle, frente a la casa de la mujer y poco antes de las cuatro y media, cuando vio que Michael Robb se dirigía hacia él, caminando despacio como si estuviera cansado y le dolieran los pies. Era obvio que estaba irritado y se lo veía muy deprimido. Se detuvo delante de Monk.

—¿Tenía intención de decírmelo? —preguntó.

Toda explicación estaba de más. Monk no sabía si se lo habría dicho o no, pero tenía bastante claro que lo fastidiaba que Robb lo supiera.

Quizá fuese inevitable y, tras pelearse con el problema y lamentar todo el asunto se lo habría dicho, pero aún no estaba listo para hacerlo.

—No tengo pruebas de nada —se excusó.

Tanta vaguedad no era nada propia de él. Normalmente se enfrentaba sin tapujos a la verdad, por más amarga que fuese. Aquello le dolía más de lo que había previsto.

—Yo sí —dijo Robb, en un tono de cansancio—. Las suficientes para arrestarla. Por favor, no trate de impedirlo. Al menos así liberaremos a Miriam Gardiner. Dígaselo al señor Stourbridge. Se alegrará..., aunque nunca la haya creído culpable.

—Sí...

Monk sabía que Lucius se pondría contento, pero sería por poco tiempo, pues Miriam había elegido enfrentarse al juicio ella misma en lugar de implicar a Cleo Anderson. Su aflicción sería profunda y, probablemente, pertinaz.

La policía consideraba que Miriam era un testigo presencial del crimen que no les había dicho toda la verdad, ni siquiera al presionarla. Formalmente, era una mujer inocente de homicidio, aunque estaba claro que se encontraba en un estado rayano a la histeria y, por lo tanto, sólo podían ponerla en libertad si pasaba a estar bajo la tutela de una persona responsable que cuidara de ella y se asegurara de hacerle comparecer ante el tribunal en el banquillo de los testigos, tal como exigía la ley. Lucius y su padre fueron los candidatos más obvios y mejor dispuestos.

Se hizo contra la voluntad de la joven. En la comisaría, con el rostro pálido, miraba alternativamente a Monk y a Robb.

—Por favor, señor Monk, haré cuanto me pida, se lo prometo, ¡pero no me obligue a regresar a Cleveland Square! Estoy dispuesta a trabajar en el hospital día y noche, si quieren que me mude allí.

El comisario la miró con gravedad, y luego a Robb.

—Creo que... —comenzó Robb.

Pero el comisario no deseaba oír su opinión.

—Es evidente que está usted afligida —le dijo a Miriam, hablando despacio y con suma claridad—. El señor Stourbridge es su futuro esposo. Él es, pues, la persona más indicada para asegurarse de que usted recibe los cuidados apropiados y para brindarle consuelo por el pesar que naturalmente le causa el arresto de una mujer que se ha portado bien con usted en el pasado. Ha sufrido usted una conmoción tremenda. Tiene que descansar y recobrar fuerzas.

Miriam se volvió para mirar a Monk con ojos desesperados, como si ansiara decirle algo y la presencia de los demás se lo impidiera.

No se le ocurrió ninguna excusa para hablar a solas con ella. El comandante Stourbridge y Lucius estaban al otro lado de la puerta aguardando para llevársela de regreso a Cleveland Square. Había un agente a un lado de la joven y el sargento de guardia al otro, con la intención de sujetarla en el caso de que se desmayara, pero el resultado era que la flanqueaban como si estuviera detenida.

Monk no podía hacer nada. Impotente, la vio salir escoltada de la habitación. La puerta se abrió y Lucius Stourbridge se adelantó, con el rostro todo ternura y dicha. Detrás de él, Harry Stourbridge sonreía como si asistiera al final de una pesadilla interminable.

Miriam dio un traspié, se tambaleó hacia delante y tuvo que ser sostenida por el agente y el sargento. Se estremeció cuando Lucius la tocó.

7

Hester había llegado a casa antes que Monk y aguardaba impaciente su regreso, pero, al ver la expresión de su rostro cuando entró, supo al instante que ocurría algo muy grave. Se lo veía agotado. Estaba pálido y tenía el pelo lacio y pegado a la frente por el calor.

La alarma sonó en su interior.

—¿Qué sucede? —inquirió con apremio.

Él se paró en medio de la habitación. Levantó la mano y le tocó la mejilla con delicadeza.

—Ya sé qué es lo que no podías contarme y por qué. Siento haber tenido que investigarlo.

—¿Investigarlo?

—Las medicinas robadas —le aclaró—. Quién se las llevaba y por qué y adónde iban a parar. Es un motivo más que evidente para el chantaje.

Hester intentó no comprenderlo, apartando de sí la realidad.

—Las medicinas no pueden guardar ninguna relación con Miriam Gardiner.

—Directamente no, pero una cosa lleva a la otra.

Los ojos de Monk no vacilaban, y Hester supo que estaba bastante seguro de lo que decía.

—¿El qué? ¿Qué relación? —quiso saber—. ¿Qué ha sucedido?

Mientras no se lo hubiese contado, no tenía sentido decirle a Monk que se sentara a descansar, y ninguno de ellos lo intentó.

—Cleo Anderson robaba las medicinas para tratar a ancianos y a enfermos —contestó él en voz muy baja—. De un modo u otro, Treadwell se enteró y le hizo chantaje. Quizá siguió a Miriam. Igual a ella se le escapó algo sin querer y él sacó sus propias conclusiones.

—¿Cleo está envuelta en esto? ¿Lo sabes a ciencia cierta? —Estaba confundida, la cabeza le daba vueltas—. Si Treadwell le hacía chantaje a Cleo Anderson, ¿por qué iba Miriam Gardiner a matarlo? ¿Para protegerla? Eso no explica por qué huyó de Cleveland Square. ¿Qué pasa con Lucius Stourbridge? ¿Por qué no acudió a él y se lo contó? Algo... —Se calló. Lo cierto es que nada de aquello tenía sentido.

—Miriam no mató a Treadwell. La policía la ha soltado. Estaba defendiendo a Cleo por lealtad y, probablemente, porque también creía en su causa.

—Eso no es suficiente —protestó Hester—. ¿Por qué se marchó de Cleveland Square en plena fiesta? ¿Por qué no permitió que Lucius supiera dónde estaba?

—No lo sé —admitió Monk—. La han puesto bajo su tutela y parecía que la fueran a ejecutar. Suplicó que no se la llevaran ellos, pero nadie la escuchó. —Una arruga surcó su frente, revelando más dolor que cansancio—. Por un momento pensé que iba a pedirme que la ayudara, pero luego cambió de parecer. Se la llevaron.

Hester percibió la compasión de su voz. Ella también sentía compasión y la enojaba sobremanera que las autoridades policiales consideraran que Miriam necesitaba ser liberada bajo la tutela de terceros. Tendrían que haberle concedido la dignidad de ir adonde deseara y con quien quisiera. Ya no estaba acusada de nada.

Aunque mucho más inmediata, y más próxima a sus emociones, era su preocupación por Cleo Anderson.

—¿Qué vamos a hacer para ayudarla? —Dio por sentado que iban a hacerlo.

Monk seguía de pie en medio de la habitación, acalorado, cansado, polvoriento y con los pies doloridos. Hizo un esfuerzo notable para no montar en cólera.

—Nada. Ahora es un asunto privado entre ellos.

—¡Me refiero a Cleo! —exclamó Hester—. Miriam ya tiene quien cuide de ella. Además, no está acusada de nada.

—Sí que lo está: complicidad en ocultar el asesinato de Treadwell. Aunque alegue que no sabía que estuviera muerto. Casi con toda seguridad fue testigo presencial del ataque. La policía quiere que testifique.

Hester agitó la mano con impaciencia. No conocía a Miriam Gardiner, pero sí que conocía a Cleo y sabía lo que la mujer había hecho por el viejo John Robb y por otros en su misma situación.

—Así que tendrá que testificar. No le resultará agradable, pero sobrevivirá. Si tiene alguna valía, su mayor preocupación será Cleo, como también debe serlo la nuestra. ¿Qué podemos hacer? ¿Por dónde empezamos?

Monk adoptó una expresión severa.

—No podemos hacer nada —respondió. Se apartó de ella y se sentó en una de las sillas. La forma en que dejó caer el cuerpo, con un repentino dejarse ir en el último momento, reveló su terrible cansancio—. Encontré a Miriam Gardiner y vuelve a estar con su novio. Ojalá Cleo Anderson no fuese la culpable, pero lo es. Lo más que he podido hacer ha sido no reunir pruebas contra ella, aunque Robb lo hará. Es un buen policía. Y su padre está implicado.

Estaba enojado consigo mismo por las emociones que sentía, emociones que se reflejaban en su rostro y en el tono agudo de su voz.

Hester se encontraba de pie en el centro de la habitación, relajada y serena, con un vestido estampado de algodón de faldas anchas y un discreto cuello blanco. Era bonito, aunque de pronto resultaba vano. Parecía casi un pecado estar tan a gusto y contenta cuando Cleo

Anderson se encontraba en prisión y se enfrentaba... al abismo de la oscuridad al final de una soga.

—Tiene que haber algo... —Sabía que no tenía que discutir con él, sobre todo en ese momento, cuando estaba tan cansado y probablemente casi tan apesadumbrado como ella. Sin embargo, su dominio de sí misma no alcanzaba para sentarse pacientemente a esperar una ocasión mejor—. No sé qué..., pero si buscamos... Puede que la amenazara. Quizás en cierta medida actuó en defensa propia. —Trató de encontrar una idea mejor—. Es probable que intentase coaccionarla para que cometiera alguna clase de delito. Eso podría justificarse...

—¿Y en cambio cometió un homicidio? —preguntó Monk, sarcástico.

Se puso colorada. Tuvo ganas de decir palabrotas, de emplear el lenguaje que había aprendido en los barracones de Sebastopol, aunque sería de lo más impropio en una dama. Después se despreciaría a sí misma y él nunca volvería a verla con los mismos ojos. Oiría esas palabras en su interior cada vez que la mirara a la cara. Incluso en los momentos de ternura, cuando más deseaba el respeto de su hombre, lo grosero se inmiscuiría.

—De acuerdo, no ha sido una idea muy buena —admitió—. ¡Pero no es la única!

Monk levantó la vista y la miró sorprendido, no tanto por las palabras en sí como por su mansedumbre.

Hester sabía lo que le pasaba a él por la cabeza y se puso aún más roja. Aquello era ridículo y de lo más irritante.

—Ojalá pudiera ayudarla —confesó Monk en un tono amable—. Pero no sé cómo hacerlo, y tú tampoco. Déjalo correr, Hester. No te entrometas.

Ella lo miró fijamente, tratando de juzgar hasta qué punto se creía él mismo lo que decía. ¿Era un consejo, o una orden?

En el rostro de su marido no se veía ni enfado ni indicio alguno de que fuera a cambiar de parecer. Era la primera vez que le prohibía algo que le importara. Hasta entonces, sólo le había resultado ligeramente divertido que él ejerciera cierta autoridad, y ella siempre se mostró dispuesta a consentírselo. Esta vez era distinto. Hester no podía abandonar a Cleo ni siquiera para complacer a Monk. Y si llegaban a lo peor, cosa que podía ocurrir, ni siquiera para evitar una seria discusión con él. De hacerlo así, le resultaría imposible vivir en paz consigo misma. Toda la felicidad estaría contaminada, tanto para ella como para él. ¿Cómo se lo iba a explicar? Era la primera dificultad seria con la que tropezaban, el primer golfo que no podía salvarse mediante la risa o la intimidad física.

—Tal vez podrías investigar —insinuó Monk con cautela—. Pero tendrás que ser extremadamente cuidadosa si no quieres empeorar las cosas. Me figuro que la dirección del hospital no la tratará con ningún miramiento.

Era una retirada, hecha con tacto y tanta discreción que apenas resultaba perceptible, pero una retirada a fin de cuentas. A Hester la invadió una oleada tan poderosa de gratitud que le dio un mareo. Habían evitado la oscuridad. Deseaba echarle los brazos al cuello, sentir el calor y la fuerza de su cuerpo junto al suyo, el contacto de su piel. Casi lo hizo, pero la inteligencia le advirtió que sería una torpeza. Pondría en evidencia su retirada y ésa no era la forma de agradecérsela. Optó por bajar la vista.

—Sí, claro —dijo muy seria—. Tendré que ser muy cuidadosa, si es que emprendo una investigación. La verdad es que ahora mismo no se me ocurre a quién interrogar. Me limitaré a escuchar y observar, de momento.

Monk sonrió con un asomo de satisfacción. Era consciente de que ella se sentía agradecida, y Hester lo notó. Parecía casi como si él estuviera en deuda con ella por la inmensa carga de la que lo aliviaba. Hester podía elegir entre molestarse o ver el aspecto gracioso del caso. Eligió lo segundo y levantó la vista hacia él, sonriente.

Monk le devolvió la sonrisa, mas sólo por un instante. Seguían en arenas movedizas.

Hester preparó la cena: jamón frío y verduras, y tarta de manzana con nata. Sentada a la mesa y compartiéndola con él con considerable placer, le hizo más preguntas acerca de Miriam y la familia Stourbridge.

Resultaba evidente que Monk meditaba mucho sus respuestas, demorándose varios segundos mientras comía el resto de su tarta y aceptaba una segunda ración.

—Todos los datos que tengo parecen no tener ningún significado —dijo por fin—. Han recibido a Miriam mucho mejor de lo que cabía prever si tenemos en cuenta que no tiene dinero ni contactos familiares y que va a casarse con el hijo único. Todo cuanto he podido observar confirma que ella les gusta y la aceptan como la mujer que puede hacerlo feliz. Tanto si le da un heredero como si no. Aunque es lo bastante joven.

—Pero no tuvo ningún hijo de su matrimonio con el señor Gardiner —señaló Hester.

—Estoy seguro de que lo han tenido en cuenta.

Se sirvió más nata vertiendo una cantidad considerable encima de la tarta, que se comió con manifiesto gusto.

Ella lo observó complacida. Todavía no era muy ducha como repostera y aún no había tenido tiempo de buscar una mujer que fuera a hacer las faenas durante el día. Era importante que se ocupara de ello, y cuanto antes. Una vida doméstica bien organizada contribuiría notablemente no sólo a la felicidad de Monk, sino también a la suya. No tenía intención de dedicar tiempo ni energías a los detalles de la vida cotidiana. Haría averiguaciones al día siguiente, a no ser, por supuesto, que estuviera demasiado ocupada con sus quehaceres en el hospital y con lo que pudiera hacerse por Cleo Anderson. Eso era inconmensurablemente más importante, ¡aunque tuvieran que comer bocadillos de un puesto ambulante!

—¡Cleo Anderson! —exclamó Callandra—. ¿Estás segura? —Era una protesta contra la verdad más que una auténtica pregunta.

Hester, el doctor Beck y Callandra estaban los tres solos en la sala de espera de los cirujanos. Kristian se encontraba a cosa de un metro de Callandra, pero cualquier observador atento habría percibido la silenciosa comunicación que se daba entre ellos. Nunca se miraban a los ojos, más bien lo contrario, como si la conexión se produjera en un nivel más profundo.

—No tenía ni idea —comentó el médico en voz baja—. Corriendo tamaño riesgo, constantemente. ¿Cuánto hace que lo sabe? —preguntó dirigiéndose a Hester.

—A decir verdad, no lo sé. —Todavía actuaba con sumo cuidado, como si el sargento Robb estuviera detrás de la puerta—. Al menos, no con pruebas.

—Claro que no —la apoyó Kristian, torciendo un poco los labios—. Nadie desea encontrar pruebas. Hizo muy bien en no contárselo a nadie. Pobre mujer. —Cerró con fuerza los puños—. Está sumamente mal que alguien tenga que correr semejante riesgo para asistir a los pobres y los enfermos.

—¡Es monstruoso! —lo secundó Callandra sin mirarlo—. Pero tenemos que ayudarla. Tiene que haber algún modo. ¿Qué dice William?

Hester no tenía intención de repetir la conversación, sólo la conclusión, y un tanto modificada.

—Que debemos ir con sumo cuidado si hacemos averiguaciones.

—Más que con cuidado —convino Kristian—. Thorpe estaría encantado de tachar de ladronas a todas las enfermeras.

—¡Lo hará! —le interrumpió Callandra, con el rostro transido de amargura—. No tardará en saberlo. Sin duda la policía vendrá a hacer preguntas.

—¿Podemos ocultar algo?

Hester los miró a los dos. No sabía si eso haría algún bien, pues era algo instintivo más que racional. Si declaraban a Cleo Anderson culpable de asesinar a Treadwell, una o dos ampollas de morfina de más o de menos apenas supondrían ninguna diferencia. Fue decirlo y darse cuenta de que era una tontería.

—¿Qué pruebas hay de que fuese ella? —preguntó Kristian, más sosegado. La primera impresión ya estaba remitiendo—. Posiblemente él le hacía chantaje, pero en ese caso se lo haría también a otras personas. Sus ingresos no alcanzaban para llenarle mucho los bolsillos.

—Salvo si Cleo le daba morfina —señaló Callandra, apesadumbrada— y él la vendía. Así ganaría bastante más.

A Hester ni siquiera se le había ocurrido. No creía que Cleo vendiera morfina por su cuenta, pero entendía que fuese necesario hacerlo si Treadwell le exigía más dinero. Ahora bien, ¿qué pasó para que todo cambiara tan de repente, esa noche en concreto, para que la mujer recurriese al asesinato? ¿La desesperación o... la mera oportunidad?

Se preguntó por qué estaba aceptando que Cleo fuese culpable.

—Pero ¿qué pruebas hay? —repitió Kristian—. ¿Alguien la vio? ¿Dejó algún rastro tras de sí? ¿Hay algo que excluya a cualquier otra persona?

—No, simplemente que encontraron el cadáver en el sendero de acceso a su casa y que él se arrastró hasta allí desde donde lo atacaron. —Hester veía el razonamiento con toda claridad—. Al principio se supuso que lo había hecho para pedir ayuda. Ahora pensarán que no fue casualidad, sino que estaba señalando deliberadamente a su asesina.

Kristian frunció el ceño.

—¿Quiere decir que se encontraron en algún lugar cercano, ella lo atacó, lo abandonó creyéndolo muerto y él, todavía consciente, se arrastró detrás de ella?

Callandra torció el gesto, angustiada.

—¿Por qué no? —Hester se resistía a decirlo, pero era algo que podía palparse en el aire—. Él fue a cobrar su chantaje y ella había llegado a la desesperación, quizá no tenía con qué pagarle y se propuso matarlo, o bien lo hizo sin pensarlo.

—¿Y dónde estaba Miriam? —planteó Callandra. Luego, puso cara de apremio—. ¿O es que él la dejó donde ella le había pedido y se fue en busca de Cleo Anderson? Eso explicaría que Miriam no supiera que estaba muerto.

Hester negó con la cabeza y sentenció.

—Sea cual sea la respuesta, no servirá para ayudar a Cleo.

Se miraron unos a otros muy serios, sin que a ninguno se le ocurriera nada útil que decir.

El asunto empeoró un poco más cuando, cosa de una hora más tarde, Hester y Callandra fueron llamadas al despacho de un Fermin Thorpe extremadamente enfadado, quien les ordenó que ayudaran al sargento Robb en sus investigaciones. Robb estaba de pie, a todas luces incómodo, junto al escritorio de Thorpe, y miró primero al propio Thorpe, luego a Callandra y finalmente a Hester.

—Lo siento, señora. —Parecía dirigirse sólo a Hester—. Preferiría no tener que ponerla en esta posición, pero necesito saber más acerca de las medicinas que el señor Thorpe me ha dicho que desaparecieron de la farmacia.

—No he sabido nada al respecto hasta esta mañana —soltó Thorpe, furioso y con la cara colorada—. Tendría que haber sido informado desde el primer momento. ¡Alguien responderá por esto!

—En mi opinión primero teníamos que comprobar con exactitud lo que podía demostrarse, señor Thorpe —expuso Callandra con frialdad—. No es lo propio ir lanzando acusaciones a diestro y siniestro sin estar seguro de los hechos. Es muy fácil arruinar una reputación y demasiado difícil enmendarla cuando uno descubre que se ha cometido una equivocación. —Lo miró desafiante, retándolo a contradecirla.

Thorpe era muy consciente de su posición como director del hospital y de su innata superioridad general. No obstante, también tenía una marcada conciencia social y Callandra ostentaba un título, aunque fuese únicamente de cortesía, fruto de la posición de su difunto padre. Optó por la prudencia, al menos de momento.

—Por supuesto, lady Callandra. Todavía no conocemos la situación con todo detalle. —Miró de soslayo a Robb—. Le aseguro, sargento, que haré cuanto esté en mi mano para serle útil. Debemos aclarar los hechos y poner fin a cualquier falta de honradez. Le ayudaré personalmente.

Era lo que Hester se había temido. Habría sido mucho más fácil minimizar el alcance de los hurtos, incluso engañar un poco a Robb, sin la presencia de Thorpe. No tenía ni idea de lo que diría el boticario, de cuáles eran sus lealtades ni de lo asustado que estaría debido a su posición.

Thorpe vaciló y Hester se dio cuenta, con una punzada de esperanza, de que no sabía lo suficiente sobre medicamentos como para efectuar un registro e inventario sin ayuda.

—Quizás una de nosotras debería ir en busca del señor Phillips —propuso—. Y tal vez acompañarle a usted con el fin de tomar notas para nuestras propias necesidades. Al fin y al cabo, debemos ocuparnos del asunto y velar para que no se repita. Tenemos que saber la verdad tanto como el sargento Robb.

Thorpe aprovechó el ofrecimiento.

—Bien pensado, señora Monk. —De pronto no tenía las dificultades de costumbre para recordar su nombre.

Ella le sonrió, sin añadir más comentarios. Antes de que cambiara de parecer, lanzó una mirada a Callandra y abrió la marcha saliendo del despacho y enfilando el ancho pasillo hacia la farmacia. Sabía que Callandra iría a buscar al señor Phillips y posiblemente hasta mantendría una discreta conversación con él a propósito de las consecuencias que tendría para todos ellos lo que él dijera. Cabía suponer que el boticario ni siquiera estuviese al corriente de los cargos que pesaban sobre Cleo Anderson, y mucho menos del motivo por el que le eran atribuidos.

No se atrevía a mirar al sargento Robb. No sería de extrañar que adivinara las intenciones de Callandra. Tampoco había que ser un lince.

Caminaron a paso vivo en fila india y se detuvieron ante la puerta de la farmacia. Naturalmente, Thorpe sacó una llave, pues tenía las de todas las puertas. Abrió, entró y los demás lo siguieron, con lo cual la pequeña habitación quedó llena. Estaba forrada de armarios hasta el techo. Todos tenían una cerradura de latón, hasta los cajones de debajo del mostrador.

—Me temo que no tengo todas estas llaves —dijo Thorpe de mala gana—. Pero como puede ver, se guarda todo con la máxima seguridad. No sé qué más podemos hacer, salvo contratar otro boticario para que haya alguien de guardia en todo momento. Evidentemente, necesitamos medicamentos tanto de noche como de día, y nadie puede estar disponible las veinticuatro horas, por más diligente que sea.

—¿Quién tiene las llaves durante la noche? —preguntó Robb.

—Cuando el señor Phillips se marcha me las da a mí —repuso Thorpe con embarazo—, y yo se las doy al médico que se queda de guardia por la noche.

—Por lo que dice, deduzco que no es siempre la misma persona —concluyó Robb.

—No. No hay operaciones por la noche. Rara vez se queda uno de los cirujanos. El doctor Beck lo hace de vez en cuando, si tiene un caso particularmente grave. Las más de las veces es un médico en prácticas.

Fue a agregar algo, pero cambió de parecer. Quizá le parecía que el hospital en pleno estaba siendo acusado porque una de sus enfermeras había tenido ocasión de robar, y eso había acabado en homicidio. Le hubiera gustado distanciarse del asunto y su expresión lo hacía patente.

—¿Quién entrega las medicinas durante la noche? —quiso saber el sargento.

Thorpe se sintió aún más frustrado al contestar.

—El médico de guardia.

—¿No una enfermera? —Robb se mostró sorprendido.

—Las enfermeras están para mantener limpios y cómodos a los pacientes —respondió Thorpe con cierta sequedad—. No tienen formación médica ni experiencia, y no se les asignan responsabilidades salvo hacer exactamente lo que se les ordena. —No miró a Hester.

Robb digirió aquella información, meditabundo y sin añadir comentarios. Antes de que tuviera ocasión de formular más preguntas entró el boticario, seguido de cerca por Callandra, que evitó la mirada de Hester.

—¡Vaya! —exclamó Thorpe con alivio—. Phillips. El sargento Robb cree que una cantidad considerable de medicinas ha sido sustraída de nuestras existencias, robada por una de nuestras enfermeras, y que este hecho ha proporcionado el móvil y los medios para que le hicieran chantaje. —Carraspeó—. Debemos establecer si es verdad y, si lo es, determinar de qué cantidades se trata, cómo fueron sustraídas y por quién. —Colgaba así el mochuelo de la culpa, cuando no la responsabilidad, en la puerta de Phillips.

El boticario no contestó de inmediato. Era un hombre corpulento, más bien obeso, con el pelo moreno y enmarañado y una barba que pedía a gritos ser arreglada. A Hester siempre le había parecido muy agradable y disfrutaba con su agudo, aunque un tanto sardónico, sentido del humor. Esperaba que no fuera a cargar con las culpas de lo ocurrido y la decepcionaría penosamente si se limitaba a pasarle el muerto a Cleo.

—¿No tiene nada que decir, hombre? —se impacientó Thorpe.

—No sin antes pensar detenidamente —respondió Phillips—. Señor —agregó—, si realmente faltan medicamentos, aparte del desperdicio y los errores de inventario o de la equivocación de alguien al anotar lo que se ha llevado, se trata de un asunto muy grave.

—¡Claro que es un asunto grave! —le espetó Thorpe—. Estamos hablando de chantaje y asesinato.

—¿Asesinato? —preguntó Phillips con un leve tono de sorpresa en la voz—. ¿Por nuestras medicinas? No ha habido ningún robo de esas proporciones. Eso me consta.

—A lo largo de un período de tiempo —especificó Thorpe—. Al menos eso piensa el sargento.

Phillips buscó las llaves en sus bolsillos y sacó un

enorme manojo. Primero abrió uno de los cajones y extrajo un libro de contabilidad.

—¿Cuánto tiempo atrás, señor? —le preguntó cortésmente a Robb.

—No lo sé —confesó el sargento—. Pruebe un año o así. Tendría que ser suficiente.

—No sé muy bien cómo averiguarlo. —Phillips abrió atentamente el libro por el mismo mes del año anterior. Estudió la página y luego la siguiente—. Todo cuadra aquí, y no hay modo de saber si es lo que entonces había en los armarios. No parece que nadie lo haya modificado. Además, de haber sido así me habría dado cuenta, y hubiese dado parte al señor Thorpe.

Thorpe se aproximó y pasó las páginas del libro de contabilidad él mismo, examinándolo desde aquella fecha hasta la última anotación. Resultaba bastante evidente que nadie había modificado los asientos. El libro no les dijo nada. Las entradas de medicinas estaban todas anotadas con la misma letra; las salidas, con toda una gama de caligrafías de distinta elegancia y diferente nivel de alfabetización. Había algunas faltas de ortografía.

—¿Todos estos son médicos? —preguntó el sargento Robb.

—Por supuesto —repuso Thorpe con aspereza—. No se figurará que damos las llaves a las enfermeras, ¿verdad? Si esa desdichada mujer ha robado en efecto medicinas de este hospital, lo habrá hecho mediante un juego de manos mientras el médico le daba la espalda, por estar atendiendo a un paciente con un ataque repentino o distraído por cualquier otro motivo. Es algo de lo más ruin. Confío en que será castigada con todo el peso de la ley para disuadir así a cualquier otra persona tentada de enriquecerse a costa de aquellos que tiene a su cuidado.

—Podría ser mero desperdicio —observó Phillips, con los ojos muy abiertos y mirando alternativamente a

Thorpe y a Robb—. No es fácil medir los polvos con exactitud. Las mediciones son bastante aproximadas, por supuesto, pero entre un par de docenas de dosis es fácil que se pierda un poco. ¿Lo ha tomado en cuenta, señor?

—No se puede hacer chantaje a nadie basándose en eso —respondió Robb, aunque su expresión indicaba que lo decía a regañadientes—. Tiene que haber más. Si no hay nada del pasado que ahora se pueda probar, compruebe sus existencias actuales exactamente con lo que figura en el libro.

—Por supuesto. —Phillips no tenía elección, como tampoco Robb.

Guardaron silencio mientras Phillips registraba sus armarios, pesando, midiendo y contando, observado con impaciencia por Thorpe, con inquietud por Callandra y con incomodidad por Robb.

Hester se preguntó si Robb sospecharía siquiera que el sufrimiento de su abuelo había sido tratado precisamente con aquellos medios, con medicinas que robó no por afán de lucro, sino por misericordia, esa misma Cleo Anderson a la que intentaba imputar el asesinato de Treadwell. Miró su serio rostro y vio compasión en él, pero sin ningún asomo de duda, sin ningún conflicto de lealtades... todavía.

¿Sería culpable Cleo? Si Treadwell era un chantajista, ¿podría ser concebible que lo considerase una víctima menor, comparándolo con los pacientes a los que trataba?

Costaba creerlo, pero no tenía por qué ser imposible.

—Parece que falta un poco de quinina —comentó Phillips como si no tuviera mayor importancia—. Supongo que se trata de una mala medición. O que alguien se llevó unas dosis para una crisis y se olvidó de anotarlo.

—¿Cuánto es un poco? —inquirió Thorpe, con expresión sombría—. ¡Maldita sea, hombre, procure ser más exacto! ¿Qué quiere decir «un poco»? Usted es boticario. A los pacientes no se les administran dosis de «un poco».

—Unos quinientos gramos, señor —contestó Phillips en voz muy baja.

Thorpe se puso como un tomate.

—¡Dios bendito! Eso basta para tratar a doce hombres. Esto es muy grave. Será mejor que compruebe usted qué más falta. Mire la morfina.

Phillips obedeció. Esa medición dio resultados aún peores. Hester no se sorprendió. Era el tratamiento habitual contra el dolor, tal como la quinina lo era contra la fiebre. Cleo sin duda la habría administrado, bajo supervisión, con suficiente frecuencia a lo largo de los años como para tener una idea perfecta de qué cantidades dar y en qué circunstancias. Desde luego, la propia Hester lo sabía.

Thorpe se volvió hacia Robb.

—Lo lamento, sargento, pero al parecer tenía usted toda la razón. Nos falta una considerable cantidad de medicina y es imposible que un ladrón cualquiera se la haya llevado. Tiene que haber sido una de las enfermeras.

Hester tomó aire para señalar que podía ser cualquier miembro del personal a lo largo de los últimos años, pero se dio cuenta de que sería en vano. Thorpe no consideraría siquiera la idea de que uno de los médicos hiciera algo semejante, y Hester no abrigaba el menor deseo de hacer que las culpas recayeran en Phillips.

Tal vez hubiese sido Cleo Anderson; de hecho, si Hester quería ser honesta no lo dudaba lo más mínimo. Eran sus motivos lo que estaban malinterpretando y ella no deseaba atraer la atención hacia ese punto puesto que no serviría para alterar los cargos.

Con Cleo en prisión, ¿quién se ocuparía ahora de los viejos y los enfermos a los que solía visitar con medicinas para darles un respiro en su aflicción? Concretamente, ¿qué sería de John Robb?

Callandra le pasó al sargento la nota que había preparado de las medicinas robadas y sus cantidades respectivas. Él se la metió en el bolsillo y le dio las gracias. Volvió a dirigirse a Phillips.

—¿Cuánto hace que falta esto, señor Phillips?

—No lo sé, señor —respondió de inmediato—. No he tenido ocasión de hacer comprobaciones tan detalladas en algún tiempo. Puede que se deba a mediciones poco cuidadosas. O que alguien haya derramado algo. —Sus ojos negros miraban con inocencia y su tono de voz era conciliador—. Aunque lo más probable es un descuido a la hora de anotar correctamente lo que se ha entregado en el jaleo de una mala noche o en alguna otra clase de crisis. Hay que prever un margen de error. La medicina es un arte, señor Thorpe, no una ciencia exacta.

—¡Maldita sea, hombre! —explotó Thorpe—. No me diga cómo llevar a cabo la práctica de la medicina en mi propio hospital.

Phillips no replicó y tampoco pareció alterarse demasiado por el enojo de Thorpe, cosa que tuvo el efecto simultáneo de incrementar su ira y confundirlo, dejándolo sumido en un silencio momentáneo. No había contado con que un boticario pudiera demostrarle indiferencia.

Phillips se volvió hacia Robb.

—Si puedo hacer cualquier otra cosa por usted, sargento, estoy seguro de que el señor Thorpe me lo permitirá. No tiene más que decírmelo. Y, antes de que me lo pregunte, no sospecho de ninguna de las enfermeras, al menos en lo que nos atañe. Algunas beben un poco más de cerveza de la cuenta en ayunas. Aunque me atrevería a decir que medio Londres lo hace de vez en cuando. Más aún cuando la cerveza está incluida en el salario, vamos. Me encontrará por aquí casi todos los días, excepto el domingo. —Y sin preguntar nada más le dio las llaves a Thorpe y se fue.

—Zoquete impertinente —juró Thorpe entre dientes.

—Pero ¿es honesto? —preguntó Robb.

Hester percibió la aversión en el rostro de Thorpe. Ansiaba vengarse de la arrogancia de Phillips y ahora se le presentaba la ocasión ideal. Por otra parte, admitir que había contratado a un boticario sobre quien abrigaba dudas sería como confesar su burda incompetencia.

De todos modos, por si acaso la tentación le resultaba demasiado irresistible, Hester contestó por él, sonriendo.

—Por supuesto, sargento. ¿Supone usted que el señor Thorpe le permitiría ocupar un puesto de tanta responsabilidad si no fuera totalmente de fiar? Que una enfermera ande un poco achispada es una cosa. Quizá derrame un cubo de agua o deje un suelo sin barrer. Si un boticario no tiene una conducta intachable hay personas que pueden morir.

—En efecto —convino Thorpe apresuradamente, lanzando una mirada venenosa a Hester; luego, tras un considerable esfuerzo para cambiar su expresión, se dirigió a Robb—: Por favor, interrogue a quien quiera. Dudo que encuentre ninguna prueba de que esa mujer robara la quinina y la morfina. Si hubiese alguna, lo habríamos advertido nosotros mismos. Supongo que la tendrán bajo custodia.

—Sí, señor, así es. Gracias, señor.

Robb se despidió y se marchó.

Hester también se retiró después de hacerle un gesto a Callandra con los ojos. Tenía otros asuntos que atender, y con urgencia.

Hester no tuvo ninguna dificultad para que le permitieran ver a Cleo Anderson en su celda. Se limitó a decirle al carcelero que era empleada del hospital donde trabajaba Cleo y necesitaba que ésta le facilitara cierta información de carácter médico para proseguir con los tratamientos en su ausencia.

Resultó que el carcelero conocía a la mujer (había atendido a su madre durante su enfermedad terminal) y estuvo más que contento de poder devolverle el favor de la manera que fuera. De hecho, parecía incómodo por la situación, y Hester no acertó a adivinar por su actitud si pensaba que Cleo era o no culpable. Sin embargo, sí había oído el rumor de que estaba acusada de haber matado a un chantajista, y el hombre tenía muy poco respeto por esa clase de personas, posiblemente tan poco como para que no le importara la muerte de uno de ellos.

La puerta de la celda se cerró con el estruendo del metal contra el metal, haciendo que Hester se estremeciera al recordar los horribles días que había pasado en Edimburgo, donde se encontró en el lugar que ahora ocupaba Cleo, sola y enfrentándose a un juicio, quizás a la muerte.

Cleo la miró sorprendida. Estaba pálida y tenía la mirada perdida de alguien que ha sufrido una conmoción, aunque parecía compuesta, casi resignada. Hester no consiguió recordar si ella misma se había sentido así. Su idea era la de que siempre quiso luchar, que en su fuero interno gritaba contra la injusticia. Había demasiadas cosas por vivir como para dejar de combatir, siempre merecía la pena.

Pero, claro, Hester no mató a Mary Farraline.

De todos modos, aunque Cleo sí hubiese matado a Treadwell porque le estaba haciendo chantaje a propósito de las medicinas, era un acto muy comprensible; quizá no excusable, pero cualquier Dios digno de adoración tendría para Cleo más compasión que culpa.

¿Lo entendería así ella misma? Pues, desde luego, no en ese momento, enfrentada a la justicia humana.

—¿Puedo hacer algo por usted? —le preguntó Hester solícita—. ¿Quiere que le traiga algo? ¿Ropa, jabón, una toalla limpia, comida mejor? ¿Qué me dice de su propia cuchara? ¿O de su tazón?

Cleo sonrió levemente. El extremo sentido práctico de aquellas sugerencias contrastaba con lo que ella se esperaba. Había previsto enojo, culpa, compasión, curiosidad. Se mostró desconcertada.

—He estado en prisión —le explicó Hester—. Detestaba el jabón y las toallas ásperas. Es una nimiedad. Y quería mi cuchara. Lo recuerdo muy bien.

—Pero la soltaron... —Cleo la miró con una inquietud tan aguda que por poco casi pierde la compostura—. ¿Y soltaron a Miriam? ¿Se encuentra bien?

Hester se sentó en la silla y se inclinó un poco hacia delante. Cada vez le caía mejor Cleo Anderson. No podía ser testigo imparcial de su aflicción ni resignarse ante su destino.

—Sí, la han soltado.

—¿Está en casa? —Miraba a Hester atentamente.

—No... Se fue con Lucius y con el comandante.

Escrutó el rostro de Cleo en busca de algo que la ayudara a comprender el pánico de Miriam ante esa expectativa. No vio nada, ni la más mínima señal de comprensión, aunque hubiese sido fugaz.

—¿Se encontraba bien? —quiso saber Cleo temerosa.

Decir la verdad le parecía cruel, pero Hester no sabía lo bastante como para juzgar qué mentiras harían menos daño.

—No —contestó—. Creo que no. Al menos eso es lo que dijo mi marido. Habría preferido con mucho ir a cualquier otro sitio, hasta permanecer en prisión, pero no le dieron alternativa. La policía no podía retenerla porque ya no estaba acusada de nada, aunque era obvio para todos que estaba profundamente afligida, y, dado que es testigo de buena parte de lo ocurrido, tienen cierta autoridad para decidir adónde debe ir.

Cleo no dijo nada. Bajó la vista a sus manos, cruzadas en el regazo.

Hester la observó detenidamente al preguntar:

—¿Sabe usted por qué huyó de Cleveland Square y por qué tuvieron que llevarla prácticamente a rastras al salir de la cárcel?

Cleo levantó la vista enseguida.

—No, no lo sé. No me lo quiso decir.

Hester la creyó. La confusión y la pena de su mirada eran demasiado reales.

—No me diga si se llevó o no las medicinas —dijo entonces Hester, en voz baja—. Sé que lo hizo y también sé para qué.

Cleo la observó pensativa unos instantes antes de decir:

—¿Qué va a ser de ellos, señorita? ¿Nadie se hará cargo? Los que tienen familia están mejor que los que no, pero ni siquiera a ellos les alcanza para comprar lo que necesitan o no saben lo que es. Envejecen y los hijos hacen su vida, dejándolos atrás. A los jóvenes de ahora les importan un bledo Trafalgar y Waterloo. Dentro de unos años se habrán olvidado también de Crimea. Esos soldados lo son todo ahora porque aún son jóvenes y apuestos. Nos disgusta ver a un muchacho sin brazos o sin piernas o con las tripas destrozadas. Pero cuando envejecen dejan de preocuparnos. Decimos que, de todos modos, no tardarán en morir. ¿A santo de qué vamos a invertir tiempo y dinero en ellos?

No había ningún argumento que rebatir. Por supuesto, no era así en todas partes, pero en demasiados casos sí.

—¿Qué tiene John Robb, el marinero de la victoria

de Trafalgar? —preguntó Hester—. Parece tisis, hasta donde yo sé.

Cleo tensó los músculos faciales y asintió con la cabeza al hablar.

—No creo que dure mucho. Su nieto hace todo lo que puede por él, pero con eso no basta. No puede proporcionarle ningún alivio sin la morfina. —No se lo pidió, pero su mirada suplicaba el asentimiento de Hester.

Hester sabía lo que eso suponía. Tendría que darle la morfina ella misma. Se vería implicada en los robos. Pero si se negaba agravaría el sufrimiento del anciano y su sensación de abandono. Cuando él comprendiera la situación, sabría que su sufrimiento era menos importante para Hester que el mantenerse ella misma a salvo del riesgo. Aliviar el dolor era correcto, siempre y cuando el coste fuese pequeño; un poco de tiempo, hasta de cansancio, pero sin peligro personal.

—Sí, por supuesto. —Las palabras salieron de su boca antes de que tuviera ocasión de ponderar el alcance de lo que se estaba comprometiendo a hacer.

—Gracias —susurró Cleo, con un breve brillo en los ojos, como si hubiese visto una luz en medio de la oscuridad—. Y agradecería el jabón y la cuchara, si no es demasiada molestia.

—Por supuesto. —Hester hizo un ademán como dándolo por hecho. Lo que realmente quería era ayudarla con alguna clase de defensa, pero ¿dónde encontrarla? Se dio cuenta con amargura de que estaba medio convencida de que Cleo había matado a Treadwell—. ¿Cuenta con un abogado que hable en su nombre?

—¿Un abogado? ¿Qué va a decir? No servirá de nada.

El tono de la voz fue desapasionado, como si la hubieran arrojado de golpe a la crudeza del presente, a su propia realidad, no a la de John Robb. Se encerraba en sí misma, excluyendo a Hester de sus emociones hasta el punto de que ésta se sintió rechazada, como una intrusa. ¿Acaso Cleo Anderson todavía estaba defendiendo a Miriam Gardiner? ¿O es que era culpable y creía que merecía morir?

—¿Mató usted a Treadwell? —preguntó Hester bruscamente.

Cleo titubeó, estuvo a punto de hablar, pero cambió de parecer y guardó silencio. Hester tuvo la impresión de que iba a negarlo, aunque jamás lo sabría, y preguntar otra vez no serviría de nada. La máscara era absoluta.

—¿Le estaba haciendo chantaje? —preguntó a continuación.

Cleo suspiró.

—Sí, claro que me lo hacía. Ése lo hacía casi todo por dinero.

—Entiendo.

No parecía que hubiera mucho más que decir. Estaba decidida sin una sombra de duda a hacer cuanto pudiera para ayudar a Cleo, la cuestión era cómo. El nombre de Oliver Rathbone acudió a su mente.

Cleo la agarró por la muñeca con fuerza, sobresaltándola.

—¡No se lo diga al sargento! —dijo con vehemencia—. No va a cambiar lo que él hace y... —Pestañeó, con el rostro transido de pena—. Y no le cuente al señor Robb por qué no voy a verlo. Dígale cualquier cosa..., lo que sea. Puede que para cuando me juzguen y..., bueno, tampoco tiene por qué enterarse. No me extrañaría que ya hubiese fallecido para entonces.

—Le contaré otra cosa —le tranquilizó Hester—. Probablemente, que ha tenido que ir a cuidar a un pariente o algo por el estilo.

—Gracias.

La gratitud de Cleo era tan manifiesta que Hester se sintió culpable. Estuvo a punto de decir que tenía la intención de hacer mucho más, pero no tenía ni idea de qué, y alimentar falsas esperanzas sería desconsideradamente cruel.

—Le traeré el jabón —prometió—. Y la cuchara.

Fue a la puerta y llamó para que el carcelero le dejara salir.

El siguiente paso que dio fue el que suponía más dificultad y, sin duda, el que más miedo le daba. La invadió la culpa desde el momento en que subió la escalera y cruzó la puerta del hospital. Sostuvo la mirada de dos jóvenes estudiantes de medicina con demasiado descaro, como para apartar toda sospecha de ella. Enseguida se sintió ridícula y se ruborizó. Aún no había hecho nada. No era distinta de la persona que había sido el día anterior o aquella misma mañana, cuando estuvo perfectamente dispuesta a enfrentarse a Fermín Thorpe en su despacho y a devanarse los sesos para ayudar a Cleo Anderson. ¿Tendría Callandra que devanarse los suyos a su vez para defenderla a ella?

Y no había escapatoria. Aparte de la simpatía que le inspiraba John Robb, se lo había prometido a Cleo. Estuvo intentando trazar un plan, pero todo dependía en gran medida de que se presentara la ocasión propicia. Parecía poco práctico tratar de robar las llaves de Phillips y sería injusto para con él. Además, era extremadamente cuidadoso con ellas y no sería extraño que ahora aún lo fuese más.

¿Cuánto tendría que esperar hasta que una crisis del tipo que fuere le brindara la oportunidad, con la farmacia abierta y desatendida o con Phillips dentro, pero dándole la espalda? De pronto se enfureció consigo misma. Había estado a solas con Cleo y no se le ocurrió preguntar cómo se las ingeniaba ella. Se limitó a prometer alegremente que haría lo mismo, sin la más remota idea de cómo llevarlo a cabo. Resultaba humillante constatar tanta estupidez.

Estaba de pie en mitad del pasillo y allí la encontró Kristian Beck.

—Hester —dijo preocupado—, ¿se encuentra bien?

Se recobró con prontitud y empezó a hablar con la idea sólo medio formulada en su mente.

—Me estaba preguntando cómo se las arreglaba Cleo Anderson para robar la morfina. Phillips es muy escrupuloso. Quiero decir, ¿cómo cree que lo hacía? Me refiero a lo práctico.

Kristian frunció el ceño.

—¿Acaso importa?

¿Por qué decía eso? ¿Era indiferente a los robos? ¿Estaba tan convencido de la culpabilidad de Cleo que los detalles no revestían para él ninguna importancia? ¿O tal vez Kristian se sentía comprensivo con lo que la mujer había hecho?

—No pretendo demostrarlo —le aclaró Hester con firmeza, buscando su mirada con absoluta sinceridad—. Nada me agradaría tanto como probar lo contrario, pero, ya que no puede ser, al menos quiero comprenderlo.

—Está acusada de asesinar a Treadwell —señaló él en voz baja—. El jurado no puede pasar eso por alto, piensen lo que piensen sus miembros a título personal. No existe ninguna disposición o ley para asesinar chantajistas ni para robar medicinas, aunque sea con la finalidad de asistir a viejos y enfermos que no cuentan con ninguna otra clase de ayuda. —Su lastimoso tono de voz dejaba traslucir sus sentimientos con suma claridad.

—Eso ya lo sé —susurró Hester—, pero aun así, me gustaría saber cómo lo hizo exactamente.

Kristian permaneció callado unos instantes.

Ella aguardó. Por un lado quería marcharse antes de que fuera demasiado tarde. Pero escapar sólo la alejaría en sentido físico. Moral y emocionalmente seguiría atrapada. Y aquello era trivial comparado con lo que vivían Cleo o John Robb.

—¿Qué cree usted que se llevó? —preguntó Kristian por fin.

Hester tragó saliva.

—Morfina, para un anciano que tiene tisis. No lo curará, pero le permite descansar un poco.

—Muy comprensible —asintió él—. Confío en que le diera también un poco de jerez disuelto en agua.

—Creo que lo hacía.

—Muy bien. Necesito sacar unas cosas de la farmacia. Iré a buscar las llaves. Puede echarme una mano si lo desea. —Y sin esperar a que contestara, dio media vuelta y se alejó a grandes zancadas.

Regresó al cabo de unos minutos con las llaves y abrió la puerta. Entró y dejó que Hester lo siguiera. Comenzó a abrir varios armarios y a sacar hojas para infusiones, cordiales y polvos varios. Le pasó varios de ellos a Hester mientras seguía abriendo botellas y tarros y volvía a cerrarlos. Cuando terminó salieron juntos al pasillo, echó la llave, tomó parte de los medicamentos que ella sostenía y luego le dio las gracias y se marchó dejándola de pie en medio del pasillo con una botellita de cordial y una dosis semanal de morfina, aparte de varios cucuruchos de quinina.

Hester se lo metió todo en los bolsillos y se encaminó hacia la puerta principal. Sentía como si docenas de ojos le estuvieran taladrando la espalda, aunque de hecho sólo se cruzó con una enfermera, que llevaba una fregona y un cubo, y con el propio Fermin Thorpe, que iba ensimismado dando grandes zancadas y apenas reparó en ella.

John Robb estuvo encantado de verla. Había pasado muy mala noche, pero ya entrada la tarde, se encontraba algo mejor y la soledad de estar sentado en una butaca en la casa vacía, a pesar del sol que entraba por las ventanas, lo había puesto melancólico. El rostro se le iluminó con una sonrisa al reconocer los andares de Hester y antes de que entrara en la habitación arregló el poco espacio que alcanzaba desde el asiento, preparándose para recibirla.

—¿Qué tal está? —la saludó en cuanto entró por la puerta.

—Muy bien —contestó ella animadamente. No tenía que enterarse de lo de Cleo mientras pudiera evitarse.

No podía advertírselo a Michael sin explicarle el motivo y esto lo pondría en una situación imposible, pues tendría que optar entre beneficiarse indirectamente de los robos, cosa que le sería intolerable, o por el contrario testificar contra Cleo con conocimiento de causa. Eso también sería insoportable, tanto por el bienestar del anciano como por el suyo. Semejante decepción y sentido de la traición sería más de lo que el viejo y frágil cuerpo de John Robb aguantase. Y entonces la culpabilidad de Michael sería atroz.

—Estoy la mar de bien —repitió con más firmeza—. ¿Cómo está usted? Espero que tenga ánimos para tomar una taza de té conmigo. He traído uno que creo que le va a gustar, y también galletas. —Le dedicó una amplia sonrisa—. Por supuesto, no es más que una excusa para que me cuente más historias de su vida en el mar y de los lugares donde ha estado. El otro día empezó a hablarme de las Indias, ¿se acuerda? Me contó lo brillante que era el agua, como una cascada de joyas, y que había visto peces que volaban.

—Ay, Dios la bendiga, muchacha, claro que estoy animado —admitió con una sonrisa—. Ande, ponga el agua a calentar y le contaré todo lo que quiera saber.

—Ahora mismo.

Cruzó la habitación y sacó las galletas y el té de la bolsa que llevaba consigo, puso agua del aguamanil a calentar y, entonces, le dio la espalda, sacó la botella de cordial y la dejó en el anaquel, medio oculta tras un paquete azul de azúcar. Luego, sacó con disimulo la morfina del bolsillo y la metió debajo de dos cucuruchos medio vacíos que quedaban de la última visita de Cleo.

—¿Hacía mucho calor en las Indias? —preguntó.

—No daría usted crédito, muchacha —respondió Robb—. Era como si el mismísimo mar estuviera hirviendo, borbotando y humeando. El aire era tan denso que te obturaba la garganta y lo tenías que tragar.

—¡A veces aquí también hay que mascarlo cuando hace mucho frío! —exclamó Hester riéndose.

—¡Vaya que sí! ¡Y también he estado en el norte yo! —se entusiasmó el anciano—. Grandes paredes de hielo que se alzaban desde la mar. No habrá visto nada igual, muchacha. Hermosas y terribles eran. Y el aliento se te helaba como una niebla blanca delante de ti.

Hester se volvió, le sonrió y se dispuso a preparar el té.

—La señora Anderson ha tenido que ausentarse una temporada. Alguien de su familia ha caído enfermo, creo. —Calentó la tetera, tiró el agua, metió las hojas y vertió el resto del agua caliente—. Me pidió que ocupara su puesto. Creo que adivinó que lo haría encantada. Espero que usted no tenga inconveniente.

Robb se relajó, mirándola con manifiesto placer.

—Claro que no. Así podrá hablarme sobre los sitios donde ha estado. Sobre los turcos y demás. Aunque echaré de menos a Cleo. Es una buena mujer. No se atribula por nada. Y eso que a veces la he visto tan cansada que estaba para el arrastre. Espero que su familia se lo agradezca como merece.

Sólo cabía mentir.

—Seguro que lo harán —dijo Hester con tanta naturalidad como pudo—. Y le haré llegar recado de que se encuentra usted bien.

—No deje de hacerlo, muchacha. Y dígale que he preguntado por ella.

—Lo haré.

243

De pronto le costó un enorme trabajo dominarse. ¡Era ridículo tener ganas de llorar en ese momento! Nada había cambiado. Inspiró sonoramente y se sonó, preparó el servicio de té y abrió la bolsa de galletas. Le había comprado las mejores que encontró. Quedaban bonitas en el plato. Estaba decidida a que aquello fuera una fiesta.

No sacó el tema hasta que ella y Monk terminaron de cenar. Estaban sentados en silencio, contemplando la última luz desvanecerse al otro lado de las ventanas y preguntándose si ya era hora de encender el gas o si resultaría más agradable dejar que la penumbra invadiera la estancia.

Naturalmente, no tenía la menor intención de mencionar siquiera a John Robb, y mucho menos de decirle a Monk que había sustituido a Cleo para cuidarlo. Aparte de la forma en que reaccionaría ante tal información, ese conocimiento lo pondría en un compromiso. No había ninguna necesidad de que ambos tuvieran que mentir.

—¿Qué podemos hacer para ayudar a Cleo Anderson? —preguntó, dando por sentado que no había que discutir si iban a hacerlo o no.

Monk levantó la cabeza bruscamente.

Ella aguardó.

—Todo lo que hemos hecho hasta ahora sólo ha empeorado las cosas —contestó pesaroso—. El mejor servicio que podemos prestar a esa pobre mujer es dejarla en paz.

—Si hacemos lo que dices es harto probable que la ahorquen —arguyó Hester—. Y eso estaría muy mal. Treadwell era un chantajista. Cleo es culpable de un crimen ante la ley, quizá, pero no de un pecado. Tenemos que hacer algo. La humanidad lo exige.

—Yo descubro hechos, Hester —dijo Monk en voz baja—. Cuanto he descubierto hasta el momento indica que Cleo lo mató. Puede que me inspire compasión; de hecho, así es. Dios sabe bien que yo en su lugar podría haber hecho lo mismo.

Hester vio que lo asaltaban recuerdos del pasado y supo en qué estaba pensando. Ella también recordaba a Jocelin Grey y el piso de Mecklenburgh Square y lo cerca que estuvo Monk de cometer un homicidio.

—Pero eso no me disculparía ante la ley —prosiguió Monk—. Ni alteraría nada de lo que el juez y el jurado tengan que hacer. Si en efecto lo mató, puede que haya alguna circunstancia atenuante, pero tendrá que ser ella quien la exponga. Entonces podré buscar pruebas para demostrarlo, si es que las hay.

No acababa de decidirse a hablarle de Oliver Rathbone. Había muchas emociones en juego, una vieja amistad, un viejo amor y quizá dolor. No sabía en qué medida. Hester no había vuelto a ver a Rathbone desde que ella se casó con Monk, pero recordaba, con una intensidad tan aguda que llegaba a ver la luz de las velas y a oler la cálida atmósfera del comedor de la posada, la noche en que Rathbone estuvo a punto de pedirle que se casara con él. Se contuvo sólo porque ella le dio a entender, indirectamente, que no podía aceptar, al menos por el momento. Y él dejó escapar la oportunidad.

—No sólo cuentan los hechos —comenzó, tanteando el terreno—. También la interpretación que de ellos se haga, el alegato, por decirlo así.

Monk la miró muy serio antes de responder. Su rostro no reflejaba ninguna crítica, aunque sí una aguda tristeza.

—¿Una petición de atenuante? ¿No crees que le darás una falsa esperanza?

Podía ser cierto.

—Pero tenemos que intentarlo, ¿no crees? No podemos rendirnos sin presentar batalla.

—¿Qué quieres hacer?

Contestó lo que Monk ya esperaba.

—Podríamos preguntar a Oliver... —Tomó aire—. ¿Por lo menos podríamos plantearle el caso para que nos dé su opinión? —Lo formuló como una pregunta.

No advirtió ningún cambio en su expresión, ningún enojo, ninguna tensión.

—Por supuesto. Pero no te hagas ilusiones.

Hester sonrió.

—No... Sólo será intentarlo.

Hester despertó en la oscuridad, notando el movimiento de Monk al levantarse de la cama. Abajo, alguien golpeaba la puerta principal sin hacer demasiado ruido, pero con insistencia, como quien no quiere darse por vencido.

Monk se puso la chaqueta encima de la camisa de dormir y Hester se incorporó en la cama y le vio salir descalzo del dormitorio. Oyó que se abría la puerta y se cerraba muy poco después.

Vio el reflejo de la luz del vestíbulo en el techo del descansillo cuando Monk encendió el gas.

No pudo aguantar más. Saltó de la cama y se puso una bata. Encontró a Monk subiendo la escalera con un trozo de papel en la mano. Tenía el semblante demudado y la mirada sombría.

—¿Qué pasa? —preguntó Hester con voz entrecortada.

—Verona Stourbridge. —La voz le temblaba un poco—. ¡La han asesinado! Exactamente igual que a Treadwell. Un único golpe muy fuerte en la cabeza, con un mazo de croquet. —Cerró el puño arrugando el papel blanco—. Robb me pide que vaya.

8

Monk tardó casi un cuarto de hora en encontrar un coche de punto; primero bajó a grandes zancadas por Fitzroy Street hasta Tottenham Court Road, donde torció al sur, hacia Oxford Street.

Había dejado a Hester furiosa por quedar al margen, pero habría resultado sumamente inapropiado que la hubiese llevado consigo. No hubiera hecho nada más que satisfacer su propia curiosidad y resultaría bastante impertinente. Ella no discutió, guardándose la rabia para sí, pues se sentía tan impotente y confundida como él.

La noche era agradable. Una fina capa de nubes cruzaba rauda el firmamento iluminado por la luna. El aire se notaba templado, y las aceras todavía guardaban el calor del día. Los pasos de Monk resonaban en el silencio casi absoluto. Un carruaje salió con gran estruendo de Percy Street y cruzó hacia Bedford Square; sus puertas relucientes y los ijares lustrosos de los caballos despedían destellos de luna. Quienquiera que hubiese asesinado a Verona Stourbridge no era Cleo Anderson, pues estaba bien encerrada en la comisaría de Hampstead.

¿Qué relación guardaría este nuevo y terrible acontecimiento con la muerte de James Treadwell?

Vio a unos peatones en la esquina de Oxford Street, dos hombres y una mujer riéndose.

Trató de recordar a la señora Stourbridge partiendo de las dos únicas ocasiones en que la había visto. No logró rememorar sus rasgos, ni siquiera el color de los ojos, sólo la impresión preponderante de una especie de vulnerabilidad. Debajo de su aplomo y de la encantadora ropa había una mujer que sabía lo que era el miedo. Aunque quizá Monk lo creía así en retrospectiva, ahora que estaba muerta, asesinada.

Tenía que tratarse de un miembro de la familia o un criado, o Miriam. Ahora bien, ¿por qué iba a matarla Miriam, a no ser que estuviera realmente loca?

Dobló la esquina y caminó por el borde de la acera de Oxford Street, mirando cada dos por tres a la calle en busca de un coche. Recordaba a Miriam perfectamente, los ojos grandes, la caída del cabello, la determinación de la boca. Había actuado sin ninguna razón aparente, pero Monk nunca había conocido a nadie que le transmitiera una mayor sensación de cordura interior, una entereza que ninguna fuerza exterior sería capaz de destruir.

¿Acaso en eso consistía la locura, algo en tu interior que la realidad del mundo no podía alterar?

Un coche aminoró el paso y Monk le hizo señas; dio la dirección de los Stourbridge en Cleveland Square. El conductor rezongó porque quedaba muy lejos y Monk no le hizo ningún caso, subió al vehículo y se sentó, sumido en el silencio, meditabundo.

Llegó a casa de los Stourbridge, pagó al conductor y subió la escalinata. Acababan de dar la una de la madrugada. Todas las casas vecinas estaban a oscuras, pero en ésta el vestíbulo y por lo menos otras cuatro habitaciones resplandecían de luz por las rendijas de las cortinas mal cerradas. Había otro carruaje fuera, aguardando. Seguramente el del médico.

El mayordomo abrió la puerta un instante después de que Monk llamara y lo invitó a entrar con la voz ronca por la tensión. El hombre estaba pálido y su cuerpo, bajo el traje negro, se veía tenso y algo tembloroso. Le habrían dado instrucciones de recibir a Monk, pues sin esperar más indicaciones le hizo pasar a la sala de estar.

Tres minutos después entró el sargento Robb y cerró la puerta. Por su aspecto se diría que era él quien acababa de enviudar. Ver a Monk pareció alegrarlo un poco.

—Gracias —dijo simplemente—. Es..., es lo último que me esperaba. ¿Por qué iba alguien a atacar a la señora Stourbridge? —Levantó la voz con desesperada incomprensión.

Se lo veía exhausto y con una rigidez que Monk reconoció como miedo. Aquél no era el tipo de crimen que entendía ni la clase de personas con las que se había enfrentado antes. Sabía que no hacía pie.

—Empiece por los hechos —solicitó Monk con calma, mostrando más confianza de la que sentía—. Cuénteme exactamente lo que sepa. ¿Quién le avisó? ¿A qué hora? ¿Qué le dijeron?

Robb se sorprendió ligeramente, como si hubiese esperado tener que empezar por el cadáver y dónde estaba cada uno.

—Poco antes de medianoche —comenzó, más tranquilo, pero todavía de pie—. Serían menos cuarto. Un agente llamó a mi puerta para decirme que se había cometido un asesinato en Bayswater que estaba relacionado con mi caso y que la policía de allí quería que me presentara de inmediato. Había un coche esperando. Me puse en camino en menos de cinco minutos.

Empezó a ir de un lado a otro, inquieto y mirando de vez en cuando a Monk.

—Me dijo que la víctima era la señora Stourbridge y, en cuanto me enteré, envié al agente a buscarle a usted. —Sacudió la cabeza—. No lo comprendo. No puede haber sido Cleo Anderson esta vez. —Se puso de cara a Monk—. ¿Me equivoqué a propósito de la señora Gardiner y es ella quien lo ha hecho? ¿Por qué? No tiene sentido.

—Si avisaron a la policía del distrito —reflexionó

Monk— y luego ellos le avisaron a usted, el cuerpo tuvo que ser hallado alrededor de las once. Hace ya más de dos horas. ¿Quién la encontró y dónde estaba?

—La encontró el comandante Stourbridge. Estaba en su dormitorio. Fue pura casualidad que entrara para decirle algo después de haberle dado las buenas noches y que toda la familia se hubiese retirado. Me ha dicho que había olvidado comentarle algo acerca de un primo que tiene previsto visitarlos y quería recordárselo. El pobre hombre entró en el dormitorio y la encontró desplomada en el suelo junto a una mancha de sangre en la alfombra.

—¿La movió? —preguntó Monk. Habría sido muy natural que lo hiciera.

—Dice que la tomó en brazos. —La voz de Robb se crispó como si tuviera la garganta demasiado rígida para poder hablar correctamente—. Que la acunó. Supongo que por un instante abrigó esperanzas de que no estuviera muerta. —Tragó saliva—. Pero la herida es terrible. Parece un golpe muy fuerte. El mazo de croquet sigue allí en el suelo, a su lado. Al menos, eso es lo que me han dicho que es. Yo no había visto ninguno hasta hoy.

Monk procuró no visualizarlo, mas no lo consiguió. Su mente recreó la figura en el suelo, el hueso roto y la sangre.

—Dice que volvió a dejarla donde estaba —agregó Robb, abatido.

—¿Qué llevaba puesto ella?

—Pues...

—¿Un camisón, un vestido? —insistió Monk.

Robb se ruborizó un poco al contestar.

—Una especie de bata larga, blanquecina. Creo que podría ser un camisón. —Saltaba a la vista que lo incomodaba sobremanera comentar esos detalles. Pertenecían a un ámbito en el que se sentía un intruso.

—¿Dónde estaba tendida exactamente? ¿Qué piensa que estaba haciendo cuando la golpearon? ¿Fue por detrás, o de frente?

Robb meditó un momento y respondió:

—Estaba tendida sobre un costado a unos dos metros de la cama. Parecía como si hubiese estado hablando con alguien y que le hubiese dado la espalda, pues la golpearon por detrás. Al menos eso deduzco. Encaja.

—¿Daba la espalda al atacante? ¿Está seguro?

—Si el comandante no la ha movido demasiado, sí. La herida es en la parte trasera y un poco hacia un lado. No se puede golpear a nadie así de frente. —Abrió un poco los ojos—. Si tenemos en cuenta que estaba en su dormitorio, cuesta creer que le diera la espalda a alguien a quien tuviera miedo. —Apretó los labios—. Tampoco es que haya creído en ningún momento que se tratara de un ladrón. No hay indicios de que nadie haya forzado la entrada. Además, era demasiado temprano para los ladrones. Nadie entra a robar cuando la mitad de quienes viven en la casa están todavía levantados. Fue uno de ellos, ¿no le parece? —No lo formuló como una pregunta.

—Se diría que la policía local sacó la misma conclusión —opinó Monk en un tono seco—. No me sorprende que quisieran desentenderse de esto. ¿Ya ha preguntado dónde se encontraba todo el mundo?

—Sólo al comandante. Parece tener un buen dominio de sí mismo, pero está blanco como la leche y lo veo un poco pachucho. Me ha dicho que se encontraba en la cama. Había despedido a su ayuda de cámara hasta la mañana siguiente y se disponía a apagar la luz cuando se acordó de ese primo que va a venir. Según parece, a la señora Stourbridge no le caía muy bien. El comandante dudaba si escribirle mañana diciéndole que su visita era importuna.

—¿A qué hora fue vista por última vez con vida la señora Stourbridge?

—No lo sé. El ama de llaves ha mandado avisar a la doncella, pero aún no he hablado con ella. —Robb paseó la mirada por la espaciosa estancia en la que estaban conversando. Incluso con la tenue luz de una sola lámpara resultaba acogedora. El resplandor se reflejaba en los marcos de plata y centelleaba en el cristal tallado de una fila de garrafas—. No estoy acostumbrado a ver a esta clase de gente envuelta en actos violentos, ni a interrogarlos —comentó con pesar—. Es más frecuente que sea por un robo, y preguntarles a los criados por los desconocidos que hayan visto merodeando y por no cerrar bien las puertas.

—Esta clase de cosas no suceden con mucha frecuencia en casa de nadie. Pero lo mejor es preguntar ahora, antes de que tengan tiempo de olvidar o de hablar entre sí y urdir mentiras.

—Sólo uno de ellos mentirá... —comenzó Robb.

Monk dio un resoplido y dijo:

—La gente miente por toda clase de motivos y sobre cosas que piensan que no tienen nada que ver con el crimen. Más le vale ver a la doncella, esté histérica o no. Tiene usted que saber a qué hora se quedó sola y con vida la señora Stourbridge o si es que esperaba a alguien. Qué dijo, cómo se encontraba, cualquier cosa que la mujer pueda decirle.

—¿Se quedará usted?

—Como quiera.

Mandaron avisar a la doncella, que se presentó sostenida por el mayordomo como si le fueran a flaquear las piernas en cualquier momento.

Tenía los ojos enrojecidos y no paraba de secarse la cara con un pañuelo que ya era poco más que un trapo retorcido.

La guiaron hasta uno de los sillones y autorizaron al mayordomo a quedarse. Robb empezó a preguntar. La trataba con mucha amabilidad, dejando traslucir su propia incomodidad.

—Sí, señor. —Tragó saliva—. La señora Stourbridge se fue a la cama hacia las diez, o un poco después. Preparé su ropa del día siguiente. Un vestido verde y blanco para la mañana. Iba a visitar una galería de arte. —Los ojos se le llenaron de lágrimas.

—¿A qué hora la dejó sola? —preguntó Robb.

La mujer sollozó y trató de secarse las mejillas con el pañuelo mojado.

—Hacia las once menos cuarto.

—¿Ya se había acostado la señora? —intervino Monk.

Lo miró sorprendida.

—Seguro que lo recuerda si lo piensa un momento —la alentó él—. Es bastante importante.

—¿Ah, sí?

—Sí. Es importante saber si esperaba que alguien fuera a verla o no.

—Ah. Sí. Ya lo entiendo. No, no lo entiendo. ¡No creo que estuviera esperando a que entrara un ladrón y la matara!

—No ha entrado nadie, Pearl.

—¿Qué está diciendo? —Quedó aterrada. Crispó las manos en el regazo hasta desgarrar el pañuelo.

Robb volvió a hacerse cargo de la situación.

—Decimos que quien mató a la señora Stourbridge ya estaba en la casa.

—¡No puede ser! —Negó con la cabeza—. ¡Ninguno de los de aquí haría algo así! ¡No somos asesinos! —Ahora estaba al mismo tiempo asustada y ofendida.

—Pues sí que puede ser —replicó Robb—. La policía local, con la ayuda del mayordomo y del criado, ha efectuado un registro a fondo. No entró nadie. Bien, ahora dígame todo lo que sepa sobre las idas y venidas de todos los demás desde que terminó usted de cenar hasta ahora.

La mujer contestó diligentemente, pero nada de cuanto dijo sirvió para incriminar ni absolver a nadie.

La doncella asignada a Miriam no fue de mucha más ayuda. Había acompañado a Miriam a la cama más temprano y no sabía si permaneció o no allí. Se le permitió retirarse y subió a su habitación, en el ático. Era muy fácil trabajar para la señora Gardiner, y no podía creer nada malo de ella, dijeran lo que dijeran. Quienes no supieran hablar bien, mejor que se callaran.

Tampoco los demás sirvientes pudieron dar fe de los movimientos del resto de la familia. Sin embargo, las doncellas sabían a qué hora se habían acostado sus compañeras. La cocinera, cuya habitación era la más próxima a la escalera, tenía el sueño ligero, y el segundo peldaño crujía. Estaba segura de que nadie había pasado después de que ella subiera a las once menos cuarto.

Finalmente, Monk se obligó a ir a ver el cadáver. Un agente de policía montaba guardia en el descansillo frente a la puerta. Parecía cansado y triste. Les hizo pasar sin mirar al interior.

Verona Stourbridge yacía tendida como si se hubiese tumbado de espaldas, a medio camino entre la cómoda y la cama. Así era como la había dejado su marido al comprender que ya no podía hacer nada por ella. La alfombra estaba empapada de sangre oscura a poco más de un palmo de la cabeza. Era fácil ver dónde había caído la primera vez.

Tenía las manos flácidas y no sostenía nada en ninguna de ellas. Llevaba una bata encima del camisón. Parecía de seda y, cuando Monk se agachó para tocarla, supo al instante que lo era: suave, cara y hermosa.

Se preguntó si alguna vez estaría en condiciones de comprarle algo parecido a Hester. Aquélla la tirarían cuando se cerrara el caso. Nadie querría usarla.

Se irguió y se volvió hacia Robb.

—¿Un miembro de la familia? —preguntó el sargento con voz ronca.

—Sí —asintió Monk.

—¿Por qué? —Robb estaba perplejo—. ¿Por qué iba a matarla ninguno de ellos? ¿Su marido, cree usted? ¿O Lucius? —Respiró hondo—. ¿O Miriam Gardiner? Pero por qué iba ella a...

—Buscaremos el móvil después —le cortó Monk—. Vayamos a hablar con el comandante.

Robb se volvió a regañadientes y dejó que Monk pasara delante.

Harry Stourbridge los recibió en la biblioteca. Se había vestido con un traje oscuro. Llevaba el pelo rubio despeinado y los ojos se le hundían en el cráneo como si la carne ya no tuviera vida ni firmeza. No dijo nada, se limitó a mirar a Robb, luego a Monk y de nuevo al primero.

—Por favor, siéntese, comandante Stourbridge —dijo Robb, sintiéndose incómodo—. No sabía si aquel hombre era un viudo digno de compasión o un sospechoso que merecía su hostilidad y su desprecio.

Stourbridge obedeció. Le fallaron las piernas y más bien se dejó caer en el sillón.

Robb se sentó frente a él y Monk ocupó un tercer asiento.

Con voz baja y ronca, Stourbridge volvió a contar que había olvidado un recado, que salió de su habitación, recorrió el pasillo sin ver ni oír a nadie y llamó a la puerta de su esposa antes de entrar.

Monk le interrumpió:

—¿Tenía encendida la luz, señor?

—No... La lámpara principal no, sólo una de pared. —Se volvió para mirarlo con renovado interés—. ¿Significa algo? Duerme con la lámpara encendida. No le gusta la oscuridad. Sólo lo justo para ver, un resplandor, nada más.

—¿Suficiente para hablar con alguien? —insistió Monk.

—Sí, supongo que sí. Si fuese... con alguien a quien

conocía bien. Uno no recibe... —Se calló, con el rostro transido otra vez por la incertidumbre.

—Ya hemos establecido que no ha sido nadie del servicio —señaló Robb en voz baja—. Así que sólo nos queda la familia y la señora Gardiner.

Fue como si Stourbridge encajara un puñetazo.

—Eso no..., no puede ser. Nadie... —Se calló.

Era un hombre con experiencia en la guerra, en la violencia y en el dolor de la batalla y en el horror de sus secuelas. Muy pocas cosas lograban sorprenderlo o asombrarlo, pero aquello había calado hondo en sus emociones como nunca lo hiciera la honestidad del combate. Se volvió hacia Monk.

Monk no podía cambiar nada, pero sí la forma de abordar los hechos. La realidad era una especie de cura, y también el principio para ejercer algún control sobre el caos.

—Tenemos que hablar con todos —le explicó, mirando a Stourbridge de hito en hito—. Cuando hayamos descartado lo imposible, tendremos una idea más aproximada de lo ocurrido.

—¿Qué? Ah, sí, lo entiendo. No creo que yo les sirva de mucho. —Pareció concentrarse y pensar con más claridad—. Creo que Aiden se retiró bastante temprano a su habitación. Tenía que escribir unas cartas. Lleva una temporada lejos de su casa. Verona..., Verona confiaba plenamente en él. Siempre han estado muy unidos. Yo... —Suspiró profundamente y le costó lo suyo recobrar la calma—. Yo me ausentaba con mucha frecuencia durante los primeros años de nuestro matrimonio. Deberes militares. —Miró más allá de Monk, hacia un recuerdo distante—. La esposa de un militar no tiene una vida fácil. A menudo me destinaban a lugares donde no era adecuado que me acompañara. No había instalaciones para mujeres, ¿comprende? Estábamos en combate, íbamos de un lado a otro. No es que le faltara coraje, sino que no tenía las fuerzas necesarias. Ella... —Pestañeó con fuerza—. Perdió varios bebés... prematuros. Lucius... tardó en llegar. Había cumplido ya los treinta y cinco. No nos dábamos por vencidos. —Se le quebró la voz—. Ella tenía tantas ganas de tener un hijo...

Monk se resistía a interrumpirle pese a que divagaba apartándose del tema. El hombre la había conocido y la amaba. Puede que necesitara hacerla regresar, aunque fuese con palabras, para procurar que los demás la vieran como él.

—Cuando me marchaba a Egipto y a Sudán —prosiguió—, países donde pasé largas temporadas, Aiden le hacía compañía.

—La señora Gardiner... —insinuó Robb.

Stourbridge levantó la cabeza de sopetón.

—¡No! No, no puedo pensar eso de ella.

Monk tampoco podía y, no obstante, las demás alternativas no eran más fáciles de aceptar. Por supuesto, cabía la posibilidad de que el propio Stourbridge estuviera mintiendo, aunque eso era igualmente válido para todos.

—¿A qué hora se retiró Miriam? —preguntó—. Quizá lo mejor será que me refiera el conjunto de la velada, desde que se sentaron a cenar.

Stourbridge volvió a perder la mirada en algún punto situado entre sus interlocutores.

—Miriam no cenó en la mesa. Dijo que se encontraba mal y se hizo llevar una bandeja a la habitación. Creo que tanto le daba comer como no comer; lo hizo por deferencia hacia nosotros y tal vez para evitar hablar del tema o dar pie a que Lucius tratara de persuadirla. De hecho, sólo hablaba con él delante de alguien más.

—¿Habían discutido? —se apresuró a preguntar Robb.

—No. —Negó con la cabeza—. Eso es lo que no comprendo. Y él tampoco. No ha habido ninguna discusión. Se dirige a él con la mayor cortesía, pero no explica por qué se marchó ni qué le sucedió a Treadwell. Y desde que han arrestado a la señora Anderson esa cuestión ya no es relevante. —Frunció el ceño, arrugando toda la cara—. Se pasa el día sentada en su habitación y se niega a hacer y decir nada más que lo que exige la mera educación.

—Está muy afligida por la señora Anderson —intervino Monk—. En todos los sentidos, menos en el literal, ha sido una madre para ella, quizá la única que conoce.

Stourbridge bajó la mirada al suelo.

—Lo olvidé. Por supuesto, debe de estar apenada hasta lo indecible, pero desearía que buscara consuelo en nosotros en lugar de llorarla a solas. Ya no sabemos qué hacer para ayudarla.

—Nadie puede ayudarla —sentenció Monk—. Es algo que hay que pasar. Por favor, descríbanos qué ocurrió durante la cena, alguna conversación relevante, sobre todo alguna diferencia de opinión, por más trivial que fuese.

Stourbridge levantó la vista hacia él.

—Si es que es precisamente eso, no ha habido diferencia alguna. Fue de lo más agradable. La única sombra de nuestras vidas era el silencio de Miriam.

—¿De qué hablaron?

Robb lo observaba, mirando de vez en cuando a Monk.

Stourbridge encogió un poco los hombros, apenas apuntando el gesto.

—De Egipto, que yo recuerde. Verona fue a verme allí una vez. Resultó maravilloso. Vimos cosas increíbles juntos. A ella le encantó, pese al calor y a una comida a la que no estaba habituada, y a las extrañas costumbres de los pueblos nativos. —Sonrió—. Llevaba un diario donde escribía sin cesar, sobre todo durante el viaje de regreso Nilo abajo. Me permitió leer unos fragmentos cuando regresé a casa. También lo compartía con Lucius. Si ella hubiese estado en condiciones de quedarse, él habría nacido en Egipto. Creo que por eso tiene tantas ganas de ir algún día. Era casi como si lo recordara a través de los ojos de su madre. —Se interrumpió bruscamente, sonrojándose un poco—. Lo siento. Me parece que les estoy dando más detalles de los que necesitan. Es sólo que me acordaba... de lo unidos que estábamos..., todo era tan... normal...

—¿Eso es todo? —lo apremió Monk, buscando algo que hubiera podido precipitar la terrible violencia cuyo resultado acababa de ver. Egipto era un tema más bien inofensivo, impersonal, algo de lo que cualquier familia cultivada podía disfrutar conversando alrededor de la mesa.

—Que yo recuerde, Aiden comentó alguna noticia de política, pero no fue más que una mera observación sobre el ministro de Asuntos Exteriores y sus sentimientos ante la unificación de Alemania. —Negó con la cabeza—. No tuvo mayor importancia. Verona se fue a la cama, Aiden a escribir cartas. Lucius salió a pasear un rato por el jardín. No sé a qué hora volvería, pero seguro que el criado lo sabe.

Le hicieron más preguntas antes de dejarlo, pero no agregó nada que explicara las emociones que se desataron en el dormitorio de su esposa, como tampoco ningún dato que implicara a alguien o lo descartara.

Robb no formuló la pregunta, aunque su rostro dejaba patente que se debatía con el asunto de si Stourbridge habría matado a su mujer.

A Monk lo atormentaba la misma indecisión. En su fuero interno creía que no, pero tenía miedo de que su lealtad para con un cliente y la simpatía que le inspiraba aquel hombre le estuvieran empañando el juicio. Nada de cuanto había visto y oído aquella noche demostraba su inocencia.

Llamaron a la puerta.

Robb se levantó y la abrió.

Entró Aiden Campbell. Estaba muy pálido y le temblaban un poco las manos. Tenía un brillo nada natural en los ojos y el cuerpo en tensión. Se movía con torpeza.

—Digo yo que Harry no lo habrá metido en esto —comentó, mirando a Monk con sorpresa.

—No. El sargento Robb me ha pedido que viniera, puesto que estoy al corriente de algunas de las circunstancias con respecto a la casa —respondió Monk.

—Ah, ya veo. Bien, supongo que es lo más acertado —concedió, adentrándose un poco más en la habitación—. Lo que sea con tal de acabar cuanto antes con esto. Mi familia está sufriendo mucho. Primero la conducta inexplicable de la señora Gardiner y ahora esto, esta tragedia de mi pobre hermana. Ya no sabemos adónde mirar. Lucius está... —Se detuvo—. Worsnip me ha dicho que no han hallado indicios de intrusos. ¿Es correcto?

—Sí, señor —contestó Robb—. Y lamento decir que todo el personal de servicio tiene coartada.

—¿Cómo? —Aiden se volvió hacia Monk.

—Así es, señor Campbell —asintió Monk—. Quienquiera que haya matado a la señora Stourbridge ha sido un miembro de la familia. Lo siento.

—Si es que no ha sido la señora Gardiner —se apresuró a apostillar Aiden—. No es de la familia, señor Monk, todavía no, y mucho me temo que después de los acontecimientos de las dos últimas semanas mejor será que no pase a serlo. Fue una lástima que la policía viera adecuado liberarla bajo la custodia de Lucius. Habría sido infinitamente mejor que volviese con los suyos.

—Sólo tiene a la señora Anderson —señaló Monk—, y actualmente está en la cárcel de Hampstead acusada de asesinar a James Treadwell.

—Pues podrían haber encontrado a otro —protestó

Aiden—. Lleva veinte años viviendo en Hampstead. Tendrá otras amistades.

Hubo un momento de silencio.

—Perdonen —se disculpó Aiden en voz baja, apretando la mandíbula y bajando la mirada—. Eso ha sido un despropósito. Estamos pasando una noche horrible. —Se le quebró la voz—: Estaba muy unido a mi hermana... de toda la vida. Ahora mi cuñado y mi sobrino están sufriendo lo indecible y yo no puedo hacer nada para ayudarlos. —Volvió a levantar la cabeza—. Excepto contribuyendo a resolver esto tan rápido como se pueda para que nos dejen llorar nuestras penas en privado.

Robb parecía encontrarse muy incómodo. Su joven rostro acusaba claramente la falta de experiencia en casos de asesinato. Monk era muy consciente de que, además, Robb no se podía permitir fracasar. Necesitaba su empleo no sólo por su propio sustento, sino para asistir a su abuelo.

Los vestigios de la fatiga le veteaban la piel y era obvio que le costaba trabajo mantener erguida la espalda.

—Haremos cuanto podamos para resolver este crimen tan aprisa como sea posible, señor —prometió—, pero debemos proceder de acuerdo con la ley y estar en lo cierto al final. Ahora, si es tan amable, refiéranos la velada tal como la recuerda, señor.

—Por supuesto. ¿A partir de qué hora?

—¿Qué le parece desde que se sentaron a cenar?

Aiden se hundió en el gran sillón que había delante de donde Robb y Monk estaban de pie, y también éstos tomaron asiento. Contó más o menos lo mismo que Harry Stourbridge, variando sólo alguna descripción aquí y otra allá. Dormía cuando Harry Stourbridge lo despertó para contarle el horrible suceso. Imaginaba que su criado, Gibbons, podría corroborarlo casi todo.

—¿Y bien? —preguntó Robb cuando Aiden hubo

salido y cerrado la puerta—. No tenemos gran cosa, ¿verdad?

—Nada de nada —convino Monk—. No veo razón alguna para que mienta. Según Stourbridge, mantenía excelentes relaciones con su hermana y siempre ha sido así.

—Tampoco es por dinero —agregó Robb, desconsolado—. Si la señora Stourbridge era rica antes de casarse, su fortuna ahora pertenecería al marido, y Lucius la heredará tras la muerte de su padre, junto con el título y las tierras.

Monk no se tomó la molestia de contestar.

—Y, si la señora Stourbridge era dadivosa y apoyaba financieramente a Campbell, su muerte acabaría con eso. No, no acierto a ver un móvil para que las cosas no sean tal como él las cuenta. Más vale que hablemos con Lucius.

Aquélla era la entrevista que Monk más aborrecía, quizá porque Lucius había sido su cliente y hasta el momento sólo le había llevado tragedias, un abrumador desastre tras otro. Y ahora podía parecer que consideraba a Lucius sospechoso de asesinato o que sospechaba de Miriam, lo cual para Lucius sería incluso peor. No obstante, ¿qué alternativas había? El asesino era alguno de los presentes en la casa, y no un criado precisamente. Tampoco era que hubiese considerado en serio la segunda posibilidad.

Lucius se presentó demacrado. Tenía los ojos hundidos por la conmoción, enrojecidos y con la mirada perdida, y su cutis moreno había perdido toda su calidez natural. Se sentó como si temiera que las piernas le fuesen a flaquear. No dijo nada, sino que esperó a que Monk hablara y miró a Robb sólo un momento.

Monk nunca dejaba de cumplir con su obligación por desagradable que fuera. De ahí que tratara de atajar cuanto antes, como si el enojo pudiera paliar el dolor.

—Cuéntenos qué ha sucedido esta noche desde el momento en que se sentó a cenar, o antes si es que ocurrió algo digno de mención.

—No. —La voz de Lucius era un poco más aguda de lo normal, como si tuviera la garganta tan seca que a duras penas consiguiera hacer pasar las palabras por ella—. Ha sido la cena más anodina que quepa imaginar. Hablamos de banalidades, ningún asunto personal. Principalmente sobre Egipto. —Una sombra de humor negro cruzó su semblante—. Mi padre nos describió Karnak y el gran salón que hay allí, lo imponente que es, cómo sobrepasa nuestra imaginación. Especulamos un rato sobre lo que debió de ocurrir para que se perdiera toda una civilización capaz de crear tanta belleza y poder. Luego nos habló del Valle de los Reyes. Hizo una descripción. La profundidad de los barrancos y lo insignificante que uno se siente de pie, en el suelo, cuando levanta la vista hacia la diminuta porción de cielo de un azul tan vívido que parece quemar los ojos. Dijo que era un lugar que te obligaba a pensar en Dios y la eternidad, tanto si estabas predispuesto como si no. Todos esos antiguos faraones descansando allí, dentro de sus enormes sarcófagos, rodeados por sus tesoros mundanos, aguardando durante milenios hasta su despertar en el cielo o en el infierno. Conoce algo de esas creencias. Fue una conversación inusual, un tanto mística. Mi madre estuvo allí antes de que yo naciera. Se encontraba muy sola en Inglaterra sin él. —Los sollozos lo obligaron a detenerse.

Robb aguardó unos instantes antes de hablar.

—¿Y no ha habido desacuerdos? —preguntó por fin.

Lucius tragó saliva.

—No, ninguno. ¿Sobre qué íbamos a estar en desacuerdo?

—¿Y la señora Gardiner no estaba presente en la mesa?

El rostro de Lucius se tensó.

—No. No se encontraba bien. Está terriblemente afligida por la señora Anderson, pues ha sido como una madre para ella durante casi toda la vida. ¿Cómo quiere que esté? Ojalá pudiéramos hacer algo para ayudarla. Por supuesto, encontraremos al mejor abogado para que la represente, aunque todo parece indicar que es culpable. Haría cualquier cosa para proteger a Miriam, pero no se me ocurre qué.

Miró a Monk como si aún esperara que a éste se le ocurriera algo.

—Ya ha hecho cuanto ha podido —lo confortó Monk—, salvo si la propia señora Anderson dice algo que sirva como atenuante, y hasta ahora se ha negado a decir nada de nada. Pero esta noche tenemos otro asunto que resolver, y esto no viene al caso. —Vio que Lucius se estremecía—. Por favor, prosiga. ¿Estuvieron todos juntos hasta que su madre se retiró, más bien temprano?

Lucius cobró ánimos.

—Sí. Nadie quería moverse, no había por qué —dijo pesaroso—. Hablamos un poco de política, no recuerdo exactamente qué. Algo relacionado con Alemania. A nadie le interesaba especialmente. Era sólo algo de lo que hablar. Luego salí a dar un paseo por el jardín. Estaba todo muy tranquilo y me apetecía estar a solas. Quería... pensar. —No fue preciso que concretara qué lo preocupaba.

—¿Vio a alguien cuando entró y subió a su habitación? —preguntó Monk.

—Sólo al servicio... y a Miriam. Fui a su habitación, pero se limitó a darme las buenas noches. No vi a nadie más.

—¿Su ayuda de cámara le ayudó a desnudarse o le preparó la ropa para mañana?

—No. Lo envié a dormir. No lo necesitaba y prefería estar solo.

—Entiendo. ¿Oyó algo después? ¿Algún ruido, un movimiento, un grito, pasos?

—No. Al menos no lo recuerdo.

Monk le dio las gracias. Lucius estuvo a punto de preguntar algo, pero cambió de parecer y se puso de pie con poco garbo.

Cuando hubo salido, Robb se volvió hacia Monk. No habían descubierto nada. Nadie estaba implicado ni libre de sospecha. El sargento se pasó la mano por el pelo con los dedos juntos para tirar de él.

—¡Uno de ellos la ha matado! ¡No ha sido un accidente y mucho menos un suicidio!

—Mejor será que hablemos con Miriam Gardiner —dijo Monk en un tono grave.

Robb le lanzó una mirada de impotencia y frustración, se levantó, fue a la puerta y le pidió a la doncella que fuera en busca de Miriam.

Era como una sombra de la mujer que había sido, incluso cuando Monk la encontró escondida y asustada. Tenía el cuerpo esquelético, como si apenas hubiese comido desde entonces. El vestido le colgaba desde los hombros, revelando los huesos a través de la tela fina, y el pecho había perdido sus formas. El cutis se mostraba desprovisto por completo de color y la hermosa cabellera estaba peinada con poco cuidado. Parecía que Miriam no conociese ninguna clase de reposo ni de la mente ni del cuerpo.

Se movía con torpeza y rehusó sentarse cuando Robb la invitó a hacerlo. Llevaba los puños cerrados y le temblaban. Era como si no pestañeara, con la mirada fija, como si su atención sólo en parte estuviera allí.

Robb miró a Monk con desesperación y, en vista de que Monk no decía nada, comenzó a interrogarla.

Con una voz anormalmente serena, la joven contestó que no sabía nada. Había cenado en su habitación, de donde sólo salió para ir al lavabo. No vio a nadie más que a la criada que atendía sus necesidades personales. No tenía ni idea de qué había ocurrido. Nunca discutió con la señora Stourbridge, ni con ningún otro. Se negó a decir nada más.

Y por más que Robb y Monk insistieron, no dio su brazo a torcer. Se fue caminando muy tiesa, balanceándose un poco, como si fuese a perder el equilibrio.

—¿Ha sido ella? —preguntó Robb en cuanto se cerró la puerta.

—No tengo ni idea —confesó Monk.

Detestaba pensarlo, pero Miriam daba la impresión de encontrarse en un estado de histeria contenida, casi como si estuviera en trance, en un mundo privado y con escasas conexiones con la realidad. A juicio de Monk, si la presión aumentaba, por poco que fuera, la joven perdería el control por completo.

¿Sería eso lo que ocurrió? ¿Había ido a ver, por la razón que fuera, a la señora Stourbridge a su dormitorio y algo, por más que fuese inocente o bien intencionado, precipitó su caída en la locura? ¿Acaso Verona Stourbridge hizo algún comentario sobre Cleo Anderson, insinuando que Miriam debería olvidar el pasado y sus penas, y Miriam reaccionó liberando todo el terror y la violencia de su interior mediante un espantoso golpe?

Ahora bien, ¿de dónde salía el mazo de croquet? Uno no guardaba un objeto así en el dormitorio. Quienquiera que hubiese matado a Verona Stourbridge lo llevaba consigo, y sólo con la intención de usarlo como arma.

Era un homicidio premeditado. Lo dijo en voz alta.

—En efecto —admitió Robb—. Así es, pero ella sigue pareciéndome la más probable. Tendremos que remontarnos más de lo que pensaba. Empezaré de nuevo con los criados. El motivo está aquí, sea cual sea, los celos o el miedo, o la rabia. Está en esta casa. Tiene que estar.

Trabajaron toda la noche preguntando, comprobando, repasando un detalle tras otro. Estaban tan cansados que toda la casa parecía un laberinto que diera vueltas sobre sí mismo, como un símbolo de la confusión que encerraba. Monk tenía la garganta seca y los ojos lo molestaban como si los tuviera llenos de arena. La cocinera les llevó una bandeja con té a las tres de la madrugada y otra a las cinco menos cuarto, esta vez con emparedados de ternera asada.

Volvieron a interrogar a la doncella de la señora Stourbridge. La pobre mujer estaba exhausta y aterrorizada, aunque habló con bastante coherencia.

—No sé de nada que la desacredite, creo —dijo cuando Robb le preguntó sobre Miriam—. Siempre ha sido muy gentil, que yo sepa.

Monk se aferró a su titubeo, pues percibió la indecisión de su rostro.

—Tiene que ser franca —la amonestó muy serio—. Se lo debe a la señora Stourbridge. ¿Qué quiere decir eso de «creo»? ¿En qué pensaba usted cuando lo dijo?

Con todo, seguía reacia.

Monk la miró muy frío hasta que ella se puso roja y por fin contestó:

—Bueno..., pensaba en una vez que fui a llevar las enaguas limpias de la señora Stourbridge, para colgarlas en el armario, vamos, y me encontré a la señora Gardiner sentada ante el tocador de la señora Stourbridge... y con uno de los collares de la señora en el cuello. Me dijo que la propia señora se lo había prestado, aunque a mí no me había dicho nada. Y... el diario de la señora Stourbridge estaba abierto encima de la cama, y eso sí que es algo que yo no había visto jamás.

—¿Le dio alguna explicación por lo del diario?

—No... Tampoco se lo pregunté.

—Entiendo.

Se la veía desdichada, y pareció alegrarse de escapar cuando le permitieron hacerlo.

Eran las cinco y media. Robb estaba de pie, de cara a

la ventana y al brillante resplandor del sol mientras los primeros ruidos de la mañana llegaban desde la calle. Pasó un caballo tirando de un carro. En alguna parte del otro lado de la calle se oían pasos sobre la acera. Una puerta se abrió y se cerró. Robb se volvió hacia el interior de la habitación. Tenía el rostro pálido y aspecto de estar agotado y abatido.

—Tengo que arrestarla —anunció en un tono neutro—. Parece que le faltaba tiempo para echar mano de las cosas bonitas o para fisgar en los asuntos de la señora Stourbridge. Ojalá no fuese así. El dinero tiene efectos muy raros sobre algunas personas.

—No tenía que hacerle daño a Verona Stourbridge para conseguir eso —señaló Monk—. Nadie se oponía a la boda.

—Puede que ella sí —apuntó Robb, irguiendo la espalda y levantando la cabeza. Había resuelto plantarle cara a Monk en esa cuestión, pues estaba convencido de ello. Aquél era un terreno de pruebas para ambos e iba a demostrarle su autoridad—. Tal vez la señora Stourbridge sabía lo mismo que sabía Treadwell, o incluso que Miriam lo había matado.

Monk tomó aire para discutir, pero toda protesta murió en sus labios. No eran consistentes y lo sabía. Nadie más tenía una razón o un móvil para hacer daño a Verona Stourbridge y no había ninguna prueba física que incriminara a ninguno de ellos. Miriam ya estaba más que envuelta en la muerte de James Treadwell y, curiosamente, no se había defendido de manera coherente. A cualquier jurado le resultaría bastante fácil pensar que se había propuesto seducir deliberadamente a Lucius, un muchacho rico e ingenuo. Era lo bastante guapo e inteligente, aunque no tenía mucho mundo y podía ser embaucado fácilmente por una mujer mayor que él y con experiencia en el arte de agradar.

Ella, así, habría conocido el lujo de la vida que la es-

peraba, pero, por una impredecible desgracia, el cochero sabía algo sobre su pasado, algo tan desagradable que
bastaría para desbaratar aquel sueño, y le hizo chantaje.

Su protectora y cómplice, también víctima del mismo chantajista por robar medicinas en el hospital, o bien
la ayudó a matarlo, o bien la escondió, haciendo desaparecer las pruebas del crimen. No había otra alternativa
que acusarla.

La familia se quedó destrozada. Harry estaba blanco
como el papel, tartamudeando incoherencias sobre que
haría cuanto pudiera para ayudarla. Parecía no saber lo
que decía y hacía. Se volvía hacia Lucius como para protegerlo y entonces se daba cuenta de que era impotente.

Monk no había sentido nunca tanta compasión por
un hombre, pero no creía que ni siquiera Oliver Rathbone pudiera hacer algo para mitigar aquella tragedia.
Lo más compasivo sería finalizarla cuanto antes. Prolongar el sufrimiento no tenía sentido.

La propia Miriam parecía la menos sorprendida o
apenada. Aceptó la situación como si la esperase, y no
protestó ni solicitó ayuda. Ni siquiera negó los cargos.
Le dio las gracias a Harry Stourbridge por su comportamiento para con ella y caminó erguida, con bastante firmeza y uno o dos pasos por delante de Robb hasta la
puerta principal. Vaciló como si fuera a decirle algo a
Lucius, pero cambió de parecer.

En el umbral, Monk volvió la vista atrás para ver a los
tres hombres de pie en el vestíbulo. Harry y Lucius estaban paralizados. Aiden Campbell rodeó a Lucius con
el brazo, como para sostenerlo.

Ya eran más de las siete de la mañana cuando Monk
regresó a casa. Era completamente de día y las calles estaban llenas de tráfico, con silbidos de ruedas, ruidos de
cascos y gritos aquí y allá.

Entró en su domicilio y cerró la puerta. Lo único que deseaba era quitarse el calor y la mugre de encima para luego hundirse en la cama y dormir todo el día.

Aún no había cruzado la habitación cuando apareció Hester, vestida de muselina azul y blanca y con aspecto de llevar horas levantada.

—¿Qué ha sucedido? —preguntó al instante—. Tienes un aspecto horrible. Estoy calentando agua. ¿Te apetece desayunar, o vienes demasiado cansado?

—Sólo té —contestó.

La siguió a la cocina y se sentó. Le dolían las piernas y tenía los pies escocidos. La cabeza le iba a estallar. Quería un lugar fresco y oscuro y tan silencioso como fuese posible.

Hester preparó el té y lo sirvió antes de preguntar más, cosa que hizo con una mirada, no con palabras.

—Le dieron un solo golpe, con un mazo de croquet —contó Monk—. Había pruebas suficientes que demostraban que tenía que haber sido un miembro de la familia o Miriam Gardiner. Ninguno de los sirvientes tenía motivos para hacerlo.

Hester se sentó a la mesa delante de él, con expresión muy solemne.

—¿Y ella sí? —preguntó.

—Es obvio. Fuera lo que fuese lo que Treadwell sabía de ella, Verona Stourbridge también estaba al corriente o lo dedujo a partir de algo que dijo Miriam. Lo siento. Lo mejor que se puede decir de ella es que ha perdido el juicio; lo peor, que planeó deliberadamente casarse con Lucius con el fin de asegurarse riqueza y posición social para el resto de sus días, e indirectamente, por supuesto, también para Cleo Anderson. Cuando Treadwell puso en peligro el plan, sola o con la ayuda de Cleo lo mató. Y cuando luego Verona la amenazó la mató también. Es espantoso, pero tiene sentido.

—¿Tú te lo crees? —quiso saber Hester, mirándolo fijamente.

—No lo sé. Me cuesta trabajo. Pero la lógica me obliga a aceptarlo.

Era la verdad, por más que le doliera. Cuando Miriam lo negó, él creyó en su palabra. Le caía bien y sintió que tenía que hacer más de lo que el deber exigía para defenderla. Ahora bien, no lo gobernaban las emociones. Tenía que someterse al rasero de la razón.

Hester guardó silencio por espacio de varios minutos, tomando sorbos de té.

—No creo que Cleo Anderson participara en un asesinato por beneficio propio —dijo por fin—. Sigo pensando que deberíamos ayudarla.

—¿Ah, sí? —La miró con toda la atención que el cansancio y la desilusión le permitían. Vio en ella desconcierto, confusión de pensamientos y sentimientos, y lo entendió muy bien—. ¿Seguro que no andas buscando un juicio espectacular para mostrarle a la gente la situación que padecen los hombres como John Robb, viejos, enfermos y olvidados, ahora que las guerras en las que lucharon ya se ganaron y estamos a salvo?

Ella tomó aire para refutarlo indignada, pero entonces vio en sus ojos que él iba un paso por delante de ella.

—Bueno, no me importaría que algo atrajera la atención del público sobre ese asunto —admitió—, pero no estoy utilizando a Cleo. Creo que robó las medicinas para dárselas a quienes las necesitaban, no para sacar provecho, y que, si mató a James Treadwell, al menos en parte se lo merecía.

—¿Desde cuándo tenemos derecho a decidir que alguien merece morir?

Hester lo fulminó con la mirada.

Monk sonrió y se puso de pie con esfuerzo. Estaba más cansado de lo que pensaba y aquellos minutos de reposo se lo hacían notar más.

—¿Qué vamos a hacer? —Hester también se levantó, aproximándose a él casi como si pretendiera cerrarle el paso hacia la puerta—. No tiene dinero. No puede pagarse un abogado y menos uno bueno. Y ahora Miriam también está acusada, no queda nadie para ayudarla. No podemos esperar que lo haga Lucius Stourbridge.

Monk sabía lo que Hester quería: que fueran a ver a Oliver Rathbone para convencerlo de que empleara su habilidad profesional, sin costes, en la defensa de Cleo Anderson. Debido a su antigua amistad («amor» no sería una palabra demasiado fuerte, al menos en lo que a Rathbone concernía), Hester probablemente prefería que se lo pidiera Monk para no dar la impresión de estar abusando de su afecto.

Oliver Rathbone era la última persona a la que Monk solicitaría un favor, fuese en nombre de quien fuese. ¿Se trataba de culpabilidad por haber pedido a Hester en matrimonio antes que Rathbone, sabiendo que Rathbone la amaba?

Aquello era ridículo. El abogado tuvo su oportunidad y no la aprovechó, por la razón que fuere. Monk no era el responsable.

Quizá sí se tratase de una cierta culpa por haberse hecho con una felicidad que le constaba que Rathbone hubiese valorado muchísimo, o de la que en cierto modo habría sido más digno. Con demasiada frecuencia lo asaltaba el miedo de que Rathbone la hubiera hecho más feliz, dándole cosas que Monk jamás podría darle, no sólo posesiones materiales y seguridad, o posición social, sino certidumbres emocionales. No la amaría más que él, pero quizá sí sería un hombre más indicado para compartir su vida, más fácil de trato, un hombre que le provocaría menos miedos y dudas, menos inquietud. En última instancia, Hester conocería el pasado de Rathbone, donde no había fantasmas, regiones oscuras ni agujeros de olvido.

Ella aguardaba una respuesta con la frente arrugada y el mentón un poco levantado porque sabía que Monk no quería hacerlo, aunque no fuera capaz de adivinar por qué.

Monk no iba a permitir que Rathbone lo venciera.

—Creo que deberíamos preguntarle a Rathbone su opinión —dijo despacio y con concisión—. Y, si está dispuesto, pedirle su ayuda. Acepta una causa perdida de vez en cuando si el asunto es lo bastante bueno. Seguro que podremos convencerlo de que éste lo es. —Sonrió, curvando los labios hacia abajo—. Y la aparición de sir Oliver Rathbone ante el tribunal para defender a una enfermera acusada de robo y asesinato garantizará que los periódicos le dediquen toda la atención que podamos desear.

Hester sonrió muy despacio, relajando todo el cuerpo.

—Gracias, William. Sabía que dirías eso.

Él no lo había sabido, pero, si ella estaba dispuesta a pensar tan bien de él, desde luego no iba a discutir.

—Ahora ve a dormir —le instó Hester—. Te despertaré con tiempo para ir a Vere Street a ver a Oliver antes de que acabe la jornada.

Monk gruñó, demasiado cansado como para alegar que bastaría con ir al día siguiente, y subió lentamente la escalera.

Monk aborrecía presentarse en el bufete de Rathbone en Vere Street sin cita previa y esperaba de todo corazón que no los recibiera. En caso contrario, estaba convencido de que sería porque Hester iba con él. Habría preferido que no lo acompañara, aunque comprendió su insistencia. Quería estar presente no sólo para añadir sus ideas y sus comentarios a la historia y para emplear su poder de persuasión en el supuesto de que Monk fracasara, sino porque se sentiría como una cobarde enviando a Monk en su lugar. Parecería que quería un favor de Rathbone y no se atrevía a pedírselo a la cara.

Por consiguiente, entraron en el antedespacho y le explicaron al pasante que no tenían cita, pero que eran viejos conocidos de sir Oliver (cosa que él ya sabía) y que tenían que plantearle un asunto bastante urgente. Era a última hora de la tarde y, precisamente, sir Oliver estaba despachando con el último cliente del día. Se trataba, pues, de un momento propicio.

Pasó un cuarto de hora. A Monk le resultaba casi imposible estarse sentado. Echó una ojeada a Hester y percibió su recelo, aunque también su determinación. La vida de Cleo Anderson valía mucho más que unos minutos de incomodidad.

A las cinco y veinte el cliente se marchó y Rathbone se asomó a la puerta. Se quedó perplejo al verlos. Su mirada voló hacia Hester, con un súbito afecto que le ruborizó levemente las mejillas. Se obligó a sonreír, aunque no lo hizo con el humor de costumbre. Se acercó a ellos.

—¡Hester! Me alegra mucho verte. Estás radiante.

—Sentimos mucho importunar —lo recibió Hester, con una sonrisa igualmente incierta—, pero tenemos un caso muy desesperado y no conocemos a nadie más que pueda tener la más remota posibilidad de éxito.

Rathbone se medio volvió hacia Monk. Por primera vez desde la boda, sus ojos se encontraron. Entonces Monk era el novio. Ahora era el marido, había cruzado la última barrera, gozaba de una nueva clase de intimidad de la que Rathbone quedaba excluido para siempre. Los ojos de Rathbone resultaban asombrosa y magníficamente oscuros en su piel tan blanca y parecían descifrar cuanto pasaba por la cabeza de Monk. Tendió la mano.

Monk se la estrechó, notando la fuerza y la frialdad de Rathbone.

—Será mejor que paséis y me lo contéis —los invitó Rathbone con calma.

Su voz estaba desprovista de toda emoción, era sumamente cortés. Monk sólo acertaba a adivinar el esfuerzo de orgullo o dignidad que eso le costaba.

Lo siguieron al interior de aquel despacho que tan bien conocían y ocuparon unos sillones apartados del escritorio. Era una visita formal, pero no oficial, de momento. Los últimos rayos de sol entraban por la ventana, haciendo dibujos brillantes en el suelo y resplandeciendo en las letras doradas de los libros que llenaban una estantería de caoba.

Rathbone se recostó y cruzó las piernas. Como siempre, iba inmaculadamente vestido, pero con la discreta elegancia y la soltura de quien sabe que no tiene que demostrar nada.

—¿En qué consiste el caso? —inquirió, mirando a sus contertulios por turno.

Monk había resuelto ser el primero en hablar, antes de que Hester lo hiciera estableciendo un diálogo entre ella y Rathbone y convirtiéndolo a él en mero observador.

—Una enfermera ha estado robando medicinas del Hospital de North London, donde Hester actualmente colabora con lady Callandra. —No era preciso que le explicara la situación, Rathbone conocía y admiraba a Callandra—. No quiere las medicinas para ella ni para venderlas, sino para distribuirlas entre los viejos y los pobres a quienes visita, que las necesitan desesperadamente, pues muchos de ellos se están muriendo.

—Loable, pero ilegal —observó Rathbone frunciendo el ceño. Habían captado su interés y también su preocupación.

—Precisamente —convino Monk—. De un modo u otro, un cochero llamado James Treadwell se enteró de los robos y le hacía chantaje. El modo en que lo averiguó es irrelevante. Procede de un barrio cercano y posiblemente conocía a alguno de los que recibían las atenciones de la mujer. Apareció muerto en el sendero que conduce a la casa de la enfermera y la acusan de asesinato.

—¿Hay pruebas concluyentes? —se interesó Rathbone, que apretó los labios con el rostro ensombrecido y las cejas bajas.

—Ninguna, sólo el móvil y la oportunidad. El arma no ha aparecido. Pero esto no es todo...

Rathbone abrió los ojos con incredulidad.

—¿Hay más?

—Y peor —respondió Monk—. Hace unos veinte años, la señora Anderson se encontró una niña de unos doce o trece años profundamente trastornada. Se hizo cargo de ella y la crió como si fuese suya. —Notó la expresión precavida de Rathbone y un brillo de renovado interés en sus ojos—. Miriam creció y contrajo un buen matrimonio —prosiguió Monk—. Enviudó y se enamoró profundamente de un joven, Lucius Stourbridge, miembro de una familia acaudalada y respetable, quien la correspondía con creces. Se comprometieron en matrimonio con la aprobación de los padres. Entonces, un buen día, sin un motivo que conozcamos, ella se dio a la fuga con el susodicho cochero, de regreso a Hampstead Heath.

—La noche del asesinato, supongo —dedujo Rathbone, sonriendo con un rictus.

—Exacto —asintió Monk—. Al principio la acusaron del asesinato del cochero y no dio ninguna explicación de su huida, de los motivos que tuviera o de lo que hubiese ocurrido para provocarla, limitándose a negar que lo hubiese matado.

—¿Y retiraron los cargos? —se sorprendió Rathbone.

—No. Pero luego la enfermera resultó tener más motivos y a la joven la pusieron en libertad.

—¿Y qué es lo peor que tienes que agregar? —preguntó Rathbone.

Monk enderezó los hombros, antes de decir:

—Anoche recibí aviso del joven policía que lleva el caso, cuyo abuelo, por cierto, es uno de esos a los que administraba medicinas la enfermera, indicándome que fuera a la casa familiar de Cleveland Square, donde acababan de asesinar a la madre del joven; al parecer, exactamente de la misma manera que al cochero abatido en Hampstead Heath.

Rathbone cerró los ojos y suspiró profundamente.

—Espero que eso sea todo.

—Aún no —sugirió Monk—. Han arrestado a Miriam y la han acusado del asesinato de la madre de Stourbridge, y a Miriam y a Cleo de ser cómplices del asesinato para sacar provecho. La familia posee una fortuna considerable, y tierras.

Rathbone abrió los ojos y miró fijamente a Monk.

—¿Has completado el relato hasta la fecha de hoy?

—Sí.

Hester habló por primera vez, tras inclinarse un poco hacia delante y con voz de apremio.

—Por favor, ayúdanos, Oliver. Me consta que tal vez no pueda hacerse nada por Miriam, excepto quizás alegar que esté loca, pero Cleo Anderson es una buena mujer. Se llevaba las medicinas para tratar a viejos y enfermos que apenas tienen dinero para sobrevivir. John Robb, el abuelo del policía, luchó en Trafalgar, ¡en el *Victory*! ¡Él y los hombres como él no merecen ser abandonados a su suerte para que mueran entre dolores que podemos aliviar! Les pedimos que lo dieran todo cuando estábamos en peligro. Cuando pensábamos que Napoleón iba a invadir y conquistar Inglaterra, esperábamos que combatieran y murieran por nosotros, que perdieran los brazos, las piernas o los ojos...

—¡Ya lo sé! —Rathbone levantó su grácil mano—.

Ya lo sé, querida. No tienes que convencerme de nada. Y cualquier jurado se conmoverá con tales hechos, pero no así un juez. El juez no le pedirá al jurado que decida si un chantajista tiene más o menos valor que una enfermera o que un soldado, simplemente si lo mató o no. ¿Y qué pasa con la otra mujer, la joven? ¿Qué motivo o excusa puede tener para haber matado a su futura suegra?

—No lo sabemos —confesó Hester con un gesto de impotencia—. Se niega a hablar.

—¿Es consciente de su posición, de que si la declaran culpable la ahorcarán?

—Eso lo sabe —respondió Monk—, pero lo que no tengo tan claro es que comprenda el significado. Yo estuve presente cuando la arrestaron y parecía obnubilada, aunque se marchó con la policía con más dignidad que cualquier otra persona que pueda recordar yo en semejante trance.

Se sintió ridículo al decirlo. Era una respuesta emotiva y no le gustaba mostrarse así ante Rathbone. Lo hacía vulnerable. Iba a agregar algo para intentar arreglarlo, pero Rathbone se volvió hacia Hester y ya no le hacía caso.

—¿Conoces a la enfermera?

—Sí —contestó ella sin titubeos—. Y conozco a John Robb. He visitado a algunos de los pacientes a los que asistía. Puedo testificar que las medicinas eran para ellos sin que les pidiera nada a cambio.

Rathbone se abstuvo de decir que aquello no tenía ningún peso legal. La compasión del jurado no alteraría la culpabilidad y era poco probable que atenuara la sentencia. De todos modos, ¿acaso la horca era mucho peor que pasar el resto de la vida en Coldbath Fields o en otra prisión por el estilo? Guardó silencio un momento, considerando el asunto, y ni Monk ni Hester le interrumpieron.

—Me figuro que no tiene dinero esa enfermera

—dijo Rathbone por fin—. Y la familia es poco probable que haga nada por ella.

Monk notó que montaba en cólera. Así pues, todo era una cuestión de dinero.

—De modo que es improbable que ya tenga a quien la represente —concluyó Rathbone—. No quebrantaría la ética profesional si fuese a visitarla. Al menos podré ofrecerle mis servicios y ella podrá aceptarlos o rehusarlos, según desee.

—¿Y quién te va a pagar? —preguntó Monk levantando las cejas.

Rathbone lo miró de hito en hito.

—Últimamente he ganado bastante y puedo permitirme hacerlo sin cobrar —contestó en un tono desprovisto de emociones—. Supongo que tampoco tendrá recursos para pagarte a ti.

Monk notó que un calor inusual le subía a las mejillas, pero entendió que la reprimenda era merecida. Se la había ganado.

—¡Gracias! —se apresuró a decir Hester, poniéndose de pie—. Se llama Cleo Anderson y se encuentra en la comisaría de Hampstead.

Rathbone, con un gesto seco, cambió de humor y sonrió, como si un chiste sumamente sutil se hubiese vuelto en parte contra él.

—No me des las gracias —dijo en voz baja—. Parece un desafío digno de ser enfrentado, y no conozco a otro lo bastante estúpido como para intentarlo.

9

Oliver Rathbone se quedó en el despacho cuando Monk y Hester se fueron, consciente de haber tomado una decisión impulsiva, cosa nada propia de él. No era un hombre que actuara sin reflexionar, lo cual en parte lo convertía en uno de los abogados más brillantes que ejercían en Londres. Cabía que también fuera el motivo por el que había permitido que Monk pidiera a Hester en matrimonio antes que él.

No, eso no era del todo cierto. Estuvo a punto de pedírselo, pero ella, con suma delicadeza, le dio a entender que no aceptaría. Lo hizo para salvaguardar los sentimientos de Rathbone y no enturbiar su relación en el futuro.

Ahora bien, si era sincero consigo mismo, la razón de que ella no lo aceptara podía muy bien ser precisamente que notara su indecisión. Monk nunca habría permitido que la cabeza le gobernara el corazón. Eso era lo que Rathbone admiraba y despreciaba al mismo tiempo en él. Había algo indómito en Monk, algo incluso oscuro.

Y, sin embargo, había ido con Hester para tratar de convencerlo a él de que aceptara el desesperado caso de defender a una enfermera a todas luces culpable de robo y casi seguro también de homicidio. No habría sido fácil para Monk. Rathbone se retrepó en el asiento y sonrió un poco al recordar la mirada de Hester, la rigidez de su cuerpo. Se imaginaba lo que ella pensaba. Monk lo habría hecho por Hester, a sabiendas de que Rathbone lo sabría.

Se sorprendió al constatar lo mucho que le dolía ver a Hester de nuevo, oír la pasión de su voz cuando le habló de Cleo Anderson y del viejo marinero John Robb. Era enteramente ella, llena de compasión, rabia y coraje, comprometida con una causa perdida sin escuchar a nadie que le hiciera ver la imposibilidad de su empeño.

Y Rathbone se había avenido a ayudarla, de hecho, a emprender alguna clase de defensa. Se estaría engañando si fingiera que iba a hacer menos que eso. Ahora que había empezado, ella no le permitiría detenerse, como tampoco se lo permitiría él mismo. Jamás admitiría ante Monk una retirada antes de ganar o perder. Monk entendería una derrota y la perdonaría, respetando por igual a vencido y vencedor. Había probado el amargo sabor del fracaso demasiadas veces como para no entenderlo. Pero no perdonaría una rendición.

Además, Rathbone siempre querría estar a la altura de las expectativas de Hester.

De modo que ya estaba comprometido en un caso que no podía ganar y en el que probablemente ni siquiera podría luchar adecuadamente. Debería estar enojado consigo mismo, no ponerse analítico y ni siquiera remotamente divertido. Debería sentir impotencia, pero su mente ya estaba explorando posibilidades, comenzando a pensar, a planear, a preguntarse qué táctica seguir.

Ambas mujeres estaban acusadas de conspiración y asesinato. La pena sería incuestionablemente de muerte. Rathbone tenía una justificada buena opinión de sus aptitudes, pero los obstáculos que presentaba el caso parecían insalvables. Era de una soberana estupidez tener esa voluntad de vencer. De hecho, se trataba del ejemplo típico de un hombre que no sólo se dejaba llevar por las emociones, sino que permitía que le anularan por completo el juicio.

Llamó al pasante y le preguntó que qué citas había previstas para los dos días siguientes. No había ninguna que no pudiera posponerse o ser atendida por otro. Pidió que así se hiciera y se marchó a casa, con la mente absorta en el asunto de Cleo Anderson, Miriam Gardiner y los crímenes de los que las acusaban.

Por la mañana se presentó en la comisaría de Hampstead. Explicó que era el abogado que llevaría la defensa de Cleo Anderson y que deseaba hablar con ella sin más demora.

—¿Sir Oliver Rathbone? —se asombró el sargento de guardia, mirando la tarjeta de visita que le había entregado.

Rathbone no se tomó la molestia de contestar.

El sargento carraspeó.

—Muy bien, señor. Si me acompaña, lo llevaré hasta su celda..., señor.

Siguió sacudiendo la cabeza mientras avanzaba delante de Rathbone por el angosto pasillo y escaleras abajo, hasta llegar a la maciza puerta de hierro con su enorme cerrojo. La llave chirrió cuando la hizo girar para abrir.

—Ha venido a verla su abogado —anunció, con un dejo de incredulidad en la voz.

Rathbone le dio las gracias y esperó a que saliera y volviera a cerrar.

Cleo Anderson era una mujer guapa, con los ojos bonitos y los rasgos marcados, pero en aquel momento estaba tan cansada y abatida por el dolor que la piel se le veía gris y las arrugas le surcaban el rostro. Miró a Rathbone sin comprender y, cosa que a él lo preocupó más, sin interés.

—Me llamo Oliver Rathbone —se presentó—. He venido a ver si podía serle de ayuda para resolver su situación actual. Cualquier cosa que me diga será completamente confidencial, pero debe decirme la verdad para que pueda hacer algo útil. —Vio un principio de negación en su rostro. Se sentó en la única silla que había frente al catre donde ella estaba sentada—. He sido requerido por la señorita Hester Latterly.

Demasiado tarde cayó en la cuenta de que tenía que haber dicho «señora Monk». Notó el rubor de sus mejillas y sintió la obligación de corregirse.

—No tendría que haberlo hecho —comentó Cleo con tristeza y con la cara transida de amargura y la voz ronca por la emoción—. Es una buena mujer, pero no tiene dinero para pagar a un letrado de su categoría. Perdone las molestias, pero aquí no hay trabajo para usted.

Rathbone estaba preparado para aquella respuesta.

—Ella me contó que usted se llevaba medicinas del hospital y se las daba a pacientes que las necesitaban y no las podían pagar.

Cleo lo miró fijamente.

Rathbone no esperaba una confesión.

—De ser así, se trataría de robo, por supuesto, y sería ilegal —prosiguió—, aunque sería un acto que mucha gente admiraría y puede que hasta desearan haber tenido el coraje de hacerlo ellos mismos.

—Puede —convino Cleo con un asomo de sonrisa—, pero sigue siendo un robo, como bien ha dicho usted. ¿Quiere que lo admita? ¿Ayudaría eso a Miriam si lo hago?

—No era mi propósito discutir el asunto, señora Anderson. —La miró fijamente—. Ahora bien, una persona que haya hecho algo así es evidente que antepuso el bienestar de los demás al suyo. Tal como yo lo veo, fue un acto, una serie de actos, por el que no esperaba sacar más provecho que saber que hacía lo que creía correcto y en beneficio de otros, por cuyo bienestar se preocupaba. Posiblemente, creía en una causa.

Cleo frunció el ceño.

—¿Por qué me dice todo esto? Sólo habla de supuestos. ¿Qué es lo que quiere?

A Rathbone se le escapó una sonrisa.

—Que acepte que, de vez en cuando, las personas hacen cosas sin cobrar, sólo porque se preocupan. No sólo personas como usted; a veces, también personas como yo.

Ella se puso roja de vergüenza y la línea de la boca se le suavizó.

—Lo siento, señor Rathbone, no quería insultarle; pero aun con la mejor voluntad del mundo no puede librarme de haber robado esas medicinas, salvo si encuentra la forma de culpar a un pobre inocente. Y, si hiciera usted eso, yo no podría reunirme con el Creador en paz.

—Yo no trabajo así, señora Anderson. —No se molestó en corregirla en cuanto a la forma de dirigirse a él. Apenas si tenía importancia ahora—. Si se llevó usted las medicinas, tengo dos opciones: o bien alegar circunstancias atenuantes y esperar que la juzguen valorando la caridad de su intención, más que la ilegalidad de su acto, o bien tratar de desviar la atención del robo en general y confiar en que se concentren en otros asuntos.

—¿Otros asuntos? —Cleo negó con la cabeza—. Dicen que maté a Treadwell porque me estaba haciendo chantaje por lo de las medicinas. No puede desviar a nadie de eso.

—¿Y era así?

Ella dudó. Algo en su interior parecía a punto de desmoronarse. Inspiró profundamente y soltó un suspiro.

—Sí.

Rathbone esperó a que dijera más, pero Cleo permaneció callada.

—¿Cómo averiguó él lo de las medicinas? —preguntó.

—Supongo que no fue difícil. —Tenía la mirada perdida al frente y una sombra de mofa en su expresión—. Muchos podrían haberlo sabido si se hubiesen parado a pensar y observar. Llevaba material a un buen puñado de viejos que estaban realmente mal. No sé por qué hablo de ello en pasado; ellos siguen ahí, y aquí estoy yo como una inútil. —Levantó la vista hacia él—. No puede hacer nada, señor Rathbone. Por más preguntas que haga no conseguirá que las cosas cambien. Robé las medicinas y no será complicado demostrarlo. Treadwell lo averiguó. Me gustaría saber cómo.

No había más que discutir. Rathbone oyó pasos en el pasillo, pero pasaron de largo y nadie los importunó. Se preguntó si los celadores le tendrían simpatía a Cleo; suponiendo que así fuese, quizá preferirían que la ley hiciera la vista gorda sobre los robos. Tal vez no tuvieran tiempo que perder con un chantajista.

Era una elucubración puramente teórica, sólo un deseo. El poder no estaba en manos de esta gente. Quizá fuese un pensamiento que todos habían tenido en privado, pero que ninguno se atrevería a decir en voz alta.

Ella lo miraba muy seria, con ojos inquietos.

—Señor Rathbone, no permita que vayan a hablar con las personas a las que llevaba medicinas. Bastante tendrán con quedarse sin ninguna clase de ayuda. No quiero que se enteren de que estaban involucrados en un delito, aunque ellos nunca lo supieran.

Rathbone deseó que hubiese alguna forma de evitar que eso ocurriera, pero no tardaría en ser del dominio público. El juicio aparecería en todos los periódicos, lo contarían una y mil veces los charlatanes callejeros y sería objeto de cotilleo en todas las esquinas de la ciudad. ¿Qué debía decirle?

Ella aguardaba, con una chispa de esperanza en el rostro.

La miró casi como si no la hubiese visto antes ni hubiese hablado con ella, formándose una opinión, durante los últimos diez minutos. Esa mujer había arriesgado su propia libertad, tomando una decisión de orden moral, para ayudar a viejos y enfermos que no se valían por sí mismos. Se enfrentó a la más dolorosa de las realidades y obró en consecuencia. No merecía la condescendencia de una mentira. Además, tarde o temprano sabría la verdad.

—No puedo evitarlo, señora Anderson —dijo con suavidad, sorprendiéndose del respeto que imprimía a su voz—. De todos modos, se enterarán cuando se celebre el juicio. Quizás eso sea lo único bueno de todo este asunto. Todo Londres se enterará de los apuros que pasan nuestros ancianos, a quienes tanto debemos y preferimos ignorar. Incluso cabe esperar que alguien emprenda una lucha para lograr que las cosas cambien.

Ella lo miraba, debatiéndose entre la esperanza y la negación. Sacudió la cabeza, apartando esa idea, aunque incapaz de descartarla por completo.

—¿Usted cree?

—Es una lucha que merece la pena. —Sonrió ligeramente—. Pero mi primera batalla es por usted. ¿Cuánto tiempo hacía que le pagaba a Treadwell y qué cantidad?

A Cleo se le endureció la voz y la compasión desapareció de sus ojos.

—Cinco años; y le pagaba todo lo que tenía, excepto un par de chelines para comer.

Rathbone notó que el corazón se le encogía.

—Y le pidió más la noche de su muerte. ¿Cuánto?

La voz de la mujer se convirtió en un susurro. Vaciló un momento antes de contestar.

—No lo vi la noche en que murió. Se lo juro por Dios.

El abogado hizo entonces la pregunta cuya respuesta no deseaba oír y posiblemente no se iba a creer.

—¿Sabe quién lo hizo?

Ella respondió de inmediato, con voz fuerte.

—¡No, no lo sé! Miriam no me dijo nada, sólo que no fue ella. Pero se encontraba en un estado terrible, estaba muerta de miedo, como si hubiese visto el fin del mundo. —Se inclinó hacia él, alargó el brazo y lo retiró, no porque la emoción o la urgencia fueran menores, sino porque no se atrevía a tocarlo—. No se preocupe por mí, señor Rathbone. Robé las medicinas. No puede ayudarme. ¡Pero ayude a Miriam, por favor! Eso es lo que quiero. Si tal como dice es mi abogado, hable en su nombre. Ella no lo mató. La conozco..., la crié desde los trece años. Tiene un buen corazón y nunca ha hecho daño a nadie a propósito, y ahora alguien la ha lastimado tanto que está muerta por dentro. Ayúdela, ¡por favor! Iré contenta a la horca si sé que ella está bien...

Rathbone la miró a los ojos y se le hizo un nudo en la garganta. Creyó en ella. Era una declaración absurda. Quizás ella no tenía una noción real de cómo sería llegado el momento, cuando el juez se pusiera el birrete negro y cuando al final se encontrara sola, recorriendo el breve pasillo hasta la trampilla en el suelo que la arrojaría al vacío. Entonces sería demasiado tarde. Pero aun así, creía en ella. Esa mujer había visto morir a mucha gente. La soledad y el dolor no le podían ser desconocidos.

—Señora Anderson, no estoy seguro de poder hacer gran cosa, pero le prometo que no voy a conseguir ninguna indulgencia o, lo que es lo mismo, ninguna defensa para usted a expensas de Miriam Gardiner. Y no dude que haré cuanto pueda para que ella sea absuelta, si así lo desea, y también usted...

—¡Hágalo! —lo interrumpió Cleo con extrema intensidad—. Y si discute con usted por mi causa dígale que es mi deseo. He tenido una buena vida, lo he pasado bien y he hecho lo que he querido. Ella es muy joven. Su profesión es convencer de cosas a la gente, ¿no? Pues convénzala de eso, ¿lo hará?

—Sólo puedo atenerme a los hechos, pero lo intentaré —le prometió Rathbone—. Ahora, si hay algo más acerca de esa noche que pueda contarme, por favor, hágalo.

—No sé nada más sobre esa noche. Ojalá lo supiera, igual serviría de algo para alguna de nosotras. No me enteré de nada hasta que vino la policía porque alguien fue a denunciar que había un cuerpo en el sendero.

—¿Cuándo fue eso, a qué hora?

—Como una hora después de oscurecer. No miré el reloj. Supongo que Miriam se marchó de la fiesta entrada la tarde, así que faltaría poco para que anocheciera cuando el carruaje llegó hasta el Heath. No sé dónde lo atacaron, pero me han dicho que se arrastró desde donde sucedió hasta donde lo encontraron.

—¿Y cuándo vio usted a Miriam Gardiner?

—A la mañana siguiente, temprano. Hacia la seis o por ahí. Se pasó en el Heath toda la noche y parecía que la persiguiera el diablo.

—¿Como si se hubiese peleado? —se apresuró a preguntar el abogado—. ¿Tenía la ropa desgarrada, sucia, manchada de barro o hierba?

Algo se cerró dentro de la mujer. Tenía miedo de que estuviera tratando de implicar a Miriam.

—No. Sólo como si hubiese estado corriendo, quizás, o asustada.

¿Estaba mintiendo? No había forma de saberlo. Rathbone se dio cuenta de que no iba a decirle nada más. Se puso de pie. El hecho de que le hubiese retirado la confianza, al menos en lo que a Miriam atañía, no alteró su admiración por ella ni su propósito de hacer cuanto pudiera para encontrar una forma de ayudarla.

—Iré a hablar con la señora Gardiner —dijo—. Por favor, no comente el asunto con nadie más. Volveré en cuanto tenga algo que decirle o si necesito hacerle más preguntas. Le doy mi palabra de que no daré ningún paso sin su permiso.

—Gracias. Le..., le estoy muy agradecida, señor Rathbone. Dígaselo a la señora Monk también... y...

—¿Sí?

—No..., nada más.

El abogado golpeó la puerta y el celador le dejó salir. Mientras recorría el oscuro pasillo fue creciendo en él el miedo por lo que Cleo Anderson había estado a punto de pedirle que le dijera a Hester. Era una mujer capaz de llegar a cualquier extremo, de hacer cualquier sacrificio por lo que consideraba correcto y para salvar a quienes amaba. No era de extrañar que Hester se empeñara en su defensa. De haber estado ella en su lugar podría muy bien haber hecho las mismas cosas. Se imaginaba a Hester con aquella misma lealtad ciega, sacrificándose en aras de un principio supremo. ¿Era eso lo que Cleo estuvo a punto de decir, alguna instrucción o advertencia para Hester a propósito de las medicinas? ¿Se trataría de una solicitud, o es que Hester ya lo estaba haciendo?

La sola idea lo enfermó. Se le hizo un nudo en el estómago y empezó a sudar a mares. ¿Qué podría hacer para ayudarla si la atrapaban? Ni siquiera era capaz de pensar con claridad acerca de Cleo Anderson, a quien no había conocido hasta ese mismo día.

Comenzar por Miriam Gardiner era lo único que podía hacer. Habitualmente se habría dicho a sí mismo que la verdad era su única aliada: siempre conocer la verdad antes de empezar. Pero, en este caso, mucho se temía que había verdades que uno preferiría no saber, aunque no estaba seguro de cuáles eran. Habría apartado la vista a cualquier lado con tal de saber adónde mirar.

Rathbone fue autorizado a ver a Miriam, aunque no le resultó tan fácil como cuando visitó a Cleo Anderson. El ambiente era distinto. Cleo estaba en una celda de la comisaría, era una mujer del barrio a la que, por su reputación, cuando no personalmente, los policías conocían y tenían por una buena mujer cuya vida valoraban mucho más que la de cualquier chantajista extraño.

Miriam estaba en una prisión, acusada de asesinar a su futura suegra para heredar antes su dinero o, posiblemente, porque la desdichada suegra estaba al corriente de algún escándalo de su pasado que habría evitado la boda. La avaricia era un asunto muy diferente.

La joven señora Gardiner no era ni mucho menos como Rathbone se la había esperado. Hasta que la vio no se dio cuenta de que se había hecho una imagen mental de una mujer guapa y desenvuelta, de mirada atrevida y consumado encanto, que enseguida trataría de ganarlo para su causa. Pero se encontró con una mujer menuda, un poco demasiado ancha de caderas, de rostro muy pálido y cansado, que transmitía una paz interior y una fortaleza que lo asombraron. Se mostró muy reservada, incluso después de explicarle quién era, las circunstancias y las razones exactas de su visita.

—Es usted muy bueno al dedicarme su tiempo, sir Oliver —dijo en voz tan baja que Rathbone tuvo que inclinarse para captar lo que decía—, pero no creo que pueda ayudarme.

No lo miró a los ojos y él se dio cuenta de que en cierto modo ya lo había despedido.

Si no podía apelar a su mente, lo intentaría con sus emociones. Se sentó en la silla que había enfrente y cruzó las piernas como quien pretende ponerse cómodo.

—¿Ya le han dicho que usted y la señora Anderson van a ser acusadas conjuntamente de conspiración en los homicidios de Treadwell y la señora Stourbridge?

Lo miró abriendo los ojos con preocupación.

—¡Eso es absurdo! ¿Cómo se les ocurre pensar que la señora Anderson tenga algo que ver con la muerte de la señora Stourbridge? Estaba ya en la cárcel cuando sucedió. Tiene que estar usted equivocado.

—No estoy equivocado. Todo eso ya lo saben. Dicen que creen que usted y la señora Anderson planearon desde el principio su matrimonio con Lucius Stourbridge, ganando así acceso a una considerable cantidad de dinero, una parte ahora y mucho más tras la muerte del comandante Stourbridge, cuando ésta tuviera lugar.

—¿Por qué iba él a morir? Es bastante joven, no tiene más de cincuenta años y goza de buena salud. Podría durar otros veinte años o más.

Rathbone suspiró.

—El índice de mortalidad entre quienes parecen entorpecerle a usted los planes es muy elevado, señora Gardiner. No tomarán en consideración la edad ni la salud del comandante como asuntos que pudieran disuadirla.

Miriam cerró los ojos y musitó:

—Es abominable.

Estudiando las líneas de su rostro, de su boca y la forma en que se tensó, la tristeza, la sorpresa y la rabia momentáneas que la asaltaron, Rathbone no creyó que hubiese pensado siquiera en la muerte de Harry Stourbridge hasta aquel momento y, ahora que lo hacía, la idea le hacía daño. Pero no podía permitirse ser amable.

—De eso es de lo que las acusan a usted y a la señora Anderson juntas. A no ser que se acusen ustedes mutuamente, cosa que ninguna de las dos ha hecho, juntas ganarán o perderán.

Miriam subió la vista despacio hacia él, escrutando sus ojos, su rostro, tratando de interpretarlo.

—¿Quiere decir que tengo que defenderme yo si no quiero que Cleo sufra conmigo?

—Sí, exactamente eso.

—Es completamente falso. Yo... amaba a Lucius. —Tragó saliva, y Rathbone sintió su dolor como si fuese propio—. No había pensado nada más que en casarme con él y ser feliz a su lado. Si hubiese sido pobre no habría cambiado nada.

Le pareció que decía la verdad y, sin embargo, ¿por qué había titubeado? ¿Por qué hablaba de su amor por Lucius en pasado? ¿Era porque ese amor había muerto, o simplemente la esperanza?

—James Treadwell estaba haciendo chantaje a la señora Anderson por las medicinas que ella robaba del hospital para tratar a sus pacientes. ¿También le hacía chantaje a usted? —preguntó Rathbone.

Miriam levantó la cabeza de golpe, con los ojos muy abiertos. Pareció ir a negarlo con vehemencia y, en cambio, permaneció callada.

—Señora Gardiner —la apremió, inclinándose hacia ella—, si tengo que ayudar a alguna de las dos necesito saber tanto de la verdad como usted. Estoy obligado a actuar en su interés y créame si le digo que las perspectivas no podrían ser menos halagüeñas para ninguna de las dos. Me cuente lo que me cuente, cuando llegue el juicio seguiré sus instrucciones o, en el peor de los casos, si no pudiera hacerlo, me retiraría, renunciaría a su defensa. No puedo traicionarla. Si lo hiciera me inhabilitarían para el ejercicio de la abogacía y perdería no sólo mi reputación, sino mi medio de vida, y ambas cosas son muy valiosas para mí. Ahora dígame, ¿James Treadwell le hacía chantaje sí o no?

La joven pareció llegar a una determinación.

—No, no me hacía chantaje. No podía saber nada que pudiera perjudicarme. Excepto, supongo, mi relación con Cleo y las medicinas, pero nunca lo mencionó. Yo no tenía ni idea de que le estuviera haciendo chantaje. De haberlo sabido, habría intentado hacer algo al respecto.

Rathbone procuró que su voz no sonara amenazante.

—¿Qué hubiese podido hacer?

Ella se medio encogió de hombros.

—No lo sé. Supongo que si se lo hubiese contado a

Lucius, o al comandante Stourbridge, quizá lo habrían despedido, sin referencias y asegurándose de que le costara encontrar un nuevo empleo.

—¿No cree que eso lo habría inducido a denunciar a la señora Anderson, como represalia?

—Tal vez. —Entonces se irguió y se volvió para mirarlo de frente con el rostro transido de horror—. ¿Piensa que lo maté para proteger a Cleo?

—¿Lo hizo?

—¡No! ¡No lo maté, por ningún motivo! —Era una negativa apasionada, entreverada de ira y dolor—. ¡Y Cleo tampoco!

—¿Pues quién lo hizo?

Su expresión volvió a ser hermética, dejándolo fuera. Apartó la vista.

—¿A quién está protegiendo si no es a la señora Anderson? —preguntó Rathbone con delicadeza—. ¿A Lucius?

Miriam se estremeció, lo miró fugazmente y apartó la vista otra vez.

—¿Acaso Treadwell la lastimó a usted de algún modo y Lucius se peleó con él y fue más lejos de lo que pretendía? —aventuró el abogado.

—No. —Pareció sorprenderla la idea.

Rathbone consideraba tan buena esa explicación que lo decepcionó que ella lo negara y se asombró al constatar que la creía basándose sólo en la entonación de su voz y en sus reacciones corporales.

—¿Sabe quién lo mató, señora Gardiner? —inquirió con repentina fuerza.

Ella no dijo nada. Su silencio valía tanto como admitir que sí. A Rathbone le sobrevino una frustración casi insoportable. Nunca se había sentido tan impotente, y eso que se había enfrentado a muchos casos en los que personas acusadas de espantosos crímenes se negaban a decirle la verdad y finalmente demostraban ser inocentes, moral cuando no legalmente. Nada de su experiencia explicaba la conducta de Miriam Gardiner.

Se negó a darse por vencido. En todo caso, estaba aún más decidido a defender a Cleo y a Miriam, no por Hester y mucho menos por demostrarle nada a Monk, sino por el caso en sí, por aquellas dos extraordinarias mujeres, tan unidas y testarudas, y tal vez porque no descansaría hasta saber la verdad. Y quizá también por principios.

—¿Sabía la señora Stourbridge algo sobre Treadwell o sobre Cleo Anderson? —prosiguió con el interrogatorio.

La joven se sorprendió otra vez.

—No..., no me imagino cómo. Yo no le conté nada y no creo que Treadwell se lo contara. Era un...

Se interrumpió. La atormentaban emociones encontradas, como si tiraran de ella en distintas direcciones: ira, compasión, horror, desesperación.

Rathbone trató de descifrar lo que ella sentía, incluso de imaginar lo que le pasaba por la cabeza, y fracasó estrepitosamente. Había demasiadas posibilidades y ninguna de ellas acababa de tener sentido.

—Era un hombre que hacía cosas malas —continuó Miriam en voz baja, tanto para sí misma como para él—. Pero no estaba exento de virtud y ahora está muerto, el pobre. No creo que la señora Stourbridge supiera nada de él aparte de que conducía el carruaje bastante bien y, por supuesto, que era pariente de la cocinera.

—¿Por qué la mataron?

Torció el gesto y no lo miró a la cara cuando con voz neutra, en un tono distinto, respondió:

—No lo sé.

Rathbone supo que mentía.

—¿Quién la mató? —insistió.

—No lo sé —repitió ella.

—¿Lucius?

—¡No! —Esta vez se volvió hacia él, con oscuridad y furia en sus ojos.

—¿Estaba usted con él?

No dijo nada.

—No, no estaba con él —siguió Rathbone su razonamiento—. Entonces, ¿cómo sabe que no fue él?

Otra vez permaneció muda.

—¿La misma persona los mató a los dos? —volvió a la carga Rathbone.

Ella hizo un movimiento muy leve. Rathbone lo tomó por una afirmación.

—¿Tiene algo que ver con las medicinas robadas? —preguntó entonces.

—¡No! —De repente, volvía a estar furiosa—. No, no tiene nada que ver con Cleo para nada. Por favor, sir Oliver, defiéndala. —Ahora le suplicaba—. Es la mejor persona que he conocido jamás. Lo único que ha hecho contrario a la ley ha sido robar medicinas para tratar a enfermos que no se pueden permitir comprarlas. No sacaba ningún provecho haciéndolo. —Se había puesto colorada—. ¿Tan mal está eso como para que merezca morir? Si fuésemos el pueblo cristiano que decimos ser no habría tenido que robarlas. Nos ocuparíamos de nuestros viejos y enfermos. Estaríamos agradecidos a quienes lucharon para protegernos cuando fue necesario y pondríamos el mismo empeño que ella en protegerlos ahora. Por favor, no permita que sufra por eso. No tiene nada que ver con ella. Ni mató a Treadwell ni pudo matar a la señora Stourbridge. —El miedo le atenazaba la voz, que salía con esfuerzo de su garganta—. ¡Diré que yo los maté a los dos si así la liberan, se lo juro!

Rathbone le puso una mano en el brazo al decir:

—No, sólo serviría para condenarlas a ambas. No diga nada. Si no me quiere decir la verdad, al menos no me mienta. Haré cuanto pueda por ustedes dos. Acepto que la señora Anderson no pudo matar a la señora Stourbridge y le creo a usted cuando dice que no mató a Treadwell. Si hay otra respuesta haré cuanto esté en mi mano por hallarla.

Miriam negó con la cabeza de forma casi imperceptible.

—No podrá —susurró—. Sólo consiga que no ahorquen a Cleo. Lo único que ha hecho ha sido robar medicinas, nada más.

Rathbone almorzó tarde en su club, donde sabía que lo dejarían en soledad absoluta si así lo deseaba, y así fue. Luego, tomó un coche de punto hasta el Hospital North London con la intención de ver a Hester. No era algo que le apeteciera y, no obstante, era preciso hacerlo. No la veía a solas desde la boda, pero siempre había sabido que le resultaría doloroso.

Se dejaba llevar por el coche, que avanzaba a buen trote por las calles, sin reparar en los demás vehículos y ni siquiera en dónde se encontraban a medida que pasaban de un barrio a otro, hasta que por fin las fachadas de piedra gris dieron paso a la extensión verde del Heath.

Había cambiado de parecer una media docena de veces sobre lo que iba a decirle y la actitud que debía adoptar. Cada decisión era insatisfactoria por un motivo u otro.

Cuando llegó al hospital, pagó al cochero, se apeó, subió la escalinata y se encontró con Hester sin tiempo de prepararse. Avanzaba hacia él por el amplio pasillo, caminando con brío y decisión y manteniendo alta la cabeza. Llevaba un vestido azul muy sencillo y con un minúsculo cuello blanco de puntilla, casi como una especie de uniforme. En cualquier otra mujer habría resultado un tanto severo, pero así era como siempre la recordaba, como una enfermera, enfrascada en algo, dispuesta a empezar una batalla u otra. La familiaridad de la imagen por poco lo dejó sin aliento. Por más que hubiese anticipado aquel momento no pudo evitar la punzada de la realidad. El sol en el pasillo, el olor a vinagre, unos pasos a lo lejos; todo quedó grabado de forma indeleble en su memoria.

—¡Oliver! —Estaba asombrada de verlo y también complacida.

Rathbone no percibió en Hester el tumulto de emociones que sí bullían dentro de él. Aunque no tenía por qué ser así. Ella era feliz. Y él quería que lo fuese. Si bien una parte de su ser no lo soportaba.

Se obligó a sonreír. Si perdía su dignidad, ambos lo lamentarían.

—Quería verte. Espero no interrumpir.

—¿Tienes noticias de alguna clase? —Lo miró de frente al preguntárselo.

Rathbone debía ceñirse al caso. Tenían una causa común y ésta era tan importante como cualquiera por la que hubiesen combatido juntos en el pasado. La vida de dos mujeres dependía de ello.

—Muy pocas —respondió, dando un paso hacia ella.

Percibió el delicado perfume que la envolvía. Se resistía a acercarse más. Era muy distinta ahora, mucho menos vulnerable que antes. Y, sin embargo, en muchos aspectos seguía siendo exactamente la misma: la voluntad de presentar batalla, la testarudez, la sinrazón, la risa que él nunca había acabado de comprender, la arbitrariedad que lo exasperaba y lo fascinaba.

Hester tenía las mejillas levemente sonrosadas, como si adivinara parte de los pensamientos de Rathbone.

Él apartó la vista, evitando sus ojos, fingiendo estar meditando asuntos legales.

—He ido a ver a Cleo Anderson y a Miriam Gardiner. Ambas niegan tanto la conspiración como el homicidio, pero Miriam miente acerca de los asesinatos. Sabe quién los cometió, aunque la creo cuando dice que no fue ella. Aún no he visto a Lucius Stourbridge.

Hester estaba asombrada.

—¿Crees que podría ser culpable de matar a su propia madre?

—No lo creo, pero todo indica que fue o un miembro de la familia o Miriam Gardiner.

Hester miró a ambos lados del pasillo.

—Entra en esta sala de espera. No la está usando nadie ahora. Hablaremos más tranquilos. —Abrió la puerta y entró ella primero.

Rathbone cerró, tratando de expulsar las emociones de su conciencia. Tenían otros asuntos más importantes entre manos.

—¿El comandante Stourbridge entonces? —preguntó—. ¿O el hermano, Aiden Campbell?

Hester se mostró abatida.

—No lo sé. No se me ocurre ningún motivo que los empujara a hacer daño a la señora Stourbridge y, menos aún, a Treadwell. Aunque era un chantajista. Si le hacía chantaje a Cleo, también se lo podía hacer a cualquier otro. William dice que parecía gastar más dinero del que podía sacar de Cleo, así que habrá habido otras víctimas.

—¿Lucius?

—Tal vez —admitió ella en voz baja—. Eso explicaría que Miriam estuviera tan dispuesta a protegerlo, incluso al precio de ser condenada en su lugar.

Era posible. Haría comprensible la negativa de Miriam a decir la verdad, pero aun así, a Rathbone le costaba creerlo.

—No se me ocurre nada que podamos alegar para convencer a un jurado de eso, sobre todo dada la negativa de Miriam —dijo, observando a Hester—. Y no me lo dejará intentar. He prometido no actuar contra su voluntad.

Una sonrisa asomó a los labios de Hester y se desvaneció antes de que dijera:

—Ya me lo figuraba. Me gustaría que pudieras defender a Miriam, pero quien más me preocupa es Cleo Anderson. Espero que no matara a Treadwell, y está claro que no mató a la señora Stourbridge. Estoy absolutamente convencida de que no conspiró para que Miriam se casara con Lucius, ni con ningún otro, por dinero. Esa parte de la historia es sencillamente imposible.

—¿Aunque fuera para invertir en una buena causa? —preguntó él con suavidad.

—Ni buena ni mala. Le resultaría repugnante. Ella quiere a Miriam. ¿Qué clase de mujer casaría a su hija por dinero? ¡Eso es prostitución!

—¡Hester, por el amor de Dios! Es la práctica más común de la civilización. Incluso es fruto de ella, en realidad. Los padres han vendido a sus hijas en matrimonio, considerando que rendían un servicio a todas las partes, desde tiempos inmemoriales; más aún, desde la prehistoria.

—¿No es lo mismo? —replicó ella con aspereza.

—Pues de hecho, no. Creo que «tiempos inmemoriales» alude a mediados del siglo XII. Aunque eso no importa.

—No, desde luego. Cleo no vendería a su hija y menos aún conspiraría para asesinar a quien se interpusiera en su camino. Si la conocieras como yo la conozco, ni siquiera se te habría ocurrido pensarlo.

Él tampoco lo creía, pero lo que importaba era lo que creería el jurado. Se lo hizo notar.

—Ya lo sé —admitió Hester, abatida y mirando al suelo—. Pero debemos hacer algo para ayudarla. Me niego a refugiarme tras la complejidad de la ley como si eso nos eximiera de luchar.

Rathbone se sorprendió sonriendo, aunque no lo hacía por diversión, sino con ironía.

—El homicidio no es una complejidad de la ley, querida —sentenció.

Hester lo miró con absoluta franqueza, con toda la calidez de su vieja amistad en los ojos, y de pronto Rathbone se quedó sin aliento. El último bastión de negativa de sus emociones se vino abajo. Tuvo que esforzarse para concentrar la mente en la ley y en Cleo Anderson.

—¿Cuántos medicamentos faltan y de qué tipo? —quiso saber.

Hester adoptó una expresión contrita.

—No lo sabemos, aunque es bastante; unos cuantos gramos al día, diría yo. No puedo facilitarte mediciones exactas y si pudiera tampoco lo haría. Creo que es mejor que no lo sepas.

—Puede que tengas razón —aceptó Rathbone—. No lo volveré a preguntar. Cuando el caso llegue al tribunal, ¿quién crees que testificará acerca de los robos?

—Sólo Fermin Thorpe, por voluntad propia; o quizá no por voluntad propia, sino llamado por la acusación —se corrigió—. Le resultará odioso tener que decir que han desaparecido cosas de su hospital. No sabrá si quitarle importancia, con el riesgo de que lo tomen por encubridor, o si condenarlo y que lo encasillen en el bando de la ley, temblando de indignación mientras investiga a las enfermeras. En cualquier caso, se pondrá furioso al verse atrapado en el asunto.

—¿No va a defender a un miembro de su personal?

La expresión de Hester descartó con elocuencia semejante perspectiva.

—Entiendo —concluyó Rathbone—. ¿Y el boticario?

—¿Phillips? Encubrirá todo lo que pueda, aun poniendo en peligro su propia seguridad, pero tampoco es que pueda hacer gran cosa.

—Ya. Hablaré con algunas de las enfermeras, si es

300

posible, y tal vez con el señor Phillips. Luego iré a ver al sargento Robb.

Era media tarde cuando Rathbone dio por terminado su concienzudo análisis de la rutina hospitalaria, llegando a la lamentable conclusión de que se precisaban una considerable premeditación y cierta habilidad y sangre fría para robar medicinas de forma regular. El boticario era muy meticuloso, a pesar de su aspecto desaliñado y de su imprevisible sentido del absurdo. Las mejores oportunidades se presentaban cuando un médico en prácticas tenía una emergencia o estaba confundido por un caso que no acababa de comprender o, simplemente, si era un poco descuidado. Rathbone se formó la opinión de que con toda probabilidad Phillips estaba más que enterado de lo que había estado haciendo Cleo y por qué, y o bien se hizo deliberadamente cómplice, o bien, como mínimo, había hecho la vista gorda. Contra todo fundamento de su formación, Rathbone se sorprendió admirando a aquel hombre por su actitud y, de forma bastante premeditada, dejó de buscar pruebas que respaldaran su teoría.

Por consiguiente, eran más de la siete cuando fue en busca del sargento Robb, y se vio obligado a pedir la dirección de su casa para poder verlo.

Encontrar la casa no le costó nada, pero a pesar de la cortesía de Michael Robb se sintió un intruso. Le bastó un vistazo para comprender que había interrumpido los cuidados al anciano que ocupaba el sillón que había en medio de la habitación, con el pelo blanco cepillado hacia atrás y las anchas espaldas encorvadas sobre el pecho vencido. Su rostro era muy pálido salvo por dos manchas de color en las mejillas. Su presencia otorgaba una apasionada y humana realidad al trabajo por el que Cleo Anderson estaba dispuesta a arriesgar tanto. Rathbone se asombró al constatar su enojo contra la situación, así como contra su impotencia para alterarla y contra el mundo por su ignorancia y despreocupación. Le costó trabajo hablarle a Michael Robb en un tono ecuánime.

—Buenas tardes, sargento. Perdone que le importune en su casa y más aún a estas horas. Si hubiese podido le habría ido a ver a la comisaría.

—¿Qué puedo hacer por usted, sir Oliver? —preguntó Michael.

Se mostraba cortés pero precavido. Rathbone pertenecía a una clase y una profesión con las que no estaba habituado a tratar fuera del tribunal, donde los deberes de sus oficios respectivos prescribían la actitud que uno y otro debían adoptar. El sargento era muy consciente de que su abuelo estaba cansado y hambriento, aguardando a que lo atendieran. Ahora bien, por naturaleza, así como por profesión, Michael Robb era un hombre de buenas maneras.

—He asumido la defensa de la señora Anderson contra el cargo de homicidio —le explicó Rathbone con un amago de sonrisa reprobatoria. No podía fingir ante nadie que confiaba en salir airoso y tampoco le apetecía que Robb lo tomara por un idiota—. La cuestión del robo es otro asunto.

—Lo siento —dijo Michael, y tanto su rostro como su voz transmitieron sinceridad—. No me gustó nada acusarla, pero no puedo retirar los cargos.

—Lo comprendo. Le da el móvil para el asesinato de Treadwell.

—¿Están hablando de Cleo Anderson? —interrumpió el anciano, mirando a uno y otro alternativamente.

El rostro de Michael se endureció y lanzó una mirada de reproche a Rathbone.

—Sí, abuelo.

Rathbone tuvo la viva impresión de que si Michael hubiese podido librarse con una mentira lo habría hecho, protegiendo así al anciano de un conocimiento que sólo le podía hacer daño. ¿Tendría la más remota idea de hasta qué punto estaba involucrado? ¿Sabía hasta qué punto estaba en deuda con Cleo Anderson?

El anciano miró a Rathbone.

—¿Va usted a defenderla, joven? —Miró a Rathbone de arriba abajo, desde las hermosas botas y los pantalones a medida hasta el abrigo y la corbata de seda—. ¿Y qué hace un caballero de su rango, con título y todo, defendiendo a una mujer como la señora Anderson, que no puede juntar dos peniques?

Lo preocupaba demasiado Cleo como para que nadie lo intimidara. Sus ojos apagados se clavaron en los de Rathbone sin pestañear.

—No espero cobrar, señor Robb —contestó Rathbone—. Lo empecé como favor a una amiga, la señora Monk. Creo que la conoce... —Advirtió el brillo de reconocimiento y placer en el rostro del anciano y se sintió lleno de afecto—. Y lo continúo por respeto a la propia señora Anderson, ahora que la he conocido.

Michael lo miraba inquieto. Rathbone sabía lo que temía, quizás incluso mejor que él mismo. Él temía lo mismo y puede que incluso más. No necesitaba mirar hacia el estante del armarito del rincón para ver las medicinas que antes llevaba Cleo y que ahora le aterraba pensar que Hester seguía llevando. No tenía sentido pedirle que no lo hiciera y no estaba en posición de prohibírselo; dudaba que siquiera Monk tuviera éxito en tal empresa. En cualquier caso, sería más prudente no intentarlo. Provocaría una riña y una pérdida de tiempo y energías que todos ellos necesitaban para resolver el problema, más que para pelear entre sí. Las posibilidades de éxito, en lo que a disuadir a Hester concernía, en su opinión eran nulas.

De modo que prefirió, por razones legales, así como por su propia paz espiritual, por efímera que fuese, no saber qué había dentro del armario ni cómo habría llegado hasta allí.

Michael miró de reojo al armario y enseguida apartó la vista. Si le pasó la idea por la cabeza, la alejó de inmediato. En aquel momento se sentía demasiado apremiado por sus necesidades como para permitirse pensar en ello.

—¿De modo que va a hablar en su nombre? —le preguntó el anciano a Rathbone.

—Sí, así es —respondió Rathbone.

El viejo Robb torció el gesto. Su voz fue un susurro ronco.

—¿Qué puede hacer por ella, joven? Sea sincero conmigo.

Rathbone fue franco.

—No lo sé. Creo que en efecto robó las medicinas. No creo que matara a Treadwell, por más que él le hiciera chantaje. Me parece que hay algo de suma importancia que ninguno de nosotros ha imaginado siquiera, y voy a intentar averiguar qué es.

—¿Por eso ha venido a hablar con Michael?

—Sí.

—Entonces, cuanto antes mejor. Mi cena puede esperar. —Se volvió hacia su nieto—. Atiende a este hombre. Ya cenaremos después.

—Gracias. —Rathbone agradecía el gesto—. Pero estaré más cómodo si ustedes siguen con lo que tengan que hacer. Creo que he visto un vendedor de empanadas en una esquina a unos cien metros de aquí. ¿Me permiten que vaya a buscar una para cada uno y que luego nos sentemos a comer y conversar al mismo tiempo?

Michael dudó sólo un instante, pues echó una ojeada al anciano y vio su expresión de placer ante la perspectiva, y aceptó.

Rathbone regresó con las tres mejores empanadas que pudo adquirir, envueltas en papel de periódico para que se conservaran calientes, y dieron buena cuenta de ellas con unos tazones de té. Michael era el agente de policía que llevaba el caso y su deber consistía en reunir pruebas y presentarlas ante el tribunal. Unos pocos años antes, también habría corrido el riesgo de ser demandado por falso arresto si el caso fracasaba, no como testigo de la acusación, sino a título personal, enfrentándose a una pena de cárcel si no podía pagar la multa correspondiente. Aun así, parecía tan ansioso como su abuelo por encontrar cualquier prueba atenuante para Cleo Anderson.

El viejo John Robb tenía el convencimiento de que, si la mujer había matado a Treadwell, éste lo tenía bien merecido y, si la ley la condenaba por ello, pues entonces la ley estaba equivocada y había que anularla. Su fe en que Rathbone estaba facultado para hacerlo se alimentaba más de esperanza que de realismo.

Michael no discutió con su abuelo. Su deseo de protegerlo de más pesares resultaba tan patente que Rathbone se conmovió sobremanera.

No obstante, cuando advirtió que caía la noche, no se había enterado de nada que le sirviera. Todo confirmaba lo que ya le había referido Hester. Caminó con brío por la acera, con el cálido aire vespertino impregnado de los olores del día: estiércol de caballo, hierba seca y polvo del Heath, de vez en cuando la delicadeza de la carne con cebolla o el penetrante aroma a menta procedente de un tenderete u otro. Se oía un organillo que tocaba una canción popular a lo lejos, y gritos de niños.

Hizo señas al primer coche de punto que vio y le dio su dirección al conductor; acto seguido, cambió de parecer y lo dirigió a la casa de su padre en Primrose Hill.

Estaba casi oscuro cuando llegó. Subió por el sendero de acceso con una sensación de expectativa, pese a no haber dado los pasos oportunos para averiguar si su padre se encontraba en casa y mucho menos si su visita era oportuna.

El aroma dulzón de la hierba recién cortada y las sombras espesas lo envolvieron, con un reclamo de madreselva tan intenso que se le pegó al paladar como si fuese un sabor. Mientras rodeaba la casa por el césped hacia las cristaleras, vio que la luz del estudio se encontraba encendida. Henry Rathbone no se había molestado en correr las cortinas y Oliver lo vio sentado en un sillón.

Henry estaba leyendo y no oyó los silenciosos pasos ni vio la sombra. Tenía las piernas cruzadas y la pipa en la comisura de la boca, aunque, como de costumbre, apagada.

Oliver dio unos golpes en el cristal.

Henry levantó la vista y, al reconocer a su hijo, su enjuto rostro se iluminó de placer y le hizo señas para que entrara.

Oliver sintió que lo invadía el calor de la familiaridad. Sin razón aparente, buena parte de su impotencia se esfumó, aunque no había siquiera empezado a exponer el problema y mucho menos a resolverlo. Se sentó en un gran sillón, enfrentado al de su padre, y se recostó cómodamente.

Durante unos minutos, ninguno de los dos habló. Henry continuó chupando la pipa vacía. Fuera, en la oscuridad, un ave nocturna cantó y las ramas de la madreselva, con sus flores en forma de trompeta, se agitaron en la brisa. Una palomilla se estrelló contra el cristal.

—Tengo un caso nuevo —dijo Oliver por fin—. Es imposible que lo gane.

Henry se quitó la pipa de la boca.

—Entonces tendrás una buena razón para haberlo aceptado, o al menos te parecería buena cuando lo hiciste.

—No creo que fuese buena. —Oliver era pedante por naturaleza. Había aprendido de Henry la exactitud y nunca se mostraba comedido en lo que le decía. Formaba parte de la base de su amistad—. Fue imperiosa, que no es lo mismo.

Henry sonrió al expresar su conformidad.

—Ni mucho menos.

—Me lo pidió Monk —aclaró Oliver.

Henry asintió con la cabeza.

—Había un imperativo moral —continuó Oliver, justificando su elección. No quería que su padre pensara que lo había hecho por Monk y mucho menos por Hester.

—Entiendo. ¿Piensas decirme de qué se trata?

—Por supuesto. —Oliver se acomodó y cruzó las piernas.

Hizo un sucinto resumen de los casos contra Cleo Anderson y Miriam Gardiner y luego aguardó mientras Henry se sumía en una prolongada meditación. Fuera ya estaba completamente oscuro salvo por el retazo de claro de luna que iluminaba la hierba junto al viejo manzano del final del jardín.

—Y das por supuesto que esa mujer, Cleo Anderson, no mató al cochero —dijo Henry por fin—. ¿Ni siquiera de tal manera que pueda alegar circunstancias atenuantes y tampoco durante una pelea en la que él muriera accidentalmente?

Oliver reflexionó un momento antes de contestar. Lo cierto era que había aceptado exactamente eso como la verdad. Cleo aseguró que no estaba presente y él se lo creyó. Aún lo creía.

—Sí, sí, lo doy por supuesto —asintió—. Nunca ha negado haber robado las medicinas. No tengo pruebas de cómo lo hizo exactamente ni en qué circunstancias. He evitado deliberadamente encontrarlas.

Henry no hizo ningún comentario y preguntó en cambio:

—¿Qué tiene que ver Monk?

Rathbone se lo explicó.

—¿Y Hester? —preguntó entonces Henry, en un tono suave.

Oliver no olvidaba lo mucho que Hester le agradaba a su padre, como tampoco su deseo tácito de que Oliver se casara con ella. A veces había temido que el aprecio que Hester sentía por él se debiera, al menos en parte, al afecto que ella sentía por Henry y al anhelo de pertenecer a una familia en cuyo seno hallaría la seguridad que la suya no supo proporcionarle. El padre de Hester se había matado de un tiro tras un descalabro financiero acaecido al final de la guerra de Crimea, por culpa de un hombre que abusó de su amistad para cometer una estafa. La madre murió poco tiempo después, consumida por la pena. Hester sólo había hablado de ello una vez, a no ser que lo hubiese hecho en otras ocasiones con Henry, estando Oliver ausente, movida por la necesidad de compartir esa carga.

Aquel tema de conversación lo horrorizaba. Lo evitaba adrede tanto como le era posible, llegando al extremo de no ir a Primrose Hill y quedar con su padre en el centro financiero de Londres, donde era común que las conversaciones privadas se vieran interrumpidas. Ahora no lo podía diferir más.

—Hester parece encontrarse muy bien —contestó, inexpresivo. O al menos eso creyó, aunque a juzgar por el rostro de Henry quizá se engañaba a sí mismo—. Naturalmente, está muy preocupada por esa enfermera, tanto a título personal como por sus principios —agregó, notando que se ruborizaba.

Henry asintió con la cabeza al decir:

—Me figuro que la consume el mismo ardor de siempre.

No dijo nada sobre los motivos de Oliver para aceptar lo que parecía un caso perdido. Henry era la única persona capaz de inducir a su hijo a dar explicaciones de sí mismo sin que se las hubiesen pedido.

—¡Es importante! —exclamó Oliver con apremio, inclinándose un poco hacia delante. Miró a Henry, a su enjuta y ligeramente encorvada silueta, su pelo cano, y se imaginó lo que sentiría si su padre hubiese sido soldado o marinero en lugar de matemático, si tuviera el cuerpo vencido y estuviese apabullado y solo, incapaz de pagar los cuidados que necesitara, despojado de la dignidad de la ancianidad y abandonado a la desesperanza. Resultaba tan doloroso que se quedó sin aliento. De ahí que la batalla fuera por John Robb, por Henry, por todos los que soportaban los estragos de las heridas y la edad y por quienes no tardarían en estar en esa misma situación—. Es mucho más importante que una sola persona —añadió con pasión—. Más que Cleo Anderson y hasta que Hester o que ganar por ganar. Si permitimos esta injusticia sin hacer nada por remediarla, ¿en qué queda nuestra valía?

Henry lo miró muy serio; en sus ojos no quedaba ni rastro de humor.

—En muy poco —reconoció en voz baja—, pero la emoción no ganará tu batalla, Oliver. Es una excelente fuerza motriz, la mejor, pues hará que te mantengas valiente. La ira ante la injusticia ha corregido más errores que casi todas las otras cosas y es una de las grandes fuerzas creadoras de toda sociedad civilizada. —Sacudió la cabeza—. Sólo que, para no reemplazar un enemigo por otro, aunque sea con la intención más inocente, tienes que usar la inteligencia. Me has dicho que estás seguro de que tanto la señora Anderson como la señora Gardiner te han mentido. No puedes ir a juicio sin ni siquiera saber cuál es esa mentira y por qué te la dicen poniendo en peligro su propia vida. El motivo sin duda tiene que ser muy poderoso.

—Eso ya lo sé —convino Oliver—, y me he devanado los sesos buscando qué puede ser.

—¿Es la misma razón para ambas?

—Ni siquiera sé eso.

Henry permaneció meditabundo, con los codos en los brazos del sillón y los dedos entrelazados.

—Me figuro que le habrás advertido a cada una de ellas que lo que depende del veredicto no es sólo su propia vida, sino también la de la otra. Por consiguiente, ambas tienen una razón imperiosa para no decirte la verdad. Por lo que dices parece posible que la señora Anderson no la sepa, pero está claro que la señora Gardiner sí. ¿Por qué iba una mujer a permitir que la ahorcaran por un crimen que no ha cometido? —Miró de hito en hito a Oliver y se contestó él mismo—. Sólo porque la alternativa es peor.

—¿Qué puede ser peor que la horca?

—No lo sé. Eso es lo que tienes que averiguar.

—Que ahorquen a una persona a la que quieres... —apuntó Oliver, casi más para sí que para Henry.

—¿Es culpable Lucius Stourbridge? —preguntó Henry.

—No lo sé —respondió Oliver—. No sé qué motivo pudo tener para matar a Treadwell o a su propia madre.

—A Treadwell es más fácil —dijo Henry pensativo—. Tal vez amenazó a la señora Gardiner o puso en entredicho la boda, tanto sirviéndose de la señora Anderson como de cualquier otro ardid. Era un chantajista. Caben muchas posibilidades. Lo más complicado es imaginar un motivo para que Lucius matara a su madre.

—Lo he buscado —admitió Oliver— y no he encontrado nada.

—Sería de lo más extraordinario que ambos crímenes no estuvieran relacionados —prosiguió Henry su reflexión, juntando las cejas—. ¿Qué elementos presentan en común?

—El propio Treadwell y Miriam Gardiner, y la naturaleza de los ataques.

—Más lo que no sabemos —agregó Henry—. Hay

que contar siempre con la posibilidad de un factor que no se haya tomado en consideración, quizá algo que escapa por completo a nuestro conocimiento. Por lo que me has contado hasta ahora, creo que eso es lo que ocurre en el caso que nos ocupa. Procede con lógica, elimina lo imposible y examina lo que queda, por más desagradable que sea. Tengo el presentimiento, Oliver, de que este caso va a requerir de toda tu compasión y que exigirá de ti más de lo que pensabas que tendrías que dar. Lo siento. Entiendo que no es fácil para ti, sobre todo teniendo en cuenta la implicación de Hester.

—¡Su implicación no cambia nada!

En cuanto hubo pronunciado aquellas palabras supo que no eran ciertas y no dudó que lo mismo pensaría Henry, pero ya no podía retirarlas.

Henry negó sutilmente con la cabeza, casi sin moverla.

—No cambia el desenlace —se corrigió Oliver.

Lo que en realidad quería decir (la soledad, el saber que había tenido en las manos un bien precioso y lo dejó escapar entre los dedos por no comprometerse lo suficiente con su pasión, el arrepentimiento) quedó flotando entre ellos sin ser dicho. Henry lo conocía lo bastante como para que decir la verdad no fuese necesario y las mentiras resultaran no sólo imposibles, sino dañinas. Henry entendía tan bien como su hijo que Hester cambiaba por completo la forma de sentir las cosas de Oliver, y que por eso él continuaría luchando sin importarle lo que pudiera suponer de merma para su reputación, su amor propio o su bolsillo.

Henry estaba sonriendo. Oliver supo en ese momento que contaba con su aprobación. Por más que reverenciara la ley y entendiera la dedicación de un hombre al ámbito de su elección, a unos principios que estaban por encima de cualquier individuo, Henry comprendía también que hacer todo eso sin involucrarse personalmente era como tener el corazón muerto. Prefería que Oliver luchara porque creía en una causa, y que perdiera, a que ganara con todas las recompensas sin creer en ella.

Permanecieron sentados en silencio por espacio de una media hora más y luego Oliver se levantó y se dispuso a marcharse. Henry paseó con él por el césped en la oscuridad, que olía intensamente a hierba mojada, para contemplar la luna reflejada en las hojas del huerto, y caminaron después de regreso hacia la calle.

No fue preciso decir que al día siguiente Oliver debería comenzar a preparar un alegato coherente, para defender a sus clientas, y a investigar qué alternativa era tan detestable como para que Miriam Gardiner prefiriera morir en la horca antes que desvelarla.

Y si Oliver lo averiguaba, ¿para quién sería su lealtad? ¿Para Miriam, o para la verdad?

No obstante, cuando se separaron y mientras caminaba hacia la calle principal, Oliver sintió recobradas las fuerzas en su interior, recuperado el equilibrio. Se había enfrentado a ciertas mentiras que ya no lo iban a gobernar nunca más.

10

Cinco semanas más tarde, Cleo Anderson y Miriam Gardiner ocupaban el banquillo, acusadas de conspiración y homicidio. La sala estaba abarrotada, la gente se apiñaba de tal modo que cuando alguien se revolvía incómodo se oía el roce de las telas. El arrastrar de pies y los crujidos de las botas se confundían con las toses y los murmullos.

Tras la llamada al orden y concluida la lectura de los cargos y alegatos, Robert Tobias inició el turno de la acusación. Era un hombre al que Rathbone se había enfrentado en varias ocasiones con anterioridad, saliendo vencedor tantas veces como vencido. Tobias era de estatura algo inferior a la media, atlético en su juventud y ahora, a los sesenta, todavía ágil y con la espalda erguida. Nunca había sido guapo, en sentido estricto, pero su inteligencia, sumada a la potencia y la belleza de su voz, le confería una apariencia extraordinaria, al mismo tiempo amedrentadora y atractiva. Más de una dama de la buena sociedad había comenzado a flirtear con él por mero entretenimiento y acabó más prendada de lo que deseaba, llegando incluso a sufrir. Era un viudo que tenía la clara intención de conservar la libertad para obrar a su antojo.

Sonrió a Rathbone y llamó a su primer testigo, el sargento Michael Robb.

Rathbone observó a Robb subir el breve tramo de escalera hasta el estrado de los testigos y enfrentarse al tribunal. Se lo veía desdichado y extraordinariamente joven. Debía de tener veintitantos años, pero tenía el aspecto acicalado y repeinado de un crío enviado a la escuela dominical y que preferiría estar en cualquier otra parte.

Tobias salió al espacio central de la sala, con el jurado a un lado, el estrado delante y el juez a la derecha, encumbrado contra la pared en su magnífico asiento acolchado de terciopelo rojo y rodeado de paneles de madera lustrosa.

—Sargento Robb —comenzó Tobias, muy cortés—, este caso es muy descorazonador —Levantó una mano ligeramente hacia el banquillo—. A ningún hombre decente le gusta imaginar que dos mujeres, sobre todo cuando una es joven y de buen ver y la otra tiene encomendado el cuidado de los enfermos, sean capaces de conspirar juntas para cometer un asesinato a sangre fría en beneficio propio. Por suerte, no es su deber, como tampoco el mío, determinar si esto es en efecto lo que sucedió. —Se volvió con mucho garbo hacia el jurado y le dedicó una breve reverencia—. Es el espantoso deber de estos doce buenos hombres y, la verdad, no los envidio. La justicia es una carga imponente. Para soportarla se precisa de alguien fuerte, de alguien valiente, de alguien honesto.

Rathbone estuvo a punto de interrumpir aquella adulación tan descarada, pero le constaba que Tobias estaría encantado de que lo hiciera. Permaneció en el asiento, asintiendo discretamente con la cabeza, como si estuviera de acuerdo.

Tobias se volvió hacia Robb.

—Lo único que precisamos de usted es un relato simple y exacto de los hechos que conoce. ¿Podemos empezar por el descubrimiento del cadáver de James Treadwell?

Robb se puso firme. Rathbone se preguntó si para el

jurado sería tan obvio como para él lo mucho que a Robb le desagradaba su tarea. ¿Imaginarían que era repugnancia por el crimen, o sabrían, como él, que se debía a un conocimiento más profundo de la complejidad de una tragedia en la que el bien y el mal estaban tan inextricablemente mezclados que no había modo de separarlos?

¿Cómo juzgaban las personas? ¿Por instinto? ¿Por inteligencia? ¿Por conocimiento previo y experiencia? ¿Por emoción? ¿Cómo se interpretaban las pruebas? Con mucha frecuencia había visto a dos personas describir la misma serie de acontecimientos y sacar conclusiones radicalmente distintas.

Robb empezó a relatar, con una simplicidad casi de colegial, que lo avisaron para ver el cadáver de un hombre que, al parecer, había muerto de un golpe en la cabeza.

—¿Decidió de inmediato que era la víctima de un asesinato? —preguntó Tobias fingiendo sorpresa y con evidente satisfacción. Echó una ojeada a Rathbone, como si medio esperara ser interrumpido y tomara como un signo de su anticipada derrota el que no lo hiciera.

Robb respiró profundamente y contestó:

—Por la clase de marcas que presentaban sus ropas, señor, pensé que no se cayó de un carruaje ni había sido arrollado por uno que no lo hubiese visto en la oscuridad.

—Una observación muy perspicaz. ¿Consideró desde el principio que el asunto revestía gravedad?

—La muerte siempre es grave —sentenció Robb.

—Por supuesto, pero el asesinato tiene una gravedad que el accidente no tiene. Es algo oscuro y pavoroso, una violación de nuestro más profundo orden moral. Los accidentes son trágicos, pero son infortunios. ¡El asesinato es maldad!

Robb se había puesto colorado.

—Con todo el respeto, señor, creí oírle decir antes

que usted y yo no estábamos aquí para juzgar, sino para establecer los hechos. Si no tiene inconveniente, señor, preferiría ceñirme a eso —replicó.

Un murmullo recorrió la sala.

Rathbone se permitió sonreír; de hecho, no pudo evitarlo.

Tobias controló su genio con gracia, aunque le costó lo suyo. Rathbone lo notó en el ángulo de los hombros y en el tirón de su cara chaqueta.

—Tiene usted razón —concedió—, debemos centrarnos en los hechos a toda costa. ¿Quiere describirnos al hombre muerto que hallaron? ¿Era joven, o viejo? ¿Enfermo, o con buena salud? Permítanos verlo con sus ojos, sargento Robb. Deje que sintamos lo mismo que usted cuando vio tendido en la acera a ese hombre que hasta muy poco antes estaba vivo, lleno de esperanzas y sueños, para luego verse violentamente despojado de ellos. —Separó los brazos a modo de invitación—. Llévenos con usted.

Robb lo miraba con tristeza. Ni una sola vez levantó la vista hacia las dos mujeres que estaban sentadas, pálidas e inmóviles, en el banquillo. Tampoco miraba más allá de Tobias y Rathbone para buscar algún rostro conocido entre el público: Monk o Hester.

—Era bastante corriente. Resultaba difícil determinar su estatura porque estaba tendido. Tenía el pelo liso y las manos fuertes y encallecidas, como si estuviera acostumbrado a sujetar riendas.

—¿Algún indicio de pelea? —interrumpió Tobias—. ¿Presentaba cortes o magulladuras como si hubiese intentado defenderse?

—No vi nada de eso. Sólo unos rasguños en las manos, de moverse a rastras.

—Naturalmente, también interrogaré al forense, pero gracias por su observación. ¿Dónde estaba exactamente este pobre hombre, sargento?

—En el sendero entre el número cinco y el número seis de Green Man Hill, cerca de Hampstead Heath.

—¿Hacia dónde miraba?

—Hacia el número cinco.

—¿Fue allí donde lo mataron?

—Creo que no. Parecía haber recorrido un trecho arrastrándose. Tenía las rodilleras de los pantalones desgarradas y sucias de barro, y los codos también.

—¿Qué distancia recorrió? ¿Sabría decirlo?

—No. Por lo menos doscientos o trescientos metros, puede que más.

—Entiendo. ¿Qué hizo usted entonces, sargento?

Paso a paso, Tobias fue sacando de Robb la narración del hallazgo del carruaje y de los caballos y la supuesta relación con el hombre asesinado. Luego, lo dirigió a través del relato de la llegada de Monk buscando a un hombre cuya descripción encajaba con la del muerto.

—¡Qué interesante! —exclamo Tobias triunfante—. Supongo que llevaría a este tal señor Monk a ver el cadáver.

—Sí, señor.

—¿Y lo identificó?

—No, señor. No estaba seguro. Pero fue en busca de dos caballeros de Bayswater, quienes afirmaron que era James Treadwell y que había sido su cochero.

—¿Cómo se llaman estos caballeros?

—Son el comandante Harry Stourbridge y su hijo, el señor Lucius Stourbridge.

Un rumor de movimientos recorrió la sala confirmando la atención del público. Varias personas se enderezaron en sus asientos.

—¿El mismo Lucius Stourbridge que es hijo de Verona Stourbridge y que estaba comprometido en matrimonio con la señora Miriam Gardiner?

Más movimiento en la tribuna de espectadores. Dos mujeres estiraron el cuello para mirar al banquillo.

—Sí, señor —contestó Robb.

—¿Y Treadwell cuándo fue visto con vida por última vez y por quién?

A regañadientes, Robb refirió la huida de Miriam de la fiesta en el jardín, la ambigüedad de Monk en el asunto y cómo Monk siguió el rastro de Miriam y luego lo hizo él mismo. Rathbone no pudo hacer nada para detenerlo.

—Qué interesante —comentó Tobias en un tono prudente—. ¿Y la señora Gardiner le dio una explicación satisfactoria de su huida de Bayswater o alguna razón para su extraña conducta?

—No, señor.

—¿Le dijo quién había matado a James Treadwell? Supongo que se lo preguntó.

—Se lo pregunté y no, no me dio ninguna respuesta, excepto que no lo había hecho ella.

—¿Y usted se lo creyó?

Rathbone hizo ademán de ir a ponerse de pie.

El juez le lanzó una mirada.

Tobias sonrió y rectificó.

—Quizás esto debería plantearlo mejor. Sargento Robb, ¿arrestó posteriormente a la señora Gardiner por el asesinato de James Treadwell?

—Sí, lo hice.

Tobias enarcó las cejas.

—¡Pero no la ha acusado de eso!

Robb tenía el rostro tenso y abatido.

—Está acusada de conspiración...

—Que esté usted triste por tan espantosa tragedia es muy loable, sargento —observó Tobias, mirándolo fijamente—, pero parece más que eso, parece usted reticente, como si estuviera haciendo esto contra su voluntad. ¿A qué se debe, sargento Robb?

Rathbone se exprimía el cerebro. ¿Debía objetar que aquello era irrelevante por ser personal? Se había propuesto echar mano de la elevada opinión que Robb tenía de Cleo, de su conocimiento de los motivos de ésta, como su única arma atenuante. Ahora Tobias se la robaba. No podía protestar y usar luego el mismo argumento. Aunque lo hiciera indirectamente, Tobias se opondría y con razón.

No le quedaba más remedio que permanecer callado y procurar que su rostro no lo traicionara.

—¿Sargento? —le instó Tobias.

Robb levantó un poco el mentón y lo fulminó con la mirada.

—Estoy reticente, señor. La señora Anderson es conocida en nuestra comunidad porque visita y ayuda a los enfermos, sobre todo a los más viejos y pobres. Día y noche lo hacía, además de trabajar en el hospital. No los habría tratado mejor si hubiesen sido de su familia.

—¡Pero la arrestó por homicidio!

Robb apretó la mandíbula al decir:

—Tuve que hacerlo. Encontramos pruebas de que Treadwell le hacía chantaje...

Esta vez Rathbone se levantó.

—Señoría...

—Sí, sí —asintió el juez, frunciendo los labios—. Señor Tobias, aténgase a los procedimientos. Si tiene pruebas, preséntelas como es debido.

Tobias hizo una reverencia, sonriendo. No tenía por qué preocuparse y lo sabía. Se volvió de nuevo hacia Robb, en el estrado.

—Esta alta consideración que tiene por la señora Anderson, sargento, ¿se debe a las habladurías del barrio, o puede corroborarla por conocimiento propio?

—La tengo porque la conozco —contestó con tristeza Robb—. Solía visitar regularmente a mi abuelo, que vive conmigo.

Tobias asintió despacio con la cabeza. Parecía estar sopesando sus palabras, juzgando qué decir y qué callar.

Rathbone observó los rostros de los miembros del jurado. Había un hombre en concreto, de mediana edad, muy serio, que miraba a Tobias con lo que parecía comprensión. Miró luego a Robb y lo hizo con compasión.

Tobias no preguntó si Cleo le llevaba o no medicinas. No era necesario; el jurado ya se había percatado. No les hubiera gustado ver al sargento en un aprieto. Tobias era un soberbio juez de la naturaleza humana.

Rathbone seguía con las manos atadas.

La jornada continuó centrada en Tobias, que fue sacando las demás pruebas, pieza a pieza, de un renuente Robb. Éste refirió cómo, al menos siguiendo en parte a Monk, averiguó lo de las medicinas robadas y constató la extrema pobreza de Cleo, debida principalmente al chantaje que le hacía Treadwell. Esto le daba a la mujer un móvil para el asesinato que cualquiera podía comprender. Los miembros del jurado estaban muy serios, sacudían la cabeza y sus rostros reflejaban tanta compasión como culpa.

Aquello cambiaría en cuanto Miriam apareciera envuelta en el asunto, y Rathbone lo sabía como sabía que el día sigue a la noche, pero no podía interponer protesta alguna ni presentar ningún argumento. Tobias se ceñía a las reglas y había trazado su plan a la perfección. A Rathbone no le quedaba más que resistir, y abrigar esperanzas.

El segundo día no fue mejor. Robb concluyó su testimonio y Rathbone tuvo oportunidad de interrogarlo, aunque no tenía nada que preguntar. Si guardaba silencio parecería que ya se había dado por vencido, sin siquiera un amago de lucha, como si no creyera en sus clientas y hubiese perdido toda esperanza para ellas. Y, sin embargo, Tobias había sacado a colación todos los aspectos que Robb conocía del caso y no quedaba nada

que rebatir. Todo lo declarado era verdad y no se presta-
ba a una interpretación más favorable. Hacérselo repetir
no sólo parecería inútil, sino que lo reforzaría en las
mentes del jurado. Se puso de pie.

—Gracias, señoría, pero el señor Tobias le ha preguntado al sargento Robb todo lo que yo le habría
preguntado. Sería un abuso por mi parte que desperdi-
ciara el tiempo de este tribunal pidiendo al sargento que
repita lo que ya nos ha dicho.

Se sentó de nuevo.

Tobias sonrió.

El juez asintió tristemente con la cabeza. Daba la
impresión de encontrar muy penoso el caso y saltaba a la
vista que hubiese preferido que otro ocupara su lugar,
aunque veía que se hiciera justicia. Había dedicado toda su vida a esa causa.

Tobias llamó al párroco de la iglesia de Hampstead,
un hombre jovial que se sentía muy incómodo en aquel
ambiente, pero que dio su testimonio con convicción.
Hacía treinta años que conocía a Cleo Anderson. No tenía ni idea de que hubiese cometido un crimen de ninguna clase y le costaba trabajo aceptar que así fuera. Se
disculpó por manifestar su perplejidad. No obstante, la
fragilidad humana era un terreno que conocía bien.

Tobias lo compadeció.

—¿Y cuánto hace que conoce a Miriam Gardiner?
—preguntó.

—Desde que llegó a Hampstead —respondió el párroco.

A continuación, guiado por Tobias, refirió la historia de la primera aparición de Miriam totalmente deso-
lada, contando unos trece años de edad, cómo Cleo la
tomó a su cargo y cuidó de ella mientras buscaban a su
familia.

Al no dar con ella, Miriam se quedó con Cleo hasta
que la chica se casó con el señor Gardiner.

—Un momento —interrumpió Tobias—. ¿Tendría la bondad de describirnos al señor Gardiner, por favor? Su edad, apariencia, posición social y económica.

El párroco se mostró desconcertado.

Rathbone no.

Sabía exactamente lo que estaba haciendo Tobias: establecer una pauta de la lealtad mutua entre Cleo y Miriam, de Miriam casándose con un próspero hombre de negocios para luego compartir su buena suerte con su benefactora original, quien se había convertido en una madre para ella. El párroco lo hizo extremadamente bien, pintando el retrato de una mujer con su hija superando tiempos difíciles, lo unidas que estaban, la felicidad de Miriam al encontrar un hombre cabal, aunque algo mayor que ella, pero amable y, al parecer, enamorado.

No había sido un gran romance, sino un buen matrimonio estable; y, sin duda, más de lo que cualquier chica en la posición de Miriam podría haber soñado. Un matrimonio por amor con un hombre de su misma edad y condición no le habría proporcionado mucha seguridad económica.

Tobias dejó bien claro este punto. Una vez más, Rathbone no pudo poner nada en entredicho.

¿Miriam había compartido su buena suerte con Cleo Anderson?

—Naturalmente —contestó el párroco—. ¿Qué buena hija no lo haría?

—Claro —convino Tobias, y dejó de insistir en el tema.

Cuando se aplazó la vista hasta el día siguiente, Rathbone fue de inmediato a ver a Miriam. Estaba sola en los calabozos de la policía, con el rostro demacrado y la mirada sombría. No le preguntó a Rathbone por qué no había rebatido nada y su silencio hizo las cosas aún más difíciles para él. Ni siquiera sabía si Miriam abrigaba alguna esperanza o si comprendía la situación. Para Rathbone era muy fácil, acostumbrado como estaba a los procedimientos judiciales y a sus significados ocultos, suponer que los demás también se hacían cargo de todo. Le hubiese gustado otorgarle el consuelo de no hacerle saber lo grave que era su situación, mas no podía permitírselo.

Tomó aire para hacerle la consabida pregunta sobre cómo se encontraba o brindarle unas palabras de aliento, verdadero o no, pero habrían resultado hueras y supondrían una pérdida de tiempo y de emociones. No harían más que agrandar la brecha que los separaba, de ser eso posible. La honestidad, su honestidad, era cuanto tenían.

—Señora Gardiner, tiene que decirme la verdad. Hoy he guardado silencio porque no tengo ninguna arma que usar contra Tobias. Él lo sabe, pero, si hago cualquier amago de combatirlo y fracaso, el jurado también lo sabrá. Ahora piensan que estoy ganando tiempo. Pero avanzo a ciegas. No sé qué sabe él que yo no sepa. O qué puede descubrir, lo que es aún peor.

Miriam se volvió, medio dándole la espalda.

—Nada. No puede descubrir nada.

—¡Puede descubrir quién mató a James Treadwell! —exclamó Rathbone con aspereza.

Ya no había tiempo para ser considerado. La soga ya arrojaba su sombra no sólo sobre Miriam sino también sobre Cleo.

Ella se volvió lentamente hacia él.

—Lo dudo mucho, sir Oliver. Nadie lo creería, aunque yo lo dijera. Y no lo haré. Créame, causaría más daño que reparación. No tengo pruebas y todos los indicios que usted tiene, como ha dicho, van contra mí.

En los calabozos hacía calor, casi faltaba el aire, y aun así, Rathbone sintió escalofríos.

—Mi trabajo es lograr que lo crean. —Mientras lo decía temió que ya se hubiese encerrado en sí misma y no le estuviera escuchando—. Al menos déjeme intentarlo. —Sonaba desesperado. Lo notó en la estridencia de su voz.

—Lamento que no me crea —dijo Miriam—, pero es verdad que haría más mal que bien. Como mínimo acepte que lo he pensado mucho antes de tomar esta decisión. Comprendo que me ahorcarán. No me hago ilusiones respecto de un milagro que me salve. Y usted no me ha mentido ni me ha dado falso consuelo. Eso se lo agradezco.

Su gratitud fue como un revés, al recordarle lo poco que realmente había hecho por ella. No iba a ser más que una figura decorativa, limitándose a cumplir el requisito legal de representarla. La acusación no necesitaba recurrir a Tobias, cualquier principiante podría haber presentado el caso y ganarlo.

Notó que estaba temblando, con los puños apretados.

—No la ahorcarán sólo a usted, ¡también a Cleo Anderson!

A Miriam se le quebró la voz al decir:

—Ya lo sé. Pero ¿qué puedo hacer? —Lo miró, con los ojos anegados en lágrimas—. Testificaré que yo estaba allí y que no fue ella quien lo mató, si es lo que quiere. Pero ¿quién va a creerme? Además, piensan que somos conspiradoras. Contarán con que la defienda. No puedo demostrar que ella no estaba allí, como tampoco que no le estuviera haciendo chantaje o que no robara las medicinas. ¡Pues lo hizo!

Lo que ella decía era cierto. Rathbone eligió las palabras con cuidado, procurando herirla lo bastante como para provocar una respuesta.

—Alguien mató a Treadwell, y si no fue usted y tampoco Cleo, la única persona que se me ocurre por la que usted moriría en su defensa es Lucius Stourbridge.

Miriam abrió los ojos de par en par y el último vestigio de color desapareció de su rostro. Estaba demasiado horrorizada para responder.

—Si quiere morir por él —prosiguió Rathbone—, la decisión es suya, pero ¿de verdad cree que él se merece la vida de Cleo Anderson también? ¿Y se merece ella que usted le haga esto?

La joven se volvió hasta darle la cara, con los ojos centelleantes y los labios retraídos con tal ferocidad que él casi tuvo miedo, pese a lo menuda que era y a que estaba presa en aquel calabozo policial.

—Lucius no tuvo nada que ver. ¡No estoy defendiendo al asesino de Treadwell! ¡Si pudiera verlo ahorcado, yo misma tiraría de la soga con mis propias manos y abriría la trampilla para verle caer! —Suspiró con un jadeo—. ¡No puedo! Que Dios me asista, no hay nada..., nada que pueda hacer. Ahora váyase y déjeme al menos a solas, ya que no en paz.

Otras preguntas le acudían a Rathbone a la mente, pero la furia y la desesperación lo dejaron sin habla. Deseaba ayudarla no para mejorar su reputación ni para defender su honor, sino sencillamente para aliviar el dolor que veía, y casi sentía, al mirarla. Sólo estaba a un metro de él y, sin embargo, se abría un abismo entre lo que ella experimentaba y lo que él comprendía. No sabía cómo diablos salvar esa distancia. Podrían haber estado en países distintos. Tampoco conseguía descifrar sus propios sentimientos: rabia; miedo de que fuera culpable; miedo de que no lo fuera y de fallarle, siendo destruida por la maquinaria de la justicia que se suponía que él guiaba; compasión; incluso una especie de admiración, pues, aunque sin razón aparente, creía que había algo noble en ella, algo hermoso y fuerte.

Mientras salía de los calabozos hacia el calor de la media tarde, los transeúntes, la cháchara de voces, las ruedas, los cascos y el clamor de la vida cotidiana, se sentía como un ciego. Hizo señas a un coche de punto y dio la dirección de Monk en Fitzroy Street. Apenas prestó atención a lo poco que le apetecía ir a la casa que Hester compartía con Monk. Ahora resultaba secundario, era una herida que curaría en otro momento.

—Le he suplicado —se lamentó Rathbone, yendo de un lado a otro de la sala donde Monk recibía a los clientes.

Monk permanecía de pie, apoyado en la repisa de la chimenea a pesar de que el fuego estaba apagado, pues la tarde era demasiado templada como para encenderlo. Hester se encontraba sentada muy tiesa en el borde mismo del sillón grande, sin quitarle a Rathbone el ojo de encima, con el rostro fruncido por la concentración.

—¡Sabe que la ahorcarán y aun así se niega a decirme quién mató a Treadwell! —añadió.

Abrió los brazos con exasperación y por poco golpea el respaldo del otro sillón.

—Lucius Stourbridge —apuntó Monk con pesar—. Es el único por quien se dejaría ahorcar, aparte de Cleo.

—Pues no es él —se apresuró a replicar Rathbone—. También yo lo he supuesto. Lo ha negado con furia, defendiéndolo a él, no a quienquiera que matara a Treadwell. Me ha dicho que lo ahorcaría ella misma con gusto si pudiera, pero que nadie la creería y que no iba a decirme una palabra más.

Monk lo miró perplejo. Rathbone quería una respuesta por encima de todo, en aquel momento, aunque constituía una pequeña satisfacción ver a Monk tan confundido como él mismo.

Ambos miraron a Hester.

—Entonces, sólo quedan Harry Stourbridge y Aiden Campbell —dijo ella pensativa—. Supongo que Treadwell podía estar haciéndole chantaje a Harry Stourbridge. Llevaba varios años en la casa. Conducía el carruaje. ¿Quizás el comandante fue a algún sitio o hizo algo por lo que estaría dispuesto a pagar con tal de silenciarle?

—¿Qué pasa con el hermano, Campbell? —propuso Rathbone.

Monk negó con la cabeza.

—Improbable. Vive en algún lugar de Wiltshire. Sólo fue allí para la fiesta de compromiso. Lo comprobé y, por lo que sabían los demás sirvientes, apenas veía a Treadwell. Tenía su propio carruaje y su conductor, y nadie le vio rondar por las caballerizas mientras se alojó en la casa. Y Treadwell no fue a Wiltshire en su vida. Y, en cuanto a que Campbell matara a la señora Stourbridge, estaban muy unidos, todo el mundo estuvo de acuerdo en eso, y ha sido así desde que eran niños.

—Hasta los hermanos mejor avenidos se pelean —señaló Rathbone.

—Por supuesto —convino Monk con cierta aspereza, bajando la vista al guardafuego bruñido, donde apoyaba el pie—. Pero nadie con la suficiente sangre fría para asesinar en lugar de pagar un chantaje mataría a la hermana que constituye su único vínculo con una fortuna tan inmensa como la de los Stourbridge. Una vez muerta ella, él no tiene nada que reclamar. No está especialmente unido ni a Harry ni a Lucius. Le profesan una buena amistad, sin duda, pero no prolongarán la generosidad de Verona.

Otro callejón sin salida.

Hester se mordió el labio antes de decir:

—Entonces, tenemos que averiguar si se trata del comandante Stourbridge. Por más desagradable que sea, si ésa es la verdad, tenemos que saberlo.

—Tendría sentido —admitió Rathbone, metiendo las manos en los bolsillos y volviendo a sacarlas de inmediato. De niño le habían enseñado a no meter las manos en los bolsillos porque daba un aspecto informal y deformaba la ropa. Se volvió hacia Monk.

—Sí —estuvo de acuerdo Monk, no porque le pareciera probable, sino aceptando la tarea antes de que Rathbone se la encomendara—. Tendría que haberlo pensado antes. No he investigado a los Stourbridge, a ninguno de ellos.

—No sé qué podrás encontrar en uno o dos días —se desanimó Rathbone—. ¡Voy a juicio sin nada! No tengo ningún otro sospechoso razonable que presentar al jurado, sólo «persona o personas desconocidas». Nadie va a creer eso cuando Miriam y Cleo tienen un móvil perfecto y todo el aspecto de ser culpables.

—Puede que lo sean —le recordó Monk—. O por lo menos una de ellas, en conspiración con otra persona.

—¿Alguien que estuviera en casa de los Stourbridge? —sugirió Rathbone con cierto sarcasmo—. Ésa tiene que ser Miriam. ¿Y por qué, por el amor de Dios?

—No lo sé —contestó Monk, enfadado—. Pero es obvio que hay algún factor clave en toda esta historia que se nos ha pasado por alto, aunque sólo sea la razón por la que ambas mujeres prefieren ser ahorcadas que decir la verdad. ¡Más nos vale descubrir de qué se trata!

Hester pasó su vista de Monk a Rathbone y preguntó:

—¿Cuánto más puedes prolongar el juicio, Oliver?

—Damos la impresión de pedirle que cante cancioncillas mientras nosotros tratamos de desenmarañar algún elemento vital —se quejó Monk con amargura—. Empezaré mañana en cuanto apunte el día. ¡Aunque ni siquiera sé por dónde empezar!

—¿Qué puedo hacer para ayudar? —se ofreció Hester, dirigiéndose más a Rathbone que a Monk.

—Ojalá lo supiera —confesó el abogado—. Cleo admite haber robado las medicinas. No podemos hacer nada para atenuar eso, salvo demostrar el uso que hizo de ellas y ya tenemos a todos los testigos necesarios. Contamos con docenas de hombres y mujeres dispuestos a defender su diligencia, compasión, dedicación, sobriedad y honestidad en todos los aspectos, menos en el robo de medicinas del hospital. Incluso tenemos personas que jurarán que es casta, modesta y limpia. No servirá de nada. Le pagaba a Treadwell el dinero del chantaje y él le chupaba la sangre. Las únicas comidas decentes que tomaba eran las que le daban en el hospital o en los hogares que visitaba. ¡Hasta iba vestida con ropa vieja que le daban los parientes de los pacientes fallecidos!

Hester permaneció callada, sumida en su pesar.

—Tengo que irme a casa —dijo Rathbone por fin—. Quizás una buena noche de sueño aclare mi mente lo bastante como para que se me ocurra algo.

Se despidió y se fue, con una aguda conciencia de su soledad. Dormiría solo entre sus sábanas de lino. Monk dormiría con Hester entre sus brazos. La noche bañada de luna no encerraba ninguna magia para él.

Tobias estaba de un humor expansivo cuando llamó a su primer testigo al día siguiente, si bien se guardó de no exagerar su actitud. Era demasiado listo como para alienar a un jurado dando muestras de regodearse con su triunfo, aunque Rathbone, sentado ante su mesa, consideró innecesarios tantos miramientos. Tal como estaban yendo las cosas, y a tenor de las perspectivas de futuro, Tobias no podía perder, hiciera lo que hiciese.

Hester y Monk no se hallaban en la sala, y tampoco Callandra Daviot. Los miembros de la familia Stourbridge estaban pendientes de testificar y, por consiguiente, les estaba vedada la presencia por si algo de lo que oían influía en lo que luego ellos tendrían que decir.

El primer testigo de Tobias fue el mozo de cuadra de los Stourbridge. Puso mucho esmero en establecer con exactitud su puesto en el servicio de la casa, así como su reputación intachable. No dejó resquicio alguno para que Rathbone pusiera en entredicho su honestidad o su capacidad de observación.

Rathbone estuvo bastante satisfecho de que así lo hiciera. No tenía ningún argumento de peso que presentar y no abrigaba el menor deseo de mancillar la reputación de aquel hombre. Era una mala práctica, que solía ofender al jurado, la de calumniar a una persona que no era más que un testigo y no tenía ninguna relación directa con el crimen. Y presentaba la enorme ventaja (de hecho, de momento la única) de que llevaba su tiempo.

Todo lo que vino a demostrar el mozo, sin dejar lugar a la duda, fue que Treadwell había acompañado a Miriam en distintas ocasiones desde Bayswater a su casa en Hampstead, o que había ido a buscarla. También un par de veces le llevó mensajes o regalos de Lucius en los primeros tiempos del cortejo, antes de que empezara a hacerlo el propio Lucius. Incuestionablemente, Treadwell sabía dónde vivía Miriam Gardiner y conocía la zona.

A continuación, Tobias llamó al dueño de la taberna del barrio, la Jack Straw's Castle Inn, sita en la esquina de North End Hill y Spaniards Road, quien juró que Treadwell paraba allí con bastante frecuencia y solía pedir una pinta de cerveza, jugar a los dardos o al dominó, a veces apostando un poco, y charlar con los parroquianos. Sí, le había llamado la atención que hiciera tantas preguntas, pero él pensó que sería preocupación por su patrono, que estaba cortejando a una mujer del vecindario.

El propietario de la Bull and Bush, situada en lo alto de Golders Hill, vino a decir lo mismo, igual que dos vecinos habituales de la Hare and Hounds, que quedaba un poco más lejos. Allí había preguntado más concretamente sobre Miriam Gardiner y Cleo Anderson. Sí, gastaba a lo grande, como si supiera que había más dinero allí de donde lo sacara.

—¿Qué clase de preguntas hacía? —inquirió Tobias con tono inocente.

—Sobre su reputación en general —contestó el testigo—. Que si era honesta, sobria, esa clase de cosas.

—¿Y casta? —preguntó Tobias.

—Sí, eso también.

—¿No le pareció impertinente por parte de un cochero?

—Sí, la verdad. Cuando caí en la cuenta le dije muy claro que la señora Gardiner era tan buena mujer como la que más en Hampstead, ¡y demasiado bonita para un tipo como él! —Echó una mirada al juez—. Pido disculpas, señoría.

—¿Le explicó por qué hacía esas preguntas?

—No volví a verlo nunca más —declaró el hombre, satisfecho.

Levantó la vista hacia el banquillo y dedicó a las dos acusadas una sonrisa deliberada. Miriam intentó devolvérsela, pero no fue más que un amago en su rostro ceniciento. Cleo asintió discretamente con la cabeza, pues era lo mínimo que la cortesía exigía. Era un gesto ínfimo, pero bien intencionado.

—Se alegraría usted de ver a la señora Gardiner felizmente casada otra vez, tras haber perdido a su primer marido tan joven —comentó Tobias en tono informal.

—Estaba encantado, ¡es la verdad! Todos los que la conocían lo estaban.

—¿Conoció usted bien al difunto señor Gardiner?

—Lo conocía de vista, digamos. Un caballero muy decente.

—En efecto. Aunque bastante más viejo que su mujer, su viuda.

El rostro del hombre se ensombreció.

—¿Qué está intentando decir?

Tobias se encogió de hombros y le devolvió la pregunta.

—¿Qué intentaba decir James Treadwell?

—¡Nada! —exclamó el hombre muy enfadado.

—¿A usted no le caía bien? —insistió Tobias.

—¡Pues no!

—¿No le gustan los chantajistas?

—¡No, no me gustan! Como a ningún hombre capaz de caminar y respirar el aire de Dios. Son una inmundicia.

Tobias asintió con la cabeza y dijo:

—Un sentimiento que muchos comparten.

Levantó un momento la vista hacia el banquillo y luego volvió a fijarla en el estrado. Rathbone sabía perfectamente lo que estaba haciendo, pero él no podía hacer nada para detenerlo.

—Por supuesto. —Tobias sonrió con reprobación y después añadió—: Treadwell quizás hizo todas esas preguntas sobre la señora Gardiner por lealtad a su patrono, el señor Stourbridge, con vistas a evitar que contrajera un mal matrimonio. ¿Se le ocurrió esta posibilidad? Puede que no fuera con intención de hacer chantaje en absoluto.

Rathbone por fin se puso en pie y protestó.

—Señoría, el testigo no está en condiciones de saber por qué hizo Treadwell esas preguntas y su opinión es a todas luces irrelevante, a no ser que el señor Tobias esté dando a entender que el testigo pudo estar implicado en la muerte de Treadwell.

Hubo un breve revuelo en la sala y un miembro del jurado sacudió la cabeza.

—Cierto —convino el juez—. Señor Tobias, no ponga en peligro su argumento apartándose del asunto. Estoy seguro de que su razonamiento se ha entendido. James Treadwell hizo preguntas en el vecindario sobre el carácter y la reputación de la señora Gardiner. ¿Es esto lo que quiere que sepamos?

—De momento, sí, señoría. —Tobias dio las gracias al testigo y se volvió para invitar a Rathbone.

Una vez más la defensa no tenía nada que preguntar. El testigo había dejado claro que admiraba a Miriam y que era partidario de ella. En lo que a él respectaba, Treadwell se encontró con el destino que merecía. No ayudaría a Miriam ni a Cleo oír cómo lo repetía.

—No tengo nada que preguntar al testigo —anunció Rathbone.

Tobias siguió llamando a más criados de los Stourbridge para que dieran su versión del día de la fiesta y de la todavía sin explicar huida de Miriam con Treadwell. La camarera lo había visto todo y lo refirió con sencillez y sumo pesar.

Por fin, Rathbone tuvo algo que preguntar.

—Señorita Pembroke —dijo con un amago de sonrisa, pasó al centro de la sala y levantó la vista hacia ella, en lo alto del estrado—. Ha referido con suma claridad lo que vio. Debía de tener una visión perfecta de la señora Gardiner, sin nadie que la entorpeciera.

—Sí, señor, así fue.

—Ha dicho usted que pareció que fuera a desmayarse, como si hubiese sufrido una gran conmoción, y que luego se recobró y se marchó corriendo, que casi huyó del jardín hacia la cuadra. ¿Es correcto esto?

—Sí, señor.

El juez frunció el ceño.

Rathbone aprovechó antes de que le reclamaran que fuera al grano.

—¿Alguien habló con ella o le dio algo?

—¿Se refiere a un vaso, señor? No vi a nadie que lo hiciera.

—No, me refería más bien a una nota, algo que explicara su conmoción y, por lo que usted cuenta, hasta su terror.

—No, señor, nadie se acercó tanto a ella. Y creo que no tenía ningún vaso.

—¿No está segura a propósito del vaso y en cambio

está convencida de que nadie habló con ella ni le entregó nada?

—Sí, lo estoy.

—¿Tiene alguna idea acerca de lo que provocó su huida?

Tobias se levantó.

—No —le dijo el juez rotundamente—. La señorita Pembroke es una muchacha observadora. Podría muy bien saber qué sucedió. La experiencia me ha demostrado que los sirvientes a menudo saben mucho más de lo que algunos de nosotros creemos o desearíamos creer. —Se volvió hacia el estrado de los testigos—. ¿Sabe lo que provocó la huida de la señora Gardiner, señorita Pembroke? Si es así, éste es el momento y el lugar apropiado para decirlo, tanto si se trata de una confidencia como si no.

—No, señor, no lo sé, de verdad. Pero nunca he visto a nadie tan desdichado como ella ese día. Parecía que hubiese visto un muerto viviente.

—¿Sabe dónde estaba Treadwell durante la fiesta? —preguntó Rathbone.

—En la cuadra, señor, como siempre.

—De modo que la señora Gardiner lo buscó a él, no fue a por ella.

—Supongo.

—Gracias. No tengo más preguntas que hacerle.

—¡Pero yo sí! —interrumpió Tobias con apremio, saliendo de detrás de su mesa—. Usted estaba en el césped mezclada con los invitados en calidad de camarera, ¿no es así?

—Sí, señor. Llevaba una bandeja con limonada. Parkin llevaba el champaña.

—¿Es fácil llevar una bandeja llena de vasos?

—No es complicado cuando una tiene costumbre. Aunque pesa.

—¿Y usted se los ofrecía a los invitados que tenían el vaso vacío?

—Sí, señor.

—Entonces no estuvo observando a la señora Gardiner todo el rato.

—No, señor.

—Naturalmente. ¿No pudo recibir un mensaje, hablado o escrito, sin que usted se percatara?

—Supongo que sí.

—¿Es posible, señorita Pembroke, que ése fuera el mejor momento para que ella se encontrara con Treadwell a solas y sin deberes o responsabilidades que le impidieran a él llevársela de Cleveland Square? ¿Es posible, señorita Pembroke, que ella conociera el funcionamiento de la casa lo bastante bien como para saber que encontraría a Treadwell en las caballerizas, con el carruaje disponible, y que hubiese planeado con antelación encontrarse allí con él e irse a un lugar apartado, donde ella supuso que podrían hacer lo que quisieran juntos, sin que nadie los viera, y donde tenía la intención, con la ayuda de su madre adoptiva, de librarse de una vez por todas del hombre que les estaba haciendo chantaje?

Rathbone se puso de pie de un salto, pero la protesta murió en sus labios.

Tobias se encogió de hombros y añadió en tono conciliador:

—Sólo pregunto que si es posible. La señorita Pembroke es una muchacha muy perspicaz. Puede que lo sepa.

—¡No lo sé! —protestó—. ¡No sé lo que pasó, lo juro!

—Su locuacidad parece haber desembocado en confusión —reprendió el juez mordazmente a Tobias. Se volvió hacia el jurado—. Habrán observado que la pregunta no ha sido contestada y sacarán ustedes sus propias conclusiones. Sir Oliver, ¿tiene algo que añadir?

Rathbone no tenía nada que decir.

Tobias era imparable. Su opulenta voz parecía llenar

la sala y todas las miradas estaban fijas en él. Llamó a la doncella que vio a Miriam en la habitación de Verona Stourbridge y le sonsacó un relato realmente pernicioso de Miriam probándose las joyas mientras, al parecer, leía su diario.

—¿Sabe usted lo que pone en el diario? —preguntó Tobias.

La chica abrió los ojos, horrorizada.

—No, señor, claro que no. —Su tono dejó traslucir la amarga ofensa que suponía semejante insinuación.

—Por supuesto que no —dijo Tobias en un tono afable—. Nadie lee los escritos íntimos del prójimo. Me preguntaba si tal vez la señora Stourbridge le habría hecho a usted confidencias. Las damas a veces llegan a estar muy unidas a sus doncellas.

La muchacha se aplacó notablemente.

—Bueno..., verá, sé que anotaba sus sentimientos sobre distintas cosas. Solía ir para atrás y releer páginas de hace años, cuando estuvo en Egipto. Justamente lo hizo el día antes de que... muriera..., pobre señora.

Le saltaron las lágrimas y Tobias le concedió un respiro para que se recobrara, y también para permitir que el jurado captara toda la trascendencia de lo que acababa de decirse antes de proseguir.

Luego, continuó provocando una imagen de Miriam como una mujer amable, cariñosa, dócil, esforzándose por encajar en una casa con una posición social muy superior a la que ella estaba habituada e, incuestionablemente, con mucho más dinero. Fue un retrato bastante inocente y conmovedor, hasta que finalmente Tobias se volvió hacia el jurado.

—¿Una mujer encantadora esforzándose por ser mejor? —propuso con una sonrisa—. Todo por el hombre al que ama, a quien conoció por casualidad paseando por Hampstead Heath. —Su rostro se ensombreció, los brazos se le relajaron hasta que los hombros le quedaron hundidos—. ¿O una mujer lista, codiciosa y con una cara bonita atrapando a un hombre más joven, con poca experiencia de la vida, y haciendo cuanto podía, reprimiendo su propio genio y voluntad, para engatusarlo con un matrimonio que les proporcionaría, a ella y a su madre adoptiva, una vida de riquezas que jamás habrían alcanzado en su propia clase social? —Apenas hizo una pausa para respirar, o para darle a Rathbone la oportunidad de protestar—. ¿Una mujer inocente atrapada en una maraña de circunstancias? ¿O una mujer maquinadora, a quien le tomó la delantera un cochero igualmente codicioso y desalmado, que vio su oportunidad de aprovecharse de la inminente fortuna, pero que calculó mal la implacabilidad de su víctima con consecuencias fatales para él, no percibiendo el pago por su silencio sobre el pasado de ella, ¡tal vez sobre su pasado en común! Quizá fue incluso el inductor del encuentro de la pareja, que en tal caso no tendría nada de casual. En cambio, se topó con una muerte violenta en la oscuridad, bajo los árboles de Hampstead Heath.

Rathbone levantó la voz, interrumpiéndole en un tono mordaz y sin dirigirse previamente al juez.

—¡Sin duda todo indica que Treadwell fue un villano, pero ni usted ni yo hemos demostrado que fuese estúpido! Por todos los santos, ¿por qué iba a amenazar con revelar el pasado de Miriam Gardiner, en el que ni usted ni yo, por cierto, hemos hallado ninguna afrenta a la virtud, *antes* de que se casara y pasase a formar parte de la familia Stourbridge? —Abrió las manos fingiendo asombro—. No tenía dinero para pagarle nada. Seguramente, él esperaría hasta *después* de la boda; de hecho, lo normal sería que hubiese hecho cuanto estuviera en su mano para asegurarse de que se celebrara. —Se puso sarcástico—: Si, tal como usted insinúa, incluso ayudó a urdir el encuentro entre el señor Stourbridge y la señora Gardiner, la verdad, cuesta creer que saboteara su propia obra justo cuando estaba a punto de darle frutos.

Ese punto de vista era válido, pero no transmitía la carga emocional de la acusación de Tobias. El daño ya estaba hecho. Las mentes del jurado estaban ocupadas por la imagen de una mujer intrigante y artera manipulando a un amante descartado para ponerlo en una posición que le permitiera golpearlo en la cabeza y abandonar su cuerpo asesinado en el Heath.

—¿Fue casualidad, o fue una agonizante tentativa de Treadwell para implicar a sus asesinas lo que hizo que empleara sus últimas fuerzas en arrastrarse por el sendero hasta la puerta de Cleo Anderson? —planteó Tobias, con la voz cuajada de indignación y piedad—. Caballeros, ¡ustedes deciden!

La vista se aplazó con Miriam y Cleo prácticamente condenadas.

Rathbone caminaba de un lado a otro de su salón, resistiendo la tentación de ir a ver si Monk había hecho algún progreso. Se habían enfrentado juntos un sinfín de veces a casos que parecían imposibles. Se sabía la lista completa de memoria. Pero en éste no tenía ninguna arma y ni siquiera estaba seguro de lo que él mismo creía. Con todo, no se sentía preparado para admitir que Cleo o Miriam fueran culpables, y mucho menos ambas. No obstante, no había alternativas que tuvieran sentido, a excepción de Lucius o Harry Stourbridge. Y, si tal era el caso, no era de extrañar que Miriam se viera incapaz de imaginar una solución o que creyera que Rathbone no lograría convencer al tribunal de cuál era la verdad.

Todo dependía de que Monk encontrara algo, suponiendo que supiera dónde buscar y que reuniera pruebas suficientes para demostrarlo, y de que Rathbone fuera capaz de prolongar la vista otros tres días como máximo. Dos días era más viable.

Pasó la noche pensando tácticas para darle más tiempo a Monk, repasando todos los trucos de la naturaleza humana y la pericia legal. Todo ello resultaba tremendamente poco prometedor.

Tobias llamó a Harry Stourbridge como primer testigo de la mañana. Lo trató con suma deferencia y compasión no sólo por la pérdida de su esposa, sino por la desilusión que le había causado Miriam.

Se veían muchos asientos vacíos en la sala. El caso había perdido mucho de su interés para el público. Todo el mundo creía conocer la respuesta. Se trataba de mera codicia de andar por casa, una mujer guapa y con la ambición de mejorar su nivel de vida mediante el viejo sistema de casarse bien. Ya no había nada escandaloso, era simplemente sórdido. Hacía un día precioso, el sol brillaba y había cosas mejores que hacer que sentarse a escuchar lo que ya estaba predicho.

Harry Stourbridge parecía diez años mayor de la edad que Rathbone sabía que tenía. Era un hombre que vivía una pesadilla de la que no veía el final.

—Lamento obligarle a pasar por esto —dijo Tobias muy amable—. Procuraré ser lo más breve posible y estoy seguro de que sir Oliver hará lo mismo. Por favor, no permita que la lealtad o la compasión condicionen sus respuestas. En este momento y lugar nada más que la verdad nos servirá.

Stourbridge guardó silencio. Estaba de pie, como un oficial ante un consejo de guerra, en posición de firme, mirando al frente, con la cabeza alta.

—Ya hemos oído bastante acerca del partido de croquet del que huyó la señora Gardiner. No le importaré pidiendo que nos lo repita. En cambio, le pido que centre su atención en la trágica muerte de la señora Stourbridge. Necesito preguntarle algo acerca de la relación entre su esposa y la señora Gardiner. Créame, no lo haría si hubiera alguna forma de evitarlo.

Stourbridge siguió sin decir nada.

Tobias pareció inquietarse un poco. Rathbone se fijó en cómo cambiaba el peso de una pierna a otra y se estiraba de la chaqueta.

—¿Qué opinión le mereció la señora Gardiner a la señora Stourbridge cuando su hijo la llevó por primera vez a Cleveland Square?

—Pensó que era una mujer muy agradable.

—¿Y cuando su hijo anunció su intención de casarse con ella?

—Ambos estuvimos muy contentos de que hubiera encontrado a una mujer a la que amaba y que a nuestro juicio le correspondía de todo corazón.

Tobias frunció la boca.

—¿No lamentó el hecho de que fuera ostensiblemente mayor que él y de un sustrato social bastante diferente? ¿Cómo pensó que la verían sus amigos? ¿Cómo se las iba arreglar ella para ser la futura señora de las extensas propiedades en Yorkshire? ¿Estos asuntos no preocupaban a su esposa?

—Por supuesto —reconoció Stourbridge—. Pero tras unas cuantas semanas de trato con la señora Gardiner éramos de la opinión de que se las arreglaría muy bien. Posee una gracia natural que la ayudaría a salvar cualquier escollo. Y era tan obvio que ella y Lucius se amaban que eso bastaba para colmarnos de dicha.

—Y la cuestión de los nietos, un heredero para la casa y las tierras que, según tengo entendido, están vinculadas. Sin un heredero, pasan por línea lateral al hermano de usted y sus herederos, ¿no es así?

—Así es. —El comandante suspiró profundamente, sin mover los brazos de los costados, como si estuviera en formación—. Cualquier matrimonio puede verse sin un heredero. Sólo cabe la esperanza. No me siento inclinado a decidir quién será una buena esposa para mi hijo. Preferiría que él fuese feliz a que tuviera doce hijos con una mujer a la que no amara y con quien no pudiera compartir el corazón además de la cama.

—¿Pensaba lo mismo la señora Stourbridge? —preguntó Tobias—. Muchas mujeres sienten una gran preocupación por los nietos. Es una profunda necesidad... —Dejó la frase colgando en el aire, inacabada, para que el jurado la terminara por su cuenta.

—No creo que mi esposa sintiera eso —repuso Stourbridge, desconsolado.

Rathbone tuvo la impresión de que aquellas palabras encerraban mucho más de lo que decían, pero Stourbridge era un hombre reservado, sin duda detestaba airear su vida privada hasta aquellos extremos. No agregaría nada si no lo obligaban a ello.

Paso a paso, Tobias lo llevó por las visitas de Miriam a Cleveland Square, su conducta en cada una de ellas, su encanto y sus ansias de aprender. Saltaba a la vista que a Harry Stourbridge le había gustado sin una sombra de equívoco. Estaba destrozado por la traición no sólo a su hijo, sino a él mismo. Todavía era incapaz de comprenderlo.

Durante el testimonio del comandante, Rathbone echó un vistazo de vez en cuando al banquillo y vio el dolor que reflejaba el rostro de Miriam. Era una persona soportando una tortura de la que no había escapatoria. Tenía que permanecer sentada y acatar en silencio.

Ni una sola vez sorprendió a un miembro del jurado mirando a Miriam o a Cleo. Estaban completamente absortos en el suplicio de Stourbridge. Al estudiarlos, vio en ellos compasión y respeto. En un par de ocasiones llegó a percibir una cierta identificación, como si se pusieran en su lugar y pensaran que habrían obrado igual que él y sentido lo mismo. Rathbone se preguntó de pasada si alguno de ellos sería viudo a su vez o si tendría hijos que se hubiesen enamorado o casado con poca fortuna. Él no podía elegir a los miembros del jurado. Tenían que ser propietarios, de un cierto nivel económico y posición y, por supuesto, hombres. Era del todo imposible contar con personas que pudieran identificarse con Miriam o Cleo. ¡Para que luego dijeran que los jurados estaban constituidos por los iguales de uno!

Por la tarde, Tobias declinó con mucha dignidad llamar a Lucius Stourbridge al estrado. Era un suplicio que no necesitaba imponer a un joven que ya había sufrido lo indecible.

El jurado asintió con respeto. No le habrían perdonado que hiciese lo contrario. Rathbone habría obrado igual y por las mismas razones.

Tobias llamó al último testigo, Aiden Campbell, que efectuó su declaración muy sereno, con circunspección y franqueza.

—Sí, poseía mucho encanto —comentó con pesar—. Creo que todo el mundo en la casa la apreciaba.

—¿Con inclusión de su hermana, la señora Stourbridge?

La pregunta quedó sin contestar.

Campbell estaba muy pálido. Su cutis aparecía desprovisto de color y presentaba unas sombras, como moretones, debajo de los ojos. Estaba erguido en el estrado de los testigos, pero temblaba ligeramente y cada dos por tres tenía que interrumpirse para carraspear y aclararse la voz.

Resultaba evidente para todos los presentes en la sala que era un hombre sometido a una profunda emoción, a punto de perder el dominio de sí mismo.

Tobias se disculpó reiteradamente por obligarlo a revivir experiencias que tenían que resultarle muy dolorosas.

—Lo entiendo —dijo Campbell, y se mordió el labio—. La justicia requiere que sigamos con esto hasta el final, por amargo que resulte. Confío en que lo haga usted con la mayor brevedad posible.

—Por supuesto —asintió Tobias—. ¿Podemos pasar a los días inmediatamente anteriores a la muerte de su hermana?

Campbell contó, con tan pocas palabras como pudo y sin levantar la voz, la última visita de Miriam a Cleveland Square, tras ser liberada una vez retirados los cargos de haber asesinado a Treadwell. Según él, estaba en un estado de conmoción tan profundo que apenas salía de su habitación y, cuando lo hacía, daba la impresión de encontrarse en trance.

Era cortés, pero poco más. Evitaba a Lucius en la medida de lo posible, sin permitirle siquiera brindarle consuelo para aliviar su pesar por Cleo Anderson.

—¿Y quería ella mucho a la señora Anderson? —insistió Tobias.

—Sí. —En el rostro de Campbell no había otra expresión que la lástima—. Es muy natural. Al parecer, la señora Anderson la había criado como a una hija desde los doce o trece años. Habría sido una criatura desagradecida si no la quisiera. Era algo que todos respetábamos.

—Por supuesto —convino Tobias, asintiendo con la cabeza—. Continúe, por favor.

Campbell obedeció a regañadientes, describiendo la cena de la noche de autos, la conversación de la sobremesa sobre Egipto, y cómo, luego, cada uno se retiró por separado.

—¿Y la señora Gardiner no cenó con ustedes?

—No.

—Díganos, señor Campbell, ¿le dijo su hermana algo, esa noche o antes, sobre sus sentimientos a propósito del asesinato de Treadwell y de la acusación contra la señora Gardiner?

Rathbone se levantó para protestar, pero carecía de fundamentos legales; de hecho, tampoco los tenía morales. Se vio obligado a sentarse de nuevo, en silencio.

Campbell negó con la cabeza al responder.

—Si me está preguntando si sé qué sucedió o por qué, no, no lo sé. Verona estaba consternada por algo. Sin duda no era la misma de siempre. Cualquier criado podrá dar fe.

En efecto, ya lo habían hecho, aunque, por supuesto, Campbell no se encontraba en la sala entonces, puesto que aún no había comparecido.

—Creo que había descubierto algo... —La voz se le empastó, ahogada por la emoción—. Es una opinión personal y no tengo nada que la sustente, pero creo que antes de morir supo quién había matado a Treadwell y exactamente por qué. Pienso que por eso regresó sola a su habitación, para considerar qué debía hacer al respecto. —Cerró los ojos—. Fue una decisión fatal. Ojalá Dios no le hubiese permitido tomarla.

Había dicho muy poco en realidad. No sacaba hechos nuevos a la luz y, sin duda, no acusaba a nadie, pero su testimonio fue condenatorio. Rathbone lo veía en los rostros del jurado.

No tenía sentido que Rathbone también interrogara a Campbell. No le quedaba nada más que decir, nada que elaborar, nada que poner en entredicho.

Era viernes por la tarde. Tenía dos días para crear alguna clase de defensa y nada con qué hacerlo, a menos que Monk encontrara algo. Y seguía sin noticias de él.

Cuando se levantó la sesión, consideró la posibilidad de ir a suplicarle una vez más a Miriam, pero descartó la idea. No serviría de nada. Fuera cual fuese la verdad, Miriam ya había convencido a Rathbone de que iría a la horca antes que contarla.

En cambio, salió a la tarde de septiembre y tomó un coche de punto para ir directamente a Primrose Hill.

No esperaba que su padre le diera ninguna respuesta; fue allí simplemente por la paz que hallaría en el jardín silencioso, donde podría curar las heridas de una semana desastrosa y recobrar fuerzas para la siguiente, que prometía ser aún peor.

11

Mientras Rathbone permanecía sentado impotente
en la sala de vistas, Monk comenzaba la segunda ronda
de investigaciones sobre la vida de Treadwell. Ya había
interrogado exhaustivamente a todo el personal de la
casa de los Stourbridge y, en general, de la zona de Cleveland Square. Nadie le contó nada remotamente
útil. Treadwell había sido un hombre tediosamente corriente.

Así pues, se dirigió a Kentish Town, donde Treadwell
se había criado. Era una larga tarea y abrigaba pocas esperanzas de que resultara provechosa. A medida que pasaba el tiempo iba cobrando forma el temor de que Miriam Gardiner fuese culpable de los cargos imputados y
que la pobre Cleo Anderson se hubiese visto envuelta en
el asunto por el amor que la unía a la chiquilla que una vez
rescató. Cleo se negaba a reconocer que, bajo el encanto
y la aparente vulnerabilidad, Miriam se había convertido
en una mujer codiciosa y artera que no se detenía ni ante
el asesinato para conseguir lo que deseaba. El amor podía
ser muy ciego. Ninguna madre quería ver maldad en su
hija, y el hecho de que Cleo no hubiese dado a luz a Miriam no revestía la menor importancia para ella.

Lo que al principio fue compasión por Miriam se
tornó en ira cuando Monk pensó en el pesar que le causaría a Cleo el enfrentarse a hechos que ya no podía
seguir negándose a sí misma. Puede que Miriam no hubiese pedido ser amada, pero lo había aceptado. Eso

conllevaba una responsabilidad moral, y ella la había pisoteado de mala manera. El engaño era peor que la violencia.

Recorrió las calles de Kentish Town yendo de una taberna a otra, haciendo preguntas con tanta discreción como permitía el poco tiempo disponible. En un par de ocasiones fue demasiado directo y se lo quitaron de encima. Empezó de nuevo un poco más lejos, con más mano izquierda.

Al anochecer estaba agotado, los pies le dolían sólo con tocarlos. Tomó un ómnibus para volver a casa. No iba a ganar más dinero con aquel caso, pero estaba apasionadamente empeñado en averiguar la verdad. Lucius Stourbridge estaba dispuesto a seguir pagándole; de hecho, tan sólo una semana atrás le había implorado que continuara ayudándolo. Pero Monk había rehusado aceptar nada más de él por algo que estaba casi seguro que no podría cumplir. El muchacho ya había perdido demasiadas cosas; darle una esperanza injustificada sería una crueldad por la que luego se despreciaría.

Entró en casa y Hester lo miró a la cara y no le preguntó qué había descubierto. Ese tacto era tan impropio de ella que a Monk le hizo patente su propia decepción y lo visible que resultaba, más de cuanto habría admitido.

El segundo día fue más fructífero. Se dirigió a Hampstead y descubrió una taberna donde conocían a Treadwell bastante bien. Desde allí siguió la pista de un hombre a quien Treadwell debía dinero de una apuesta. Dado que Treadwell estaba muerto, la deuda no podía saldarse.

—¡Alguien tendría que hacerse responsable! —exclamó el hombre, enojado y con sus ojos agresivos un poco inyectados en sangre—. ¿Es que no hay ley? No tendría que estar permitido que uno se libre de una deuda sólo porque se ha muerto.

Monk se las dio de entendido.

—Bueno, lo normal es acudir a los herederos, aunque no sé si Treadwell tenía familia... —Lo dejó en el aire, a modo de pregunta.

—¡Qué va! —espetó el hombre con asco—. Ése no respondía ante nadie.

—¿Bebemos algo? —le ofreció Monk. Igual sería una pérdida de tiempo, pero no tenía una vía mejor que explorar.

—Venga. Tampoco vendrá de una —aceptó el hombre—. Reece. —Le tendió la mano después de frotarla en la pernera del pantalón.

Monk tardó un momento en entender que aquello era una presentación, y entonces le estrechó la mano.

—Monk —se presentó a su vez.

—Encantado —dijo Reece animadamente—. Para mí que sea una pinta de rubia.

Después de pedir y pagar las cervezas, Monk prosiguió con la conversación.

—¿Le debía mucho?

—¡Ya lo creo! —Reece tomó un largo trago de cerveza antes de continuar—. Casi diez libras.

Monk se asombró. Eso era lo que ganaba una doncella en seis meses.

—Le choca, ¿eh? —observó Reece con satisfacción—. Jugaba fuerte el maldito Treadwell.

—Y perdía mucho —dedujo Monk—. No debió de perder así muchas veces. ¿También ganaba?

—A veces. Le gustaba la buena vida. Vino, mujeres y caballos. Ganaría de vez en cuando, digo yo. Pero ¿de dónde voy a sacar yo mis diez libras, me lo va a decir usted?

—Lo que me gustaría saber es de dónde las sacaba

Treadwell —comentó Monk con sentimiento—. Sin duda no las ganaba haciendo de cochero.

—Nunca se sabe —dijo Reece, perdiendo interés.

Vació su jarra y miró a Monk expectante. Monk le pidió otra.

—Conque cochero, ¿eh? —añadió Reece, meditabundo—. Bueno, supongo que haría algún trabajillo extra. Aunque no sé cuál.

Una idea alarmante irrumpió en la mente de Monk a propósito de los robos de medicamentos de Cleo Anderson, sobre todo los de morfina. Según Hester había desaparecido una cantidad considerable a lo largo de cierto espacio de tiempo. Tal vez no toda terminaba en los hogares de los viejos y los enfermos. Cualquier adicto a esa droga pagaría precios muy altos para conseguirla. No costaría demasiado entender que Cleo hubiese vendido una parte para pagar a Treadwell o incluso que se la hubiese dado directamente para que él la vendiera. La idea no le gustaba nada, pero no conseguía librarse de ella.

Pasó el resto del día investigando el tiempo libre de Treadwell, que al parecer era bastante, y descubrió que tenía un marcado gusto por los excesos. Ahora bien, resultó que cada dos semanas había varias horas de las que nadie sabía nada, y Monk llegó a la conclusión de que ese tiempo lo empleaba en vender morfina o en hacer chantaje a otras víctimas.

Lo último que hizo Monk, al final de la tarde, fue ir a ver a la propia Cleo. Le dijo al carcelero que era el pasante de Rathbone. No tenía modo de demostrarlo, pero el carcelero los había visto juntos con anterioridad y optó por creerle. O puede que su compasión por Cleo lo llevara a hacer la vista gorda. A Monk no le podía interesar menos el motivo que tuviera el buen hombre, pero no dudó en aprovecharlo.

Cleo se sorprendió al verlo, aunque no por eso demostró albergar esperanza alguna. Se la veía demacrada y agotada. La mujer que Monk conoció cosa de un mes antes era ahora casi irreconocible. Tenía las mejillas hundidas, el cutis estaba totalmente desprovisto de color y se encontraba sentada con los hombros caídos bajo la basta tela negra del vestido.

Las emociones que lo asaltaron al verla pillaron desprevenido a Monk. La rabia y la indignación ante la futilidad y la injusticia eran mucho más apasionadas de lo que esperaba. Si fracasaba, le quedaría la herida durante mucho tiempo, tal vez siempre.

No había tiempo que perder con palabras de compasión o de aliento y le constaba que serían un derroche, ya que no tendrían fundamento.

—¿Sabe si Treadwell hacía chantaje a otras personas aparte de usted? —preguntó, sentándose delante de ella para poder oírla aunque hablara en voz baja.

—No. ¿Por qué? ¿Piensa que fueron otros quienes lo mataron? —Casi había esperanza en su voz, aunque no del todo. No se atrevía.

La honestidad le impidió a Monk concederle esa esperanza. Fue directo al grano.

—Es una posibilidad suficiente para que sea preciso saber cuánto le pagaba usted exactamente. Tengo una relación bastante ajustada de los gastos de Treadwell durante los dos o tres últimos meses de su vida. Si todo ese dinero se lo dio usted, tuvo que vender morfina para pagarle a él, además de la que utilizaba con los pacientes.

La mujer se puso tensa y abrió los ojos, enfadada.

—¡No lo hice! ¡Y tampoco se la di a él!

—Tenemos que demostrarlo —se mostró tajante Monk—. ¿Guarda una relación de los salarios que ha percibido del hospital, de todas las medicinas que hurtó y de las personas a las que se las dio?

—No, claro que no.

—Pero se acordará de todos los pacientes a los que visitaba con medicinas —insistió.

—Sí...

—Pues dícteme sus nombres. Las direcciones también, y las medicinas que usted les dio y durante cuánto tiempo.

Ella lo miró fijamente un momento antes de obedecer.

¿Iba a servir de algo todo aquello, o no era más que una manera de ocupar el tiempo por hacerse la ilusión de que estaba trabajando para ayudarla? ¿Qué conseguiría con aquella lista? ¿Quién le escucharía o lo tomaría en serio por más que planteara otra probabilidad? El tribunal sólo aceptaría pruebas. Todo el mundo ya consideraba culpables a Miriam y a Cleo. Habría que despojarlos de ese convencimiento, no bastaría con mostrar que había otra remota posibilidad.

Cleo terminó de dictar la lista. Constaba de dieciocho nombres.

—Gracias. —Monk repasó la lista y preguntó—: ¿Cuánto gana en el hospital?

—Siete chelines a la semana. —Lo dijo con cierto orgullo, como si fuese un buen sueldo para una enfermera.

Monk torció el gesto. Sabía que un agente de policía ganaba tres veces eso.

—¿Cuánto tiempo trabaja? —Lo preguntó sin pensar.

—Entre doce y quince horas al día —respondió la mujer.

—¿Y cuánto le pagaba a Treadwell?

Cleo tenía la voz cansada y los hombros de nuevo vencidos cuando respondió.

—Cinco chelines a la semana.

La rabia heló la sangre de Monk, llenando todo su cuerpo, encendiendo el deseo de emprenderla a golpes, de atacar a alguien para deshacer aquel entuerto, para que no volviera a ocurrir, ni a Cleo ni a nadie. Pero no tenía contra quién dirigir su ira. El autor de la ofensa ya estaba muerto. Sólo quedaba la víctima para pagar el pato.

—Gastaba mucho más que eso —dijo en voz baja, hablando entre dientes—. Necesito saber de dónde lo sacaba.

Cleo negó con la cabeza.

—No lo sé. Él venía a verme regularmente y yo le pagaba. Nunca mencionó a ningún otro. Aunque por qué iba a hacerlo...

Monk tuvo que morderse la lengua para no preguntarle otra vez que si le daba morfina para vender, pues sabía que la respuesta sería la misma. Se puso de pie y se despidió, aborreciendo no poder prometerle nada, no poder darle ninguna esperanza.

En la puerta titubeó, dudando si preguntar sobre Miriam, pero ¿qué quedaba por decir?

Cleo levantó la vista hacia él, expectante.

Monk se vio impelido a hablar, finalmente.

—¿Pudo haber sido Miriam?

—No —respondió ella de inmediato—. ¡Nunca hizo nada por lo que él la pudiera obligar a pagar!

—¿Ni siquiera para protegerla a usted? —preguntó en voz baja.

Cleo permaneció totalmente inmóvil. Su rostro hacía patente que no sabía la respuesta a aquella pregunta; podía creerlo, estar casi segura, pero no saberlo.

Monk asintió con la cabeza.

—Lo comprendo —dijo.

Llamó al carcelero para que le dejara salir.

Cuando llegó a casa aún seguía dándole vueltas al asunto.

—Tenía otra fuente de ingresos —le contó a Hester mientras cenaban—. Aunque podría ser Miriam, cosa que no nos sirve de nada.

—¿Y si no era ella? —planteó Hester—. ¿Y si pudiéramos demostrar que era otra persona? ¡Tendrían que tomarlo en consideración!

—No, no tendrían por qué —replicó Monk en voz baja, atento a la decepción que reflejaba el rostro de su esposa—. Excepto si podemos llevar a esa persona al tribunal y demostrar que él o ella estaba en algún lugar cercano al Heath la noche de autos, a solas. Tenemos dos días antes de que Rathbone inicie su defensa.

—¿Qué más tenemos? —La desesperación le agudizó la voz.

—Nada —admitió Monk.

—¡Pues intentémoslo! No soporto quedarme aquí sin hacer nada. ¿Qué es lo que sabemos?

Trabajaron hasta bastante después de la medianoche, anotando toda la información que Monk había reunido sobre las idas y venidas de Treadwell durante los tres meses anteriores a su muerte. Cuando todo quedó escrito en papel resultó más fácil detectar lo que parecían lagunas.

—Necesitamos saber exactamente cuáles eran sus horas y días de asueto —señaló Hester, tomando más notas—. Seguro que algún miembro del servicio de los Stourbridge podrá decírtelo.

Monk pensaba que probablemente sería una pérdida de tiempo, pero no discutió. No tenía nada mejor que hacer. Sería mejor continuar hasta el final.

—¿Sabes qué cantidad de medicamentos fue sustraída? —preguntó; acto seguido, antes de que ella pudiera negarlo, agregó—: ¿O podrías calcularlo si quisieras?

—No, pero creo que Phillips sí, si puede servirnos. ¿Crees que realmente merece la pena?

—Probablemente no, pero ¿tenemos una idea mejor?

Ninguno de los dos contestó con lo que parecía obvio: aceptar que los cargos eran ciertos. Quizá no por codicia y con alevosía y tampoco por las razones que Tobias argüía, pero el resultado final era lo único que contaba.

—Mañana iré al hospital y le preguntaré a Phillips —anunció Hester muy resuelta, como si fuese algo importante—. Y también iré a visitar a todas las personas de tu lista para comprobar qué medicinas tienen. Tú mira a ver si puedes explicar qué hizo Treadwell en las lagunas que nos quedan.

Lo miró de hito en hito, retándole a decirle que todo aquello era inútil y que debían darse por vencidos. Monk, viendo la fragilidad de su mirada y el enojo que la dominaba, comprendió que hacía aquello a ciegas, contra toda esperanza, sin fe.

Por la mañana, Monk salió temprano para ir a Bayswater a averiguar cuáles eran exactamente las horas de asueto de Treadwell y ver si hallaba algún indicio de qué otros lugares frecuentaba, de quién pudo pagarle la enorme diferencia entre las cantidades justificadas y lo que gastaba. Procedió despacio y con sumo cuidado, persiguiendo hasta el más nimio detalle, pues no quería llegar al final demostrándose lo que ya sabía, que sería del todo inútil tratar de salvar a Cleo Anderson y a Miriam Gardiner.

Hester fue directamente al hospital. Por suerte, aun siendo sábado sabía que encontraría a Phillips allí. Habitualmente sólo se tomaba libre el domingo y, con bastante frecuencia, sólo por la mañana.

De todos modos, tuvo que buscarlo durante más de media hora antes de dar con él, y eso después de preguntar a tres estudiantes de medicina, interrumpiéndoles en una larga, entusiasta y pormenorizada conversación sobre anatomía, que era la materia que estudiaban en aquel momento.

—¡Excelente! —exclamó uno de ellos, abriendo mucho los ojos—. Somos muy afortunados de estar aquí. Mi primo está estudiando en Lincoln y dice que tienen que esperar semanas para diseccionar un cuerpo, y no hay ningún diagrama en el mundo que pueda compararse con la realidad.

—Es cierto —convino otro—. Y Thorpe es maravilloso. Sus explicaciones siempre son muy claras.

—Con la cantidad de veces que lo ha hecho... —indicó el primero.

—¡Perdonen! —exclamó otra vez Hester con severidad—. ¿Saben dónde se encuentra el señor Phillips?

—¿Phillips? ¿Es el pelirrojo que tartamudea un poco?

—Phillips, el boticario —precisó ella. Le costó trabajo no perder los estribos—. Necesito hablar con él.

El primero de los jóvenes frunció el ceño, mirándola con más atención.

—No debería estar buscando medicinas; si uno de los pacientes está...

—¡No quiero medicinas! —le espetó Hester—. Es preciso que hable con el señor Phillips. ¿Sabe dónde está, o no?

El rostro del muchacho se endureció.

—No, la verdad es que no.

Otro de los jóvenes se ablandó, por la razón personal que fuera.

—Está abajo, en el depósito de cadáveres. El ayudante nuevo se ha mareado un poco. Fue a darle algo para entonarlo. Es probable que siga allí.

—Gracias —contestó presurosa—. Muchísimas gracias.

Salió corriendo por el pasillo hasta la entrada lateral y bajó la escalera hacia el frío cuarto subterráneo que servía para guardar los cuerpos de los muertos hasta que la funeraria se presentaba a tramitar las formalidades de rigor.

—Hola, señora Monk. La veo un poco paliducha —la saludó Phillips, muy jovial—. ¿Qué puedo hacer por usted?

—Qué contenta estoy de haberle encontrado. —Se volvió para mirar al joven, que estaba blanco como el papel, sentado en el suelo con las piernas abiertas—. ¿Se encuentra bien? —le preguntó.

Asintió con la cabeza, avergonzado.

—Sólo ha sido un susto —le explicó Phillips, sonriendo—. Uno de los cadáveres se ha movido y el joven Jake por poco se desmaya. Nadie le advirtió que los cadáveres a veces se tiran pedos. Los gases no se detienen, hijo, por más que uno esté muerto.

Jake se puso de pie, se pasó las manos por el pelo y procuró dar la impresión de estar listo para reincorporarse al trabajo.

Hester miró hacia las mesas. Había dos cuerpos cubiertos con sábanas de color crudo.

—No hay muchos últimamente —observó Phillips, siguiendo su mirada.

—¡Eso es bueno! —se alegró Hester.

—No, no han muerto aquí, los han traído para los estudiantes. El viejo Thorpe está hecho una furia. No sabe dónde encontrarlos.

—¿De dónde los traen?

—¡Sólo Dios lo sabe! ¡Resurreccionistas! —dijo con humor negro.

Jake lo miraba fijamente, boquiabierto. Soltó un suspiro entre dientes.

—¿Lo dice en serio? —preguntó con voz ronca—. ¿Profanadores de tumbas?

—¡No, claro que no, tontaina! —le aclaró Phillips, sacudiendo la cabeza—. Sigue con tu trabajo, anda. —Se volvió hacia Hester—. ¿Qué sucede, señora Monk? —Su rostro perdió toda la luminosidad—. ¿Ha visto a Cleo Anderson? ¿Podemos hacer algo por ella, aparte de confiar en un milagro?

—Trabajar para que se produzca uno —contestó Hester sombríamente.

Se volvió y abrió la marcha escaleras arriba. Phillips la siguió de cerca y cuando llegaron al exterior preguntó qué quería decir con eso.

—Había otras víctimas de chantaje, estamos casi seguros —explicó, deteniéndose a su lado—. Treadwell gastaba mucho más dinero del que Cleo le daba y del que él ganaba...

La esperanza iluminó de nuevo el rostro de Phillips.

—¿Quiere decir que quizás esa persona lo mató? ¿Cómo sabremos quién es? —La miró con confianza, como si tuviera plena fe en que Hester le fuese a dar una respuesta.

—No lo sé. De momento me conformo con demostrar que existe. —Lo miró muy fijamente—. Si usted tuviera que... No, si usted quisiera, ¿podría calcular con exactitud cuántas medicinas han desaparecido, pongamos en los tres meses anteriores a la muerte de Treadwell?

—Tal vez..., si tuviera una buena razón para hacerlo —se mostró precavido—. No lo averiguaría a menos que entendiera la necesidad.

—Ignorarlo no nos servirá de mucho —dijo Hester, abatida—. Que no la acusen de robo poco importará si la ahorcan por asesinato.

Phillips palideció como si le hubiesen dado una bofetada, aunque no apartó la vista.

—¿De qué le servirá? —preguntó en voz muy baja—. Me preocupa mucho Cleo. Vale diez veces más que el cerdo presuntuoso del despacho forrado de paneles de roble.

No era preciso que mentara a Thorpe. Ella compartía sus sentimientos, y él lo sabía. La observó aguardando una respuesta, esperanzado.

—La verdad es que no lo sé, puede que no sea gran cosa —admitió Hester—. Pero si sé cuánto ha desaparecido y cuánto ha llegado a los pacientes que Cleo trataba, y las cantidades coinciden, será que Treadwell sacaba el dinero de otra parte.

—Claro que van a coincidir. ¿Qué piensa que hizo? ¿Dárselas para que las vendiera? —Estaba indignado, casi enfadado.

—Si yo estuviera pagando un chantaje con todo mi salario, menos dos chelines por semana, estaría tentada de pagar en especie —contestó Hester.

Phillips puso cara de haber escarmentado. Apretó mucho los labios.

—Me alegra que alguien acabara con ese intrigante cabrón —dijo con aspereza—. Sólo espero que logremos demostrar que no fue la pobre Cleo. O, ya puestos, ninguna otra persona a quien le estuviese haciendo lo mismo. ¿Cómo vamos a demostrarlo? —La miró expectante.

—Dígame exactamente cuántas medicinas desaparecieron durante los meses anteriores a su muerte, con tanta precisión como pueda.

—Eso no nos va a decir quién era la otra persona, ¡o personas!

—Mi marido está siguiendo los movimientos de Treadwell para ver si da con ellas.

La miró entrecerrando los ojos.

—¿Es bueno en eso?

—Muy bueno, en efecto. Fue el mejor detective del cuerpo de policía —explicó con orgullo.

—Vaya. ¿Y quién es el mejor ahora?

—No tengo la más remota idea. Él dejó aquello. —Luego, por si Phillips pensaba que Monk era deshonesto, agregó—: Le molestaban algunos aspectos de la disciplina. Tampoco tolera la pomposidad, sobre todo cuando va de la mano de la ignorancia.

Phillips sonrió; luego, la sonrisa se le desvaneció y volvió a ponerse muy serio.

—Le daré una lista de esas cosas. La puedo hacer bastante exacta, si va a servir de algo.

—Servirá.

Hester pasó el resto del día yendo penosamente de una casa a otra con la lista de pacientes que Cleo le entregara a Monk y la lista de medicinas desaparecidas confeccionada por Phillips.

Estaba acostumbrada a ver personas que padecían enfermedades o heridas. La enfermería había sido su profesión durante años, y Hester fue testigo del horror del campo de batalla y de las enfermedades que diezmaban a los heridos después. Incluso experimentó en sí misma el agotamiento y el miedo, además del frío y del hambre.

Sin embargo, entrar en aquellas casas, desprovistas de comodidades porque todo se había vendido para pagar alimentos y calor, ver el dolor y demasiado a menudo también la soledad, resultó más angustioso de lo que había esperado. Esos hombres eran más viejos que los que ella cuidaba en Crimea y sus heridas no eran recientes, sino fruto de otras batallas, otras guerras; aun así, había tantos elementos en común que fue como si retrocediera aquellos cuatro breves años, y las emociones de entonces la abrumaron hasta casi sofocarla.

Una y otra vez vio una dignidad que le hizo contener el llanto ante ancianos que se esforzaban por disimular su pobreza y que obligaban a su cuerpo, discapacitado por la edad y las heridas, a levantarse para ofrecerle hospitalidad. Iba siguiendo las huellas de Cleo Anderson, procurando ofrecer el mismo consuelo, pero sin éxito porque carecía de medios.

La rabia anidó en su fuero interno. Nadie tendría que suplicar algo que se había ganado con creces.

Hester se resistía a pedir información sobre las medicinas que habían tomado. Casi todos ellos sabían que la vida de Cleo dependía de un juicio. Hester no tenía más remedio que decir la verdad. Todos los hombres se mostraron bien dispuestos a colaborar, abriendo armarios y enseñándole polvos, haciendo un recuento diario de lo que habían tomado.

Habría pagado cualquier precio con tal de poder prometerles que aquello salvaría a Cleo, mas sólo podía ofrecerles esperanzas, y tampoco muchas.

Cuando llegó a casa a las diez y cuarto, Monk ya empezaba a estar preocupado por ella. Estaba de pie, incapaz de relajarse a pesar de su propio cansancio. Hester advirtió que se había quitado las botas.

—¿Dónde te habías metido? —le preguntó Monk.

Fue directa hacia él y apoyó la cabeza en su hombro. Monk la estrechó entre sus brazos, sosteniéndola con ternura, y posó la mejilla en su frente. No necesitaba que ella le explicara la emoción que sentía; podía verla en su rostro, y la comprendió.

—Es horrible —dijo Hester tras unos minutos, sin separarse de él—. ¿Cómo podemos hacer algo así? Recurrimos a los más valientes cuando corremos peligro, sacrificamos a los mejores, padres y hermanos, maridos e hijos, y luego, diez años después, una generación después, ¡sólo queremos olvidar! ¿Qué diablos nos pasa?

Monk no se tomó la molestia de contestar, de hablar de culpabilidad y deudas o del deseo de ser felices sin recordar que otros han pagado un precio terrible; incluso rencor, ceguera y falta de imaginación. Ya habían hablado de ello con anterioridad.

—¿Qué has averiguado? —preguntó Hester por fin, enderezándose y mirándolo a la cara.

—No estoy muy seguro —respondió Monk—. ¿Quieres una taza de té?

—Sí.

Hester se encaminó hacia la cocina, pero él le cortó el paso.

—Yo la traigo. —Sonrió—. No te estaba pidiendo que trajeras una para mí, aunque probablemente habré caminado tanto o más que tú y con el mismo poco provecho.

Hester se sentó y se quitó los botines. Era un lujo muy privado, algo que sólo se permitiría hacer en casa. Y le resultó muy grato darse cuenta de que aquélla era su casa, que pertenecía a aquel lugar, igual que él.

Cuando Monk regresó con el té y hubo tomado unos cuantos sorbos, ella volvió a preguntarle qué había averiguado.

—Buena parte del tiempo libre de Treadwell sigue sin justificar —respondió Monk; probó su té y lo encontró demasiado caliente—. Tenía unos cuantos amigos más bien raros. Uno de sus compañeros de juego es enterrador, y Treadwell hacía trabajillos para él de vez en cuando.

—¿Como para ganar la cantidad de dinero que estamos buscando? —No sabía si quería que la respuesta fuese que sí o que no.

—Ni de lejos. Treadwell conducía un carromato, supuestamente porque era bueno con los caballos o quizá porque conocía las calles. Seguramente, lo hacía como favor en nombre de su amistad. Al parecer, el enterrador en cuestión le facilitaba la entrada a peleas de gallos y a carreras de perros a las que no habría podido acceder por su cuenta. Hasta fueron de burdeles una o dos veces.

Hester se encogió de hombros y comentó:

—Esto no nos lleva a ningún sitio, de todas formas.

—Me pregunto cómo llegó Treadwell a enterarse de lo de Cleo y las medicinas.

Ella iba a apartar la idea de su mente, por considerar que no tenía importancia, cuando de pronto entendió lo que él había querido decir.

—Desde luego, no se lo contó Miriam —dijo convencida.

—¿Alguno de los pacientes de Cleo? —planteó Monk—. ¿Por qué iba Treadwell, cochero del comandante Stourbridge en Bayswater y jugador y mujeriego en Kentish Town, a enterarse de esos robos de morfina y otras medicinas en un hospital de Hampstead Heath?

Hester lo miraba fijamente mientras un cosquilleo nervioso se iba apoderando de ella.

—Pues porque apareció en algún punto a lo largo de la cadena de acontecimientos, pero ¿dónde? —Fue contando con los dedos—: Los pacientes caen enfermos y van al hospital, donde Cleo los conoce porque trabaja allí como enfermera.

—Cosa que no guarda relación alguna con Treadwell —apostilló Monk—. A no ser que alguno de ellos fuese pariente suyo o alguien a quien conocía muy bien.

—Todos son ancianos y viven a poca distancia del hospital —señaló Hester—. En su mayoría viven solos, algunos afortunados con un hijo o una hija, o un nieto, como el viejo John Robb.

—Treadwell tiene a toda la familia en Kentish Town —arguyó Monk—. Lo he comprobado. Su padre murió y su madre está casada en segundas nupcias con un hombre de Hoxton.

—Y ninguno de ellos tiene nada que ver con Miriam Gardiner —prosiguió Hester—. Así que no los conoció conduciendo el coche para ella. —Extendió otro dedo—. Cleo los visita en sus casas y sabe lo que necesitan. Lo roba del hospital. Por cierto, estoy convencida de que el boticario lo sabía y hacía la vista gorda. Es un buen hombre y la aprecia mucho. —Sonrió ligeramente—. Y no exagero. La considera una especie de santa. Creo que es la única persona que ha conseguido impresionar a Phillips. Fermín Thorpe, desde luego, no lo consigue. —Recordó su encuentro en el depósito de cadáveres—. ¡Hasta se burló del joven empleado del depósito diciendo que Thorpe compraba los cadáveres para los estudiantes de medicina a unos resurreccionistas! El pobre chico se quedó horrorizado hasta que comprendió que era una broma.

—¿Resurreccionistas? —repitió Monk despacio.

—Sí, profanadores de tumbas que desentierran cadáveres y los venden a los centros médicos para...

—Ya sé qué es un resurreccionista —le cortó Monk, inclinándose hacia delante con los ojos brillantes—. ¿Seguro que era una broma?

—Bueno, no es muy divertida —reconoció Hester, frunciendo el ceño—, pero Phillips es así, un poco... sardónico. Me cae bien; de hecho, me gusta mucho. Es una de las pocas personas del hospital en quien confiaría... —Entonces, de súbito, se dio cuenta de qué estaba pensando Monk—. Quieres decir... ¡Ay, William! ¿Piensas que realmente los compra a resurreccionistas? Él era la otra persona a la que Treadwell hacía chantaje. Pero ¿cómo se enteraría de eso?

—No necesariamente le hacía chantaje. —Le agarró la mano con apremio—. Treadwell era amigo de ese enterrador. ¿Qué hay más sencillo que vender unos cuantos cuerpos? En eso debían de consistir sus trabajillos extra como conductor: en entregar cadáveres a Fermín Thorpe, ¡con pingües beneficios!

—¡Fantástico! —Hester suspiró extremadamente aliviada. Sólo era una chispa de luz en la oscuridad, pero era la primera—. Al menos bastará para que Oliver suscite una duda. —Sonrió torciendo el gesto—. E incluso si no es culpable no me importaría ver a Fermín Thorpe muerto de miedo y vergüenza, no me importaría lo más mínimo.

—Me consta —dijo Monk, asintiendo con la cabeza—. Aunque no debemos precipitarnos...

—¿Por qué no? No hay tiempo que perder.

—Ya lo sé. Pero puede que Treadwell no le hiciera chantaje a Thorpe. Tal vez todo el dinero procediera de la venta de los cadáveres.

—Pues dejemos que el propio Thorpe lo demuestre. Será interesantísimo observarlo.

Monk arqueó un poco las cejas.

—Lo aborreces con toda el alma, ¿verdad?

—Lo desprecio —afirmó ella con rabia—. Antepone su vanidad al alivio del dolor de quienes confían en él para que los ayude. —Lo dijo un tanto desafiante, como si Monk lo hubiese defendido.

Él sonrió al argumentar:

—No pretendo ahorrarle ningún mal trago, es sólo que quiero utilizarlo para conseguir el efecto deseado. Todavía no sé cuál es, pero sólo tendremos una oportunidad. Quiero guardar mi munición para conseguir lo que sea mejor para Cleo, o para Miriam, no sólo lo que más daño haga a Thorpe o lo que nos dé más satisfacción.

—Comprendo —admitió Hester. Y era cierto. Se había regodeado con placer en la ira y lo reconoció—. Sí, por supuesto. Pero no esperes demasiado.

—No lo haré. No te preocupes, lo utilizaremos.

El domingo, Monk fue en busca del enterrador para obtener más detalles sobre los trabajos que Treadwell hacía para él y demostrar que en efecto transportaba cadáveres al hospital de Hampstead a cambio de una espléndida remuneración. Si tenía intención de emplear esa información, tanto en el tribunal como para presionar a Thorpe con otro fin, necesitaba pruebas irrefutables.

Hester siguió su ronda de visitas a los pacientes de Cleo, decidida a terminar la lista de medicinas. No estaba segura de que fuese a servir de algo, pero se sentía obligada a hacerlo y, dejando a un lado todo lo demás, ansiaba ver de nuevo a John Robb. Hacía más de una semana desde la última vez y le constaba que ya casi no le quedaría morfina. Se estaba viniendo abajo, el dolor iba a más, y ella apenas podía hacer nada por él. Aún le quedaba un poco de morfina, hurtada con la connivencia de Phillips, y llevaba consigo también una botella de jerez. Era ilógico dárselo a él en lugar de a cualquier otro, pero la lógica no surtía ningún efecto sobre sus sentimientos.

Lo encontró solo, derrengado en el sillón, medio dormido; pero se reanimó al oír sus pasos. Estaba más pálido que nunca y tenía los ojos muy hundidos. Hester había cuidado a demasiados agonizantes como para hacerse ilusiones de que a John le quedaba mucho tiempo por delante, y se figuró lo mucho que Michael Robb debía de sufrir al tener que dejarlo a solas.

Se forzó a hablar con tono alegre, pero no pudo poner entre ellos la barrera de fingir que no se daba cuenta de lo enfermo que estaba.

—Hola —dijo en voz baja, sentándose delante de él—. Siento haberme ausentado tanto tiempo. He estado buscando algún modo de ayudar a Cleo y creo que lo hemos conseguido.

Mientras hablaba era consciente de que, si adornaba un poco la verdad, el hombre probablemente no viviría para conocer el desenlace real.

Robb sonrió y levantó la cabeza.

—Es la mejor noticia que podía traerme, joven. Estoy preocupado por ella. Con tanto bien como ha hecho, que tenga que pasarle esto. Ojalá pudiera hacer algo yo, pero igual lo que yo hiciera no haría más que empeorar las cosas. —La miró atentamente, esperando una respuesta.

—No se preocupe, nadie va a interrogarle a usted.

Estaba segura de que lo último que haría la acusación sería llamar a los hombres como John Robb, quienes sin duda corroborarían que Cleo les había dado las medicinas, demostrando de paso por qué. Las simpatías de todo hombre decente del jurado serían para Cleo. Quizás alguno de ellos había estado en el ejército o tenía un padre o un hermano militar. La indignación ante lo sucedido con tantos soldados quizá pesaría más que un sentido de la justicia más inmediato contra el asesino de un cochero chantajista. Tobias no provocaría eso si estaba en su mano evitarlo.

A Hester le habría encantado que aquello saliera a la luz pública, pero sólo si podía hacerse sin que fuera a expensas de Cleo. De momento no se le había ocurrido cómo.

Robb la miró más de cerca.

—Pero robó esas medicinas por mí, ¿no?

—Lo hizo por mucha gente —le aclaró Hester con franqueza—. Son ustedes dieciocho en total, aunque usted era uno de sus favoritos. —Sonrió—. Igual que lo es mío.

Robb sonrió como si estuviera flirteando con él. Saltaba a la vista que estaba encantado, a pesar de la tragedia que encerraba el tema que comentaban. Se le humedecieron los ojos

—Pero parte de las medicinas robadas era para mí, ¿verdad? —insistió.

—Sí. Para usted y para otros.

—¿Y de dónde piensa sacarlas ahora, muchacha? Prefiero quedarme sin ellas a que usted también se meta en líos.

—Ya lo sé, pero no hay de qué preocuparse. El boticario me ha dado esto. —Aquello era exagerar un poco la verdad, pero no tenía importancia—. Le prepararé una taza de té y pasaremos un rato juntos. He traído un poco de jerez; no del hospital, del mío. —Se levantó mientras lo decía—. No necesitaremos leche esta vez, le daremos un poco de cuerpo.

—Buena idea. Podemos charlar un rato. Me cuenta una de esas historias sobre Florence Nightingale, cómo venció a aquellos generales y se salió con la suya. Cuénteme una buena historia, muchacha.

—Así lo haré —prometió Hester, yendo al rincón que hacía las veces de cocina, donde puso agua a calentar.

Cuando hirvió preparó el té, vertió un generoso chorro de jerez en uno de los tazones y dejó la morfina en el anaquel para que Michael la encontrara por la noche. Volvió a ocuparse del té y sirvió dos tazones, el del jerez para él y otro solo para ella.

Robb tomó su tazón y empezó a sorber.

—Venga, hábleme de cuando se burlaron ustedes de esos generales, muchacha. Cuénteme lo que ahora se hace mejor gracias a la guerra y lo que aprendió usted allí.

Hester le refirió toda suerte de episodios que recordaba, minúsculas victorias contra la burocracia en su mayoría, poniéndoles más colorido del que originalmente tuvieron.

Él terminó su té y dejó el tazón vacío en la mesa.

—Continúe —la apremió—. Me gusta oír su voz, muchacha. Me hace recordar...

Hester pensó en qué otras historias contarle que tuvieran un final feliz, y puede que divagara un poco, poniendo pinceladas de imaginación. De vez en cuando él interrumpía para hacer una pregunta. El sol creaba una atmósfera cálida y confortable, y Hester no se sorprendió cuando al levantar la vista vio que el anciano tenía los ojos cerrados. Era un buen momento para echar una cabezadita. Naturalmente, no se ofendió lo más mínimo. Aún sonreía el hombre por la última victoria que ella había contado, adornando mucho el relato.

Se levantó y se aseguró de que el anciano estuviera suficientemente abrigado, ya que el sol se había ido desplazando y los pies quedaban en la sombra. Hasta ese momento no se percató de lo quieto que estaba. No respiraba trabajosamente, el aire no resonaba en sus deteriorados pulmones.

Las lágrimas ya rodaban por las mejillas de Hester cuando le puso los dedos en el cuello y no encontró pulso. Era ridículo. Tendría que alegrarse por él, pero no pudo hacer otra cosa que sentarse y romper a llorar desconsoladamente, y con miedo, la pérdida de un amigo al que había llegado a querer.

Se había lavado la cara y ocupaba una silla frente al anciano cuando Michael Robb llegó a última hora de la tarde.

Entró directamente, sin notar nada diferente al principio.

Hester se puso de pie de un salto, interponiéndose entre él y el anciano.

Entonces Michael vio el rostro de Hester y se dio cuenta de que había llorado. Se puso muy pálido.

—Ha muerto —dijo Hester con ternura—. Yo estaba aquí, hablando con él. Nos hemos contado viejas historias y hemos reído un poco. Se quedó dormido.

Se hizo a un lado para que él pudiera ver el rostro del anciano, todavía con la sombra de una sonrisa y reflejando una gran serenidad.

Michael se arrodilló y le agarró una mano.

—Tendría que haber estado aquí —se lamentó con voz ronca—. ¡Lo siento! Lo siento mucho...

—Si hubiese estado aquí todo el tiempo, ¿quién habría ganado el dinero que ambos necesitaban para vivir? —lo consoló Hester—. Él lo sabía y estaba muy orgulloso de usted. Se habría sentido terriblemente culpable si hubiese pensado que se ausentaba del trabajo por él.

Michael se inclinó hacia delante, con las mejillas bañadas en lágrimas y los hombros temblorosos.

Hester no sabía si ir hasta él y tocarlo, si eso lo consolaría o sería una intromisión. El instinto la empujaba a estrecharlo en sus brazos, pues parecía tan joven y tan solo... Pero la razón le dictaba que lo dejara llorar en privado. El instinto ganó y Hester se sentó en el suelo y lo abrazó mientras él lloraba.

Una vez superada la primera conmoción, Michael se puso de pie y se lavó la cara con agua de la jarra antes de poner más a calentar. Sin decir palabra preparó más té.

—¿Ese jerez es suyo? —preguntó.

—Sí. Tome todo el que quiera.

Michael lo sirvió generosamente para ambos y le ofreció a Hester uno de los tazones. No se sentaron. Sólo había una silla libre y ninguno de los dos quería ocuparla.

—Gracias —dijo Michael, un poco violento—. Me consta que lo hacía por él, no por mí, pero aun así le estoy agradecido. —Se calló, pues quería añadir algo y no sabía cómo abordarlo.

Ella tomó un sorbo de té y esperó.

—Siento lo de la señora Anderson —soltó Michael de repente.

—Lo sé —lo tranquilizó ella.

—Robaba todas esas medicinas para los viejos y los enfermos, ¿verdad? —No lo formuló como una pregunta.

—Sí. Y puedo demostrarlo si es preciso.

—Incluido mi abuelo. —Aquello también fue una aseveración.

—Sí. —Hester lo miró a los ojos sin pestañear. Su aspecto era vulnerable y desesperadamente infeliz—. Lo hizo porque quiso. Creía que era lo correcto.

—Todavía queda morfina ahí —susurró Michael.

—¿Ah, sí? Me la llevaré.

—Por el amor de Dios, ¡vaya con cuidado, señora Monk!

Su rostro reflejaba auténtico miedo por ella, no censura. Hester sonrió.

—Ya no necesitará más. ¿Estará usted bien?

—Sí, estaré bien. Gracias —aseguró Michael.

Hester dudó sólo un instante antes de volverse y marcharse. Fuera, los últimos rayos del sol bañaban la acera, alegrando el bullicio de la calle.

12

El domingo por la tarde, Rathbone fue a Fitzroy Street para ver a Monk. Ya no resistía más tanta incertidumbre y quería compartir su inquietud y sentirse menos solo con su impotencia.

—¡Resurreccionistas! —exclamó incrédulo cuando Hester le contó de dónde creían que procedían los ingresos adicionales de Treadwell.

—Exactamente, no —le corrigió Monk—. De hecho, los cuerpos nunca llegaron a enterrarse, iban directamente de la funeraria al hospital.

Estaba sentado en el sillón grande, al lado del fuego. Los atardeceres de septiembre empezaban a hacerse sentir. Todavía no hacía frío, pero las llamas eran reconfortantes. Hester estaba encorvada, abrazada a sí misma, con la cara desprovista de todo color. Le había referido a Monk la muerte de John Robb, sucinta y llanamente y sabedora de que suponía la liberación de las ataduras a un cuerpo defectuoso, aunque él vio claramente que sentía su pérdida profundamente.

—Ahorra esfuerzos —explicó Monk, mirando hacia Rathbone—. ¿Por qué enterrarlos y pasar luego por el quebradero de cabeza y el riesgo considerable de desenterrarlos, cuando es mucho más sencillo enterrar directamente un montón de ladrillos?

—¿Y Treadwell los transportaba? —Rathbone quería convencerse de haber entendido bien—. ¿Estás seguro?

—Sí. Si es preciso puedo llamar a un puñado de testigos para disipar cualquier duda.

—¿Y le hacía chantaje a Fermin Thorpe?

Monk se mostró atribulado al contestar.

—Eso no lo sé. Desde luego no tengo pruebas y detesto reconocerlo, pero parece poco probable. ¿Por qué iba a hacerlo? Estaba ganando un buen pico con ese negocio. Lo último que querría sería ver a Thorpe en el banquillo.

Indiscutiblemente, era verdad, y Rathbone lo admitió.

—¿Hemos averiguado algo que sirva para elaborar una defensa? No tengo por dónde empezar...

Hester lo miró abatida y negó con la cabeza.

—No —la secundó Monk, desanimado—. Probablemente, podríamos conseguir que Thorpe retirara los cargos de robo, o al menos que los desestimara, y yo lo pasaría en grande, pero eso no nos serviría para los de asesinato. No nos queda nada más que tu habilidad.

Miró a Rathbone con franqueza y en sus ojos había un respeto que en cualquier otra ocasión al abogado le habría resultado muy grato saborear. Tal como estaban la cosas, lo único que se le ocurrió fue que habría dado cuanto poseía a cambio de estar seguro de merecerlo.

A las siete en punto de la mañana del lunes, Rathbone se encontraba ante la puerta de la celda de Miriam. Una celadora huraña le hizo pasar. Aquella mujer no tenía por Miriam nada de la consideración y la piedad que el carcelero de la policía tenía por Cleo.

La puerta se cerró con estrépito y Miriam levantó la vista. Era una sombra de su antiguo ser. Se la veía machacada, como si todo el cuerpo le doliera.

No había tiempo para andarse con rodeos.

—Me voy a la batalla sin armas —dijo Rathbone con sencillez—. Acepto que prefiera sacrificar su propia vida al final de una soga en lugar de decirme quién mató a Treadwell y a Verona Stourbridge, pero ¿está convencida de querer pagar todo lo que Cleo Anderson ha hecho por usted sacrificando también la suya?

Miriam parecía al borde del desmayo. Le costó trabajo hablar.

—Ya le he dicho, sir Oliver, que aunque lo supiera usted nadie le creería. Podría contárselo todo y sólo serviría para hacer más daño. ¿No cree que yo haría cualquier cosa para salvar a Cleo si pudiera? Es la persona que más quiero de este mundo, a excepción, quizá, de Lucius. Y también sé lo mucho que le debo. No es preciso que me lo recuerde como si yo no fuese consciente de ello. ¡Si pudiera ahorcarme en su lugar lo haría! Si le es posible arreglar las cosas para que así sea, siempre estaré en deuda con usted. Confesaré que maté a Treadwell, si sirve de algo.

Al ver esos ojos abiertos como platos en el rostro ceniciento, Rathbone la creyó. No le cabía la menor duda de que la joven moriría con dignidad y con el corazón tranquilo si así salvaba a Cleo. Eso no significaba que Cleo fuese en efecto inocente, sólo que Miriam la amaba y, tal vez, que pensaba que la muerte era comprensible a la luz de las culpas del propio Treadwell.

—Haré cuanto pueda —le prometió en voz baja—. Aunque no sé si servirá de algo.

Miriam no dijo nada, pero le dedicó un amago de sonrisa.

El juicio se reanudó con la sala de vistas medio vacía.

Rathbone ya estaba en su asiento cuando vio entrar a Hester, que se dirigió presurosa al ujier, le dijo algo y, dejándolo con la palabra en la boca, fue hasta la mesa de la defensa.

—¿Qué pasa? —preguntó Rathbone, viendo su rostro pálido y en tensión—. ¿Qué ha sucedido?

—He ido a ver a Cleo esta mañana —susurró Hester inclinada sobre él—. Sabe que ahorcarán a Miriam y que tú no puedes hacer nada a menos que se diga la verdad. Ella sólo sabe una parte, pero no soporta perder a Miriam, aunque sea haciendo daño a terceros, aunque sea a Lucius y Miriam no se lo perdone nunca.

—¿Qué parte? —quiso saber Rathbone—. ¿Qué verdad sabe? Por el amor de Dios, Hester, ¡dímelo! ¡No tengo nada!

—Llama a Cleo al estrado de los testigos. Pregúntale cómo conoció a Miriam. Ella piensa que es algo relacionado con eso, algo tan terrible que Miriam no puede o no quiere recordar. Y ya no tenemos nada que perder.

—Gracias.

Impulsivamente, se inclinó hacia delante y la besó en la mejilla, prescindiendo por completo de que el juez y el tribunal en pleno los estuvieran observando.

Tobias tosió y sonrió.

El juez dio unos golpes con el mazo.

Hester se puso como un tomate, pero regresó sonriente a su asiento.

—¿Está listo para proceder, sir Oliver? —preguntó el juez con cortesía.

—Sí, señoría, lo estoy. Llamo a la señora Cleo Anderson.

Hubo un murmullo de interés en la sala y varios miembros del jurado cambiaron de postura, por una incomodidad más emocional que física.

Cleo fue escoltada desde el banquillo hasta el estrado. Se mantenía erguida, aunque era obvio que con dificultad, y no miró hacia Miriam ni una sola vez. En voz baja y poco firme juró su nombre y domicilio; luego, aguardó con una inquietud palpable a que Rathbone comenzara. El abogado detestaba lo que se disponía a hacer, pero eso no lo detuvo.

—Señora Anderson, ¿cuánto tiempo lleva viviendo en su casa de Green Man Hill?

A Cleo no le costó comprender la relevancia de la pregunta, aunque fue evidente que a Tobias sí, pues su impaciencia se hizo patente en la exasperación de su expresión.

—Unos treinta años —respondió Cleo.

—Entonces, ¿vivía ahí cuando conoció a la señora Gardiner? —preguntó Rathbone.

—Sí. —Fue poco más que un susurro.

El juez se inclinó hacia delante para decir:

—Por favor, hable más alto, señora Anderson. Es preciso que el jurado la oiga.

—Lo siento, señor. Sí, vivía en la misma casa que ahora.

—¿Cuánto tiempo hace de eso?

Tobias se puso de pie y protestó.

—Esto es historia antigua, señoría. Por si le resulta útil a sir Oliver, y con vistas a ahorrarle tiempo al tribunal sin prolongar algo que sólo puede ser doloroso, en lugar de piadoso, la acusación admite que la señora Anderson se hizo cargo de la señora Gardiner cuando ésta no era más que una niña y que la cuidó con devoción a partir de entonces. No lo rebatimos, como tampoco exigimos ninguna prueba a tal efecto.

—Gracias —dijo Rathbone con exagerada amabilidad—. Pero ése no es mi argumento. Si está tan ansioso como insinúa por no desperdiciar el tiempo de este tribunal, quizá tome en consideración el no volver a interrumpirme hasta que le dé una buena razón para hacerlo.

Se oyeron unas risillas nerviosas en la sala y unas francas sonrisas adornaron los rostros de por lo menos dos miembros del jurado.

Tobias se puso rojo de ira, pero lo disimuló de inmediato.

Rathbone se volvió hacia Cleo.

—Señora Anderson, ¿puede referirnos las circunstancias de ese encuentro?

Cleo habló con gran esfuerzo. Era dolorosamente aparente que el recuerdo la desgarraba y que lo evocaba movida por la desesperación.

Rathbone apenas si sabía qué le estaba preguntando, sólo que Hester insistió en ello y que no tenía otras armas a las que recurrir.

—Fue una noche de septiembre, el veintidós, creo. Hacía viento, pero no frío.

Cleo tragó saliva. Tenía la garganta seca y se puso a toser. A petición del juez, el ujier le llevó un vaso de agua; luego, prosiguió.

—El viejo Josh Wetherall, de dos puertas más abajo, vino a llamar a mi puerta y me dijo que había una chiquilla llorando en la calle, al borde de la histeria, dijo, y toda manchada de sangre. El pobre hombre estaba muy angustiado y no sabía qué hacer para ayudarla. —Suspiró profundamente.

Nadie se movió ni interrumpió la declaración. Hasta Tobias guardó silencio, aunque su rostro seguía reflejando impaciencia.

—Naturalmente, fui a ver qué podía hacer —continuó Cleo—. Cualquiera lo habría hecho, pero supongo que pensó que yo sabría manejarme mejor, siendo enfermera.

—¿Y la niña? —apuntó Rathbone.

Las manos de Cleo agarraron la baranda que tenía delante como si necesitara apoyarse para mantenerse en pie.

—Josh tenía razón, estaba en un estado terrible...

—¿Puede describírnoslo? —la dirigió Rathbone, haciendo caso omiso de Tobias, que se había inclinado para protestar—. Necesitamos verla tal como usted la vio, señora Anderson.

Cleo lo miró implorante, con una negativa en los ojos, en el rostro, hasta en el ángulo de su cuerpo.

—Es preciso que la veamos tal como usted la vio, señora Anderson. Por favor, créame, es importante. —Estaba mintiendo. No tenía ni idea de si aquello significaba o no algo, pero al menos el jurado estaba escuchando, había captado su atención.

Cleo estaba rígida, temblando.

—Se encontraba histérica —dijo en voz muy baja.

El juez se inclinó hacia ella, pero no volvió a pedirle que levantara la voz.

Nadie en toda la sala se movió ni hizo ruido alguno. Rathbone asintió, indicándole que prosiguiera.

—No he visto a nadie tan asustado en toda mi vida —declaró Cleo, no a Rathbone ni a la sala, sino como si estuviera relatando en voz alta un recuerdo indeleble que había guardado durante mucho tiempo—. Estaba cubierta de sangre; tenía los ojos abiertos, pero no estoy segura de que llegara a ver nada. Se tambaleaba y chocaba con las cosas y durante horas fue incapaz de hablar. Sólo jadeaba y se estremecía. Habría sido mejor que hubiese podido llorar.

Una vez más se interrumpió y el silencio se prolongó, pero nadie se movió. Hasta Tobias tuvo el atino de no intervenir.

—¿Qué heridas presentaba? —preguntó Rathbone por fin.

Cleo pareció volver en sí y lo miró como si acabara de recordar que se encontraba allí.

—¿Qué heridas presentaba? —repitió Rathbone—. Ha dicho que iba cubierta de sangre y que a todas luces había pasado por una experiencia terrible.

Cleo se mostró avergonzada.

—No sabemos cómo ocurrió, la verdad. Durante

días no dijo nada coherente, y la pobre cría estaba tan aterrada que no nos atrevimos a presionarla. Se acurrucaba en mi cama, abrazándose, y de vez en cuando lloraba como si se le hubiese partido el corazón y tenía tanto miedo de cualquier hombre que se le acercara que ni siquiera avisamos al médico.

—¿Y las heridas? —preguntó Rathbone de nuevo—. ¿A qué se debía la sangre?

Cleo miró más allá de él.

—Solamente llevaba un camisón de algodón. Había sangre por todas partes, de los hombros hacia abajo. Tenía magulladuras y un corte...

—¿Sí?

Cleo miró por primera vez hacia Miriam, con el rostro bañado en lágrimas.

Con desesperación, Miriam movió los labios formando la palabra «*no*».

—¡Señora Anderson!—exclamó Rathbone con aspereza—. ¿De dónde procedía la sangre? Si de verdad es usted inocente, y si cree que Miriam Gardiner es inocente, sólo la verdad puede salvarla. Es su última oportunidad para decirla. Una vez emitido el veredicto, sólo le quedará enfrentarse a unos pocos días con sus noches en una celda, y luego la soga, y por fin el juicio de Dios.

Tobias se puso de pie.

Rathbone se volvió hacia él.

—¿Va a discutirme la verdad de eso, señor Tobias? Tobias lo miró fijamente, con expresión enojada.

—¿Señor Tobias? —lo apremió el juez.

—No, por supuesto que no —se doblegó el fiscal, y se sentó otra vez.

Rathbone se volvió de nuevo hacia Cleo.

—Repito, señora Anderson, ¿de dónde procedía la sangre? Usted es enfermera. Tendrá conocimientos de anatomía, aunque sean rudimentarios. ¡No nos venga con que no hizo nada para ayudar a una niña aterrada y empapada en sangre, aparte de darle un camisón limpio!

—¡Claro que la ayudé! —exclamó sollozando—. La pobrecilla acababa de dar a luz y no era más que una cría. Supuse que el niño había nacido muerto.

—¿Eso fue lo que le dijo ella?

—Divagaba. Apenas decía nada coherente. Estaba desquiciada. Tenía mucha fiebre y no estábamos seguros de poder salvarla. A menudo las mujeres mueren de fiebres después del parto, sobre todo si no ha sido fácil. Y ella era demasiado joven, demasiado pequeña, pobrecilla.

Rathbone hacía suposiciones a la desesperada. Todo aquello era muy trágico, pero no guardaba ninguna relación con las muertes de Treadwell y Verona Stourbridge. A no ser, por supuesto, que Treadwell le hubiese hecho chantaje a Miriam por lo del niño. Ahora bien, ¿le importaría a Lucius? ¿Acaso semejante tragedia bastaría para que dejara de querer casarse con ella? ¿O para que su familia se lo impidiera?

Rathbone aún no le había prestado ningún servicio a Cleo. No tenía nada que perder si llevaba aquella historia tan lejos como pudiera.

—Sin duda le preguntó qué le había pasado —manifestó con gravedad—. ¿Qué le contó ella? Por lo menos, las autoridades exigirían alguna explicación. ¿Qué fue de su familia? ¿Qué hicieron, señora Anderson, con esa cría histérica y herida, cuya historia no tenía sentido para usted?

El rostro de Cleo se tensó; sus ojos miraron a Rathbone más desafiantes.

—No se lo conté a la policía. ¿Qué iba a decirles? Le pregunté su nombre, por supuesto, y que si tenía una familia que cuidara de ella. Dijo que no tenía y ¿quién era yo para discutírselo? Era la menor de ocho hermanos y su familia la había puesto a servir en una buena casa.

—¿Y el hijo? —se vio obligado a preguntar Rathbone—. ¿Qué clase de hombre deja embarazada a una niña de doce años? Tendría doce cuando quedó encinta. ¿La abandonó?

El rostro de Cleo estaba lívido. Rathbone no se atrevía a mirar a Miriam. No podía imaginar siquiera lo que debía de estar pasando, teniendo que permanecer en el banquillo oyendo todo aquello, viendo los rostros del tribunal y del jurado. Se preguntó si ella miraría a Harry o a Lucius Stourbridge, o a Aiden Campbell, que estaban sentados juntos en la parte delantera de la tribuna. Quizás aquello fuese peor que cualquier cosa que hubiese tenido que aguantar hasta entonces. Pero si Miriam tenía que sobrevivir, si Cleo tenía que sobrevivir, era necesario.

—¿Señora Anderson? —le instó.

—Nunca le importó ella —respondió Cleo en voz baja—. Me dijo que la había violado, varias veces. Así fue como quedó embarazada.

Uno de los miembros del jurado jadeó. Otro cerró el puño y asestó un golpe seco en la barandilla que tenía delante. Tuvo que dolerle, pero estaba demasiado indignado como para notarlo.

Lucius se miraba los pies y volvió a hundirse, sin saber qué hacer.

—Pero el niño nació muerto —dijo Rathbone, rompiendo el silencio.

—Eso supuse.

—¿Y qué hacía Miriam sola en el Heath en semejante estado?

Cleo negó con la cabeza como para apartar la verdad, ahuyentándola.

Tobias la miraba fijamente.

Como si lo hubiese notado, la mujer volvió a mirar a Rathbone implorante. Pero era por Miriam, no por sí misma. Rathbone estaba más que seguro de eso.

—¿Qué dijo ella? —preguntó.

Cleo bajó la vista. Cuando habló, su voz apenas fue audible.

—Que había escapado de la casa con una mujer y que la mujer intentó protegerla y que la mujer había sido asesinada, en el Heath.

Rathbone se quedó anonadado. Su imaginación había elucubrado con muchas posibilidades, pero con aquélla no. Le llevó un momento recobrar la calma. No tenía intención de mirar a Miriam, pero lo hizo.

Estaba pálida y con los ojos cerrados. Sin duda era consciente de que los hombres y las mujeres presentes en la sala la estaban mirando, y el único lugar donde podía esconderse era en su fuero interno. Rathbone vio en su rostro un dolor que a duras penas soportaba, pero ninguna sorpresa. Había sabido lo que Cleo iba a decir. Eso, más que ninguna otra cosa, fue lo que llevó a Rathbone a creérselo a pies juntillas. Tanto si había sucedido como si no, hubiera o no otra mujer, aunque todo fuese fruto de la imaginación de una niña histérica y atormentada en el delirio de la fiebre, Miriam creía que era la verdad.

Rathbone miró a Hester y también percibió su asombro. Sabía que había algo, mas no se esperaba aquello.

Hizo la pregunta que todo el tribunal estaba esperando que hiciera.

—¿Encontraron el cuerpo de esa mujer, señora Anderson?

—No...

—¿Lo buscaron?

—Claro que lo buscamos. Todos lo buscamos. Hasta el último hombre de la calle.

—¿Y no lo encontraron?

—No.

—¿Miriam no supo indicarles dónde estaba? Una vez más, supongo que se lo preguntarían. No creo que pasaran por alto algo así.

Ella lo miró enojada al contestar.

—¡Claro que no lo pasamos por alto! Nos dijo que estaba junto a un roble, pero resulta que el Heath está lleno de robles. Cuando al cabo de una semana no encontramos nada pensamos que había perdido el juicio, con todo lo que le había ocurrido. La gente ve toda suerte de cosas cuando está enferma, y a eso había que sumar la aflicción de dar a luz un niño muerto, siendo ella misma una niña.

El desdén que Cleo sentía por él se hizo patente en sus palabras, y Rathbone notó cómo lo hería a pesar de saber que estaba haciendo lo que debía. Tobias, sentado a su mesa, sacudía la cabeza.

—¿De modo que supusieron que había imaginado parte de su experiencia, de su pesadilla, y lo dejaron correr? —insistió de todos modos.

—Sí, por supuesto. Le llevó meses encontrarse mejor y, una vez restablecida, nos pusimos tan contentos que nunca volvimos a mencionar el episodio. ¿Por qué íbamos a hacerlo? Nadie más lo hizo. No vino nadie a buscarla. La policía no tenía constancia de ninguna desaparición.

—¿Y qué me dice de Miriam? ¿Le contó usted a la policía que la había encontrado? Al fin y al cabo, sólo contaba trece años entonces.

—Claro que se lo dijimos. Pero nadie la reclamaba y estuvieron más que contentos de que alguien cuidara de ella.

—¿Y se quedó con usted?

—Sí. Creció y se convirtió en una hermosa muchacha—. Lo dijo con orgullo. Su amor por Miriam era tan transparente en su rostro y en su voz que ninguna palabra lo habría expresado mejor—. Cuando tenía diecinueve años, el señor Gardiner comenzó a hacerle la corte. Muy despacio, siempre fue muy tierno con ella. Sabíamos que él era bastante mayor, pero a ella le daba igual y eso era lo único que importaba. Si la hacía feliz, lo demás no contaba.

—¿Y se casaron?

—Sí, algún tiempo después. Y fue un excelente marido para ella.

—¿Y entonces murió?

—Sí. Fue muy triste. Murió joven, aunque fuese mayor que ella, por supuesto. Le dio un ataque y se fue en cuestión de días. Miriam lo echó mucho de menos.

—Hasta que conoció a Lucius Stourbridge.

—Sí, aunque eso fue tres años después.

—¿No tuvo hijos con el señor Gardiner?

—No. —Se le quebró la voz—. No tuvo esa suerte. Sólo Dios sabe por qué. Pasa con más frecuencia de lo que usted se imagina.

Tobias se puso de pie, exagerando su cansancio, e interrumpió la declaración.

—Señoría, hemos escuchado con suma indulgencia este relato de la vida de Miriam Gardiner y, aunque sus experiencias anteriores nos llenan de compasión, sean o no ciertas, no guardan ninguna relación con la muerte de James Treadwell ni con la de Verona Stourbridge, salvo que, por desgracia, hayan proporcionado al desdichado Treadwell más combustible para sus ardides chantajistas. Si sabía de la existencia de este primer hijo de la señora Gardiner, quizá pensó que la familia Stourbridge estaría menos dispuesta a aceptarla, siendo la víctima de una violación o como quiera que quedara encinta.

Una mirada de desagrado cruzó el rostro del juez, pero el argumento de Tobias era indiscutible y lo sabía, así que manifestó, en tono interrogativo:

—Sir Oliver, al parecer ha hecho usted avanzar más el caso del señor Tobias que el suyo. ¿Tiene otros argumentos para defender a su clienta?

Rathbone no sabía qué decir. Estaba desesperado.

—Sí, señoría, con la venia.

—Pues proceda, pero que sea pertinente a los acontecimientos que estamos juzgando.

—Sí, señoría. —Se volvió hacia Cleo—. ¿Creyó que había sido violada, señora Anderson? ¿O cabe que pensara que...?

—Tenía trece años —replicó Cleo furiosa—. Doce cuando sucedió. ¡Claro que creí que la habían violado! ¡Estaba medio loca de terror!

—¿De quién tenía miedo? ¿Del hombre que la había violado diez, nueve meses antes? ¿Por qué?

—¡Porque intentó matarla! —gritó Cleo.

Rathbone fingió sorpresa.

—¿Se lo dijo ella?

—¡Sí!

—¿Y qué hizo usted al respecto? Había un hombre en algún lugar cercano del Heath, que había violado a esa niña, de la que usted se hizo cargo y a la que crió como si fuese suya, y que intentó matarla, ¿y nunca lo encontró usted? Por el amor de Dios, ¿por qué no?

Cleo estaba temblando, jadeando para respirar, y Rathbone tuvo miedo de haber ido demasiado lejos.

—Creí que la habían violado, o seducido —dijo Cleo en un susurro—. Pero, que Dios me perdone, pensé que lo del ataque era un embrollo que se había armado ella sola con todo lo del niño muerto, la pobrecilla.

—¿Hasta...? —le instó Rathbone, levantando la voz—. Hasta que volvió a llegar corriendo en su busca, medio histérica y aterrorizada. Y esta vez sí había un cadáver de verdad en el Heath, ¡el de James Treadwell! ¿De quién huía la señora Gardiner, señora Anderson?

El silencio era total.

Un miembro del jurado tosió y sonó como una explosión.

—¿De James Treadwell? —Rathbone lanzó la pregunta como un desafío.

—¡No!

—Entonces ¿de quién?

Silencio.

El juez se inclinó hacia delante para decir:

—Si desea que creamos que no huía de James Tread-well, señora Anderson, tiene que decirnos de quién.

Cleo tragó saliva compulsivamente y contestó:

—De Aiden Campbell.

Si hubiese hecho estallar una bomba no habría causado más efecto. Rathbone se quedó paralizado un instante.

En la sala se oyó un clamor.

Los miembros del jurado se miraban entre sí, exclamando, jadeando.

El juez dio unos golpes con el mazo y llamó al orden.

—¡Señoría! —dijo Rathbone, levantando la voz—. ¿Puedo solicitar el aplazamiento para el almuerzo, de modo que pueda hablar con mi clienta?

—Concedido —convino el juez, e hizo sonar el mazo de nuevo—. La vista se reanudará a las dos.

Rathbone salió de la sala aturdido y caminó como un hombre medio ciego hasta la habitación donde Miriam Gardiner estaba autorizada a hablar con él.

La joven ni siquiera volvió la cabeza cuando la puerta se abrió y él entró; el celador se quedó fuera.

—¿Estaba huyendo de Aiden Campbell? —le preguntó Rathbone.

Miriam no dijo nada, permaneció inmóvil, con la cabeza vuelta.

—¿Por qué? —insistió Rathbone—. ¿Qué le había hecho?

Silencio.

—¿Fue él quien la atacó la primera vez? —Iba levantando la voz, y la desesperación la hacía más estridente—. ¡Por el amor de Dios, contésteme! ¿Cómo quiere que la ayude si no me habla? —Se inclinó hacia delante sobre la mesita, pero ella siguió sin volverse—. ¡La ahorcarán! —exclamó con intención.

—Ya lo sé —contestó por fin.

—¡Y también a Cleo Anderson!

—No, diré que también maté a Treadwell. Lo juraré en el estrado. Me creerán porque desean hacerlo. Ninguno de ellos quiere condenar a Cleo.

Era cierto, y él lo sabía tan bien como ella.

—¿Dirá eso en el estrado?

—Sí.

—¡Pero no es verdad!

Esta vez, Miriam se volvió y lo miró directamente a los ojos.

—Eso no lo sabe usted, sir Oliver. No sabe lo que sucedió. Si digo que fue así, ¿acaso va a contradecir a su clienta? Debe de estar usted loco; es lo que quieren oír. Me creerán.

Él le sostuvo la mirada, momentáneamente abatido. Tuvo la impresión de que si a ella le hubiese quedado ánimo le habría sonreído. Comprendió que si no la llamaba a testificar, ella misma le pediría al juez permiso para hablar desde el banquillo, y se lo concedería. No había nada que discutir.

Se marchó, y tomó un mísero almuerzo a base de pan que le supo a serrín, con una copa de clarete que podía haber sido de vinagre.

Rathbone no tenía más opción que llamar a Aiden Campbell al estrado. Si no lo hacía él, lo haría Tobias. Al menos, así seguiría ostentando cierto control.

La sala bullía de impaciencia. Al parecer había corrido la voz durante el aplazamiento para el almuerzo, pues ahora todos los asientos estaban ocupados y los ujieres tuvieron que impedir la entrada a un buen número de curiosos.

El juez llamó al orden y Rathbone se puso de pie y comenzó.

—Llamo a Aiden Campbell, señoría.

Campbell estaba pálido, pero tranquilo. Sin duda sabía que aquello era inevitable y había tenido casi dos horas para prepararse. Allí de pie, de cara a Rathbone, erguido en toda su estatura, presentaba un trágico parecido con su hermana muerta y su sobrino, Lucius, quien estaba sentado junto a su padre más como un fantasma que como un ser vivo. De vez en cuando levantaba la vista hacia Miriam, aunque Rathbone no vio que ella le devolviera la mirada una sola vez.

—Señor Campbell —siguió Rathbone, después de que a Campbell le fuera recordado que seguía bajo juramento—, el último testigo ha presentado un cargo extraordinario contra su persona. ¿Está dispuesto a responder a esta...?

—Lo estoy —interrumpió Campbell, en su afán por contestar—. Esperaba con todo mi corazón que esto no llegara a ser necesario. De hecho, hice cuanto pude para evitarlo, por el bien de mi familia y por un sentido de la decencia que me impulsa a querer enterrar las antiguas tragedias, de modo que no se conozcan en el presente, cuando lo único que pueden hacer es lastimar a partes inocentes. —Miró brevemente a Lucius, dejando claro lo que quería decir.

—La señora Anderson ha jurado que Miriam Gardiner declaró que era de usted de quien huía cuando escapó de la fiesta de Cleveland Square. ¿Es eso cierto? —preguntó Rathbone.

Campbell se mostró abatido al contestar, en voz baja.

—Sí. —Negó con la cabeza, moviéndola apenas—. No tengo palabras para decir cuánto he esperado no tener que contar esto. Conocí a Miriam Gardiner, por aquel entonces Miriam Speake, cuando ella tenía doce años. Era doncella en mi casa cuando yo vivía cerca de Hampstead.

El público se removió en sus asientos y se oyeron jadeos de asombro.

Campbell dirigió la mirada a Harry y Lucius Stourbridge.

—Lo siento —prosiguió Campbell con fervor—, no puedo seguir ocultándolo. Miriam vivió en mi casa por espacio de unos dieciocho meses. Por supuesto, me reconoció en la fiesta del jardín y seguramente tuvo miedo de que yo también la reconociera y os dijera quién era ella. —Seguía dirigiéndose a Harry Stourbridge, como si fuese un asunto privado entre ellos.

—Evidentemente, no les dijo nada —observó Rathbone, reclamando su atención hacia el tribunal—. ¿Por qué tuvo ella una conmoción tal que le hizo huir de ese modo, como si estuviera aterrorizada, más que avergonzada? Sin duda, la familia Stourbridge ya sabía que procedía de una clase social distinta. ¿Tan terrible era eso?

Campbell suspiró y titubeó unos instantes antes de responder.

Rathbone aguardó.

No se movía un alma en toda la sala.

—Señor Campbell —le instó el juez.

Campbell se mordió los labios.

—Sí, señoría. Me duele profundamente decir esto, pero Miriam Speake era una mujer fácil. Incluso con doce años de edad carecía de conciencia moral.

Harry Stourbridge aspiró con indignación. Lucius hizo ademán de levantarse, pero las piernas le flaquearon.

—Lo siento —dijo Campbell otra vez—. Era muy guapa, muy atractiva para ser tan joven..., y me repugna decirlo, pero no le faltaba experiencia...

De nuevo se vio interrumpido por las protestas de la sala.

Varios miembros del jurado sacudían la cabeza. Dos de ellos lanzaron una mirada reprobatoria hacia el banquillo. Rathbone vio claramente que se creían cuanto les estaban diciendo. Él mismo levantó la vista hacia Miriam y vio cómo la joven agachaba la cabeza y se cubría el rostro ceniciento con las manos, como si no pudiera soportar más lo que estaba oyendo.

Al llamar a declarar a Aiden Campbell, Rathbone había destruido sus últimas defensas. Se sintió como si él mismo se hubiese atravesado con su propia espada. Toda la sala tenía los ojos puestos en él, esperando a que prosiguiera. Hester debía de estar furiosa ante semejante resultado y seguramente lo compadecía por su incompetencia. La compasión era lo peor.

Tobias también sacudía la cabeza, expresando lástima ante un colega que se estaba hundiendo en una tormenta causada por él mismo.

Campbell aguardaba. Rathbone tenía que decir algo. Nada de cuanto se le ocurría podía empeorar la situación. Al menos no tenía ya nada que perder y, por consiguiente, nada que temer.

—¿Esto es lo que opina, señor Campbell? ¿Y cree usted que a la señora Gardiner, ahora una respetable viuda de treinta años cumplidos, la aterró sobremanera que usted manifestara tan lamentable visión de su infancia, destruyendo de paso la futura felicidad de su sobrino?

—Me parece razonable —intervino Tobias—. ¿Qué hombre no contaría a su hermana, a la que ama, que su único hijo está comprometido en matrimonio con una doncella que vale poco más que una puta?

—¡Pero no lo hizo! —exclamó Rathbone—. ¡No se lo dijo a nadie! De hecho, hace un momento le han oído disculparse ante su cuñado por contarlo ahora. —Giró sobre sus talones—. ¿Por qué, señor Campbell? Si era una mujer como la que usted ha descrito, y debería decir una niña como la que usted ha descrito, ¿por qué no advirtió a su familia en lugar de permitir que pasara a ser miembro de ella por matrimonio? Si lo que dice es verdad...

—Es verdad —le interrumpió Campbell, muy serio—. El estado en que se encontraba, según lo ha descrito la señora Anderson, encaja, lamentablemente, con lo que sé de ella. —Se aferró a la baranda del estrado de los testigos, como si le sirviera para controlar sus temblores. Le costó trabajo encontrar su voz—. Sedujo a uno de mis criados, un hombre hasta entonces muy decente, que cayó en una tentación demasiado fuerte para resistirla. Pensé en despedirlo, pero su trabajo era excelente y estaba amargamente avergonzado de su desliz. Habría supuesto su ruina y se hallaba en la flor de la vida. —Se calló un momento. Rathbone se mantuvo a la espera—. Entonces no lo sabía —continuó Campbell con evidente dificultad—, pero estaba embarazada y... abortó.

Se levantaron protestas por toda la sala. Una mujer chilló. Hubo cierto revuelo alrededor de alguien que se desmayó.

El juez golpeó en la mesa con su mazo, aunque no causó mucha impresión.

Miriam hizo ademán de ir a ponerse de pie, pero los celadores que tenía a ambos lados la obligaron a permanecer sentada.

Rathbone miró hacia el jurado. Como un solo hombre, sus rostros estaban marcados profundamente por la impresión con un airado desdén.

El juez golpeó la mesa de nuevo.

—¡Orden en la sala! —gritó airado—. ¡O los ujieres la desalojarán!

Tobias miró a Rathbone y sacudió la cabeza.

Cuando el jaleo amainó y Rathbone pudo hacerse oír, Campbell continuó.

—Ése debe de ser el motivo por el que estaba sangrando cuando la señora Anderson la encontró deambulando por el Heath. —Negó con la cabeza como para desmentir lo que iba a decir, para reducir su aspereza—. Al principio tampoco quise despedirla. Era muy joven. Pensé que había cometido un error y que después del aborto..., pero no. —Se encogió de hombros. Luego, levantó la cabeza y miró a Rathbone—. Siguió igual, siempre tentando a los hombres, flirteando con ellos, enfrentándolos entre sí. Disfrutaba con el poder que ejercía sobre ellos. No tuve más remedio que echarla.

Un murmullo de compasión recorrió la sala, junto con una marea creciente de enojo. Uno o dos hombres maldijeron entre dientes. Dos miembros del jurado intercambiaron unas frases. Levantaron la vista hacia el banquillo. Sus rostros eran la misma máscara de la condena.

Un periodista escribía como poseído.

Tobias miró a Rathbone y le sonrió con lástima, aunque sin disimular que se sabía vencedor. Cuando él perdía no pedía clemencia, y no se la iba a otorgar.

—Ojalá no hubiese tenido que contar todo esto. —Campbell miraba a Rathbone—. Si dudé en decírselo antes a Harry fue porque al principio ni siquiera estaba totalmente seguro de que fuese la misma persona. Me parecía increíble y, por supuesto, había cambiado mucho en veintitrés años. Yo no quería admitir que era ella... ¿Lo comprende? Supongo que finalmente caí en la cuenta de que tenía que ser ella cuando vi que me reconocía.

Rathbone no tenía nada que decir, nada más que preguntar. Aquél era el peor resultado que podría haber previsto y, seguramente, Hester se sentiría tan desilusionada y vacía como él mismo. Se sentó con el ánimo por los suelos.

Tobias se puso de pie y caminó hasta el centro de la

sala con aire arrogante. Vencer a Oliver Rathbone era una victoria digna de saborearse, aunque hubiese resultado ridículamente fácil.

—Señor Campbell, me queda muy poco que preguntar. Nos ha referido usted mucho más de cuanto nos cabía imaginar. —Miró hacia Rathbone—. Creo que esto va tanto por mi eminente colega como por mí. No obstante, me gustaría ordenar algunos detalles..., por si la señora Gardiner decide subir al estrado y formular una acusación contra usted, tal como ha insinuado la señora Anderson, quien puede que desconociera las hazañas juveniles de la señora Gardiner tanto como el resto de nosotros.

Campbell no contestó, sino que aguardó a que Tobias continuara.

—La señora Gardiner huyó cuando cayó en la cuenta de que usted la había reconocido; al menos, ¿es esto lo que supone usted?

—Sí.

—¿La siguió?

—No, claro que no. No tenía por qué.

—¿Permaneció en la fiesta?

—En la fiesta en concreto, no. Me quedé en Cleveland Square. Estaba muy alterado con el asunto. Me alejé un poco por el jardín, para estar a solas y pensar en qué hacer y qué decir cuando el resto de la familia, inevitablemente, descubriera que ella se había ido.

—¿Y qué decidió hacer, señor Campbell?

—Callar. Me constaba que esta historia les haría mucho daño. Tenían mucho aprecio a Miriam. Lucius estaba enamorado de ella como sólo puede estarlo un hombre joven e idealista. Creo que era su primer amor... —Dejó la frase inacabada, dejando que cada hombre recordara el primer despertar de la pasión, los sueños y, quizá, las pérdidas.

—Entiendo —dijo Tobias, y bajó la voz—: Sólo

Dios sabe si esta decisión fue la más acertada, pero comprendo perfectamente que la tomara. Me temo que aún tenemos que ahondar en otro asunto.

—Usted dirá.

—El cochero, James Treadwell. ¿Por qué cree que ella se marchó con él?

—Era el criado de la casa al que conocía mejor —respondió Campbell—. La había acompañado a Hampstead a menudo y también iba allí a recogerla. Yo no haría otras conjeturas a ese respecto.

—Muy benévolo por su parte —observó Tobias—, si tenemos en cuenta que conocía su conducta de antaño con los hombres del servicio.

Campbell apretó los labios y no contestó.

—Dígame —continuó Tobias—, ¿cómo se enteró ese desdichado cochero de que la señora Anderson robaba medicinas del hospital?

—No tengo ni idea. —Campbell se mostró sorprendido un instante. Luego sacudió la cabeza—. No, no creo que Miriam se lo dijera. Era confabuladora, manipuladora, codiciosa, pero no. Salvo que fuese accidentalmente, sin ser consciente de lo que él haría con la información.

—¿No sería la venganza perfecta? —sugirió Tobias con mucha afabilidad—. Su boda con Lucius Stourbridge ahora es imposible porque sabe que usted jamás la permitirá. Treadwell está arruinando a su amiga y benefactora, a quien ahora debe recurrir. Rabiosa y vencida, e incluso desesperada, ¡le asesta un golpe! ¿Cabe algo más normal?

—Supongo —concedió Campbell.

Tobias se volvió hacia el juez.

—Señoría, sin duda hemos tenido bastante tragedia en un mismo día. Con la venia del tribunal, me gustaría proponer un aplazamiento hasta mañana, para que sir Oliver tenga ocasión de presentar cualquier otra prueba que considere que pueda salvar su caso. Por mi parte, tengo poco más que añadir.

El juez miró a Rathbone inquisitivamente, aunque ya sostenía el mazo en la mano.

Rathbone estaba sin armas ni voluntad para seguir luchando.

—Por supuesto, señoría —se avino en voz baja—. Faltaría más.

Rathbone apenas había salido de la sala de vistas cuando se le aproximó un ujier.

No tenía ganas de hablar con nadie. Saboreaba toda la amargura de una derrota que él mismo se había buscado. Le daba pánico enfrentarse a Hester y ver su desilusión. No lo culparía de nada. Estaba seguro de que ella no se enfadaría. Y su amabilidad aún sería más difícil de soportar.

—¿Qué pasa? —dijo bruscamente.

—Perdone, sir Oliver —se disculpó el ujier—. La señora Anderson ha preguntado que si usted hablaría con ella, señor. Ha dicho que era muy importante.

La única cosa peor que enfrentarse a Hester sería decirle a Cleo Anderson que ya no podía intentar nada más en su nombre. Tomó aliento. No podía eludirlo. Si la victoria se aceptaba y se celebraba, la derrota debía afrontarse con la misma serenidad y, en cualquier caso, nunca con cobardía o excusas.

—Por supuesto. Gracias, Morris.

Se volvió y había avanzado unos doce metros por el pasillo cuando Hester lo alcanzó. Rathbone no sabía qué decirle. No había ningún consuelo que ofrecer, ninguna nueva línea de ataque que sugerir.

Ella anduvo a su paso y no dijo nada.

Rathbone le echó una breve mirada y agradeció su silencio. No había visto a Monk y supuso que estaría ocupado en otros asuntos.

Cleo esperaba en la pequeña habitación con el celador fuera. Estaba de pie, de cara a ellos, y dio un paso al frente en cuanto Rathbone cerró la puerta.

—Miente —dijo, mirando alternativamente a uno y a otra.

Rathbone estaba avergonzado. Era inútil protestar ahora y no le quedaba la fuerza emocional suficiente para luchar contra ella. Todo había terminado.

Negó con la cabeza y empezó a decir:

—Estoy seguro de que quiere creer...

—¡No tiene nada que ver con creer! Yo la vi entonces. No había abortado. Había cumplido todo el embarazo. —La enojaba que él no la entendiera—. Soy enfermera. Sé ver la diferencia entre una mujer que ha parido y otra que ha perdido el niño o se ha deshecho de él durante los primeros meses. Ese niño nació, vivo o muerto. Con lo pequeña que era... y tenía leche, angelito mío. —Tragó saliva—. No sabe cuánto lloró...

—¡Pues entonces Campbell miente! —exclamó Hester, acercándose a Cleo—. Pero ¿por qué?

—Para ocultar lo que le hizo —respondió Cleo furiosa—. Seguro que la violaba y cuando se quedó embarazada la echó. —Pasó la mirada de Hester a Rathbone—. Igual ni sabía que estaba en estado. ¿Quién se fija en las doncellas, sobre todo en las que aún no son más que unas crías? Puede que ya se hubiera cansado de ella, que ya tuviera a otra. O, como pensaba que había abortado, cuando descubrió que no, quiso evitar el escándalo.

—Tampoco sería un gran escándalo —señaló Hester con pesar—. Si hubiese sido lo bastante tonta como para decir de quién era, él se habría limitado a negarlo. Nadie la creería, y, francamente, a nadie le importaría. No es algo por lo que se asesine a nadie.

El rostro de Cleo se vino abajo, pero se resistía a rendirse.

—¿Qué pasa con el cadáver?

—¿Qué cuerpo? —Rathbone estaba confundido—. ¿El del bebé?

—¡No, no, el de la mujer!

—¿Qué mujer?

—La mujer que Miriam vio cómo asesinaban la noche que nació su bebé. La mujer del Heath.

Rathbone se quedó aún más confundido.

—¿Quién era? —preguntó.

Cleo negó con la cabeza y contestó:

—No lo sé. Miriam dijo que la habían asesinado. Ella lo vio, de eso es de lo que huía.

—Pero ¿quién era esa mujer?

—¡No lo sé!

—¿Apareció el cadáver? ¿Qué ocurrió? ¿La policía no hizo preguntas?

Cleo agitaba las manos negando, con los ojos desesperados.

—No, no apareció ningún cadáver. Debió de esconderlo.

Aquello no tenía sentido, era completamente fútil. Rathbone notó que la desesperación comenzaba a asfixiarlo y que le costaba trabajo respirar, casi en sentido literal.

—Usted misma ha dicho que Miriam estaba histérica. —Procuró sonar razonable, no condescendiente ni ofensivo con una mujer que debía de enfrentarse a la desilusión más amarga que cupiera imaginar y por la que le caía encima una desgracia que no merecía y una muerte de la que él no la podía salvar—. ¿No cree que en realidad se refería a la pérdida del bebé? ¿Fue una niña?

—No lo sé. No me lo dijo. —Cleo daba la impresión de encontrarse atrapada en la desesperación—. Parecía tan..., tan segura de que era una mujer..., alguien a quien apreciaba..., que la había ayudado, hasta querido..., que yo... —Se interrumpió, demasiado cansada, demasiado lastimada para proseguir.

—Lo siento —dijo Rathbone con amabilidad—. Hizo bien en contarme lo del bebé. Si Campbell ha mentido, al menos seremos capaces de hacer algo al respecto, aunque sólo sea para salvar la reputación de Miriam. Estoy seguro de que ella lo agradecerá.

Estaba haciendo promesas vanas y diciendo tonterías. ¿Acaso a Miriam le importaría algo cuando se enfrentara a la muerte?

Llamó a la puerta para que les dejaran salir y en cuanto estuvieron fuera se volvió hacia Hester.

Ahora bien, antes de que él empezara a decir lo mucho que lo sentía, habló ella.

—Si realmente mataron a esa mujer, el cadáver tiene que seguir allí.

—Hester, estaba delirando, probablemente débil por la pérdida de sangre y en un estado de aguda aflicción por haber parido un niño muerto.

—Quizá. Pero puede que realmente viera cómo asesinaban a esa mujer —insistió Hester—. Si nunca encontraron el cadáver, tiene que estar en alguna parte del Heath.

—¡Durante veintidós años! ¡En Hampstead Heath! Por el amor de Dios…

—¡No a la intemperie! Enterrado, escondido en algún lugar.

—Bien, si está enterrado nadie lo encontrará ya.

—Igual no está enterrado. —No se daba por vencida—. Igual está escondido, disimulado.

—Hester…

—Voy a preguntarle al sargento Robb que si me ayuda a buscar.

—No puedes. Después de todo este tiempo no quedará nada…

—Tengo que intentarlo. ¿Qué pasa si realmente asesinaron a una mujer? ¿Qué pasa si Miriam ha dicho la verdad en todo momento?

—¡Pero no es así!

—¿Y si lo fuera? ¡Es tu clienta, Oliver! Tienes que otorgarle el beneficio de la duda. Tienes que suponer que lo que dice es verdad hasta que se demuestre irrefutablemente lo contrario.

—Tenía trece años, acababa de dar a luz a un niño muerto, estaba sola e histérica...

—Voy a por el sargento Robb. Me ayudará a buscar, piense lo que piense, por Cleo. Tiene con ella una deuda que jamás podrá pagar, y lo sabe.

—Y, sin duda, si lo ha olvidado ya se lo recordarás tú.

—¡Por supuesto! Pero no lo habrá olvidado.

—¿Dónde está Monk? —la desafió cuando ella se volvía para irse.

—Sigue enfrascado en las averiguaciones sobre Treadwell y los cadáveres —contestó ella por encima del hombro.

—¡Hester, espera!

Pero ya se había marchado, apretando el paso hasta correr, y, aparte de lanzarse tras ella, Rathbone no podía hacer nada más, salvo quizá tratar de imaginar cómo se enfrentaría al tribunal a la mañana siguiente.

Michael Robb estaba sentado a solas en la habitación donde hasta hacía muy poco su abuelo pasaba los días. El sillón grande seguía allí, como si el anciano fuera a ocuparlo otra vez cualquier día, y su ausencia creaba un vacío sorprendente.

—Señora Monk —la saludó sorprendido—. ¿Qué ocurre? ¿Algo va mal?

—Todo va mal —contestó Hester, que permaneció de pie pese a la invitación a sentarse—. Cleo será condenada a no ser que encontremos alguna clase de prueba que demuestre que Miriam también es inocente, y nuestra única oportunidad es encontrar el cadáver de la mujer...

—¿Qué mujer? ¡Espere un momento! —Levantó la mano—. ¿Qué ha pasado en el juicio? No estuve presente.

Atropellándose al hablar, Hester le contó que Rathbone había llamado a Cleo al estrado y le refirió la historia de cómo conoció a Miriam y la negación de Campbell y sus explicaciones.

—Tenemos que encontrar a la mujer que Miriam dijo que asesinaron —concluyó desesperada—. ¡Esto demostrará que decía la verdad! Al menos tendrán que investigar.

—Lleva veintidós años ahí fuera —objetó Robb—. ¡Suponiendo que exista!

—¿Se le ocurre algo mejor?

—No, pero...

—¡Entonces, ayúdeme! ¡Tenemos que ir a buscarla!

Robb dudó sólo un momento. Hester vio en su rostro que lo consideraba inútil, pero se sentía solo y culpable porque Cleo lo había ayudado de una manera que valoraba muchísimo y no podía hacer nada por ella. En silencio, tomó su linterna de cristal abombado y la siguió a la penumbra del anochecer.

Caminaron uno junto al otro hacia Green Man Hill y la fila de casitas donde Cleo había vivido hasta que la arrestaron. Se detuvieron enfrente, de cara al Heath. Ya era casi de noche; sólo la silueta de los árboles más altos se recortaba contra el cielo.

—¿Por dónde cree que deberíamos empezar? —preguntó Robb.

Hester agradeció que hubiese hablado en plural, sin relegar la búsqueda a ser una idea sólo de ella, en la que él se avenía a participar por compromiso. Había estado pensando en eso mientras caminaban en silencio.

—No pudo ser muy lejos de aquí —respondió, mirando la extensión de hierba—. No estaba en condiciones de recorrer mucha distancia. Si realmente asesinaron a esa pobre mujer a golpes, tal como al parecer dijo Miriam, quienquiera que lo hiciese no habría cometido semejante acto cerca de la calle. —Apartó aquel pensamiento, negándose a formar la imagen en su mente—. Aunque le diese un solo golpe, y ruego a Dios que así fuera, no pudo ser silencioso. Tuvo que haber una discusión, una acusación o algo por el estilo. Miriam estaba allí; seguro que gritó antes de huir.

Robb la miraba fijamente, y a la luz de la linterna Hester le vio asentir despacio con la cabeza, reflejando su repulsa ante lo que ella describía.

—Quienquiera que lo hiciese no la pudo seguir —prosiguió Hester, implacable— porque tenía miedo de que lo atraparan. Primero debía deshacerse del cuerpo de la mujer...

—Señora Monk..., ¿de verdad cree que es posible? —le interrumpió Robb.

Hester estaba empezando a dudarlo, pero se negó a darse por vencida.

—¡Por supuesto! —exclamó con aspereza—. Vamos a demostrarlo. Si usted acabara de matar a alguien y supiera que una niña lo ha visto y esa niña se diera a la fuga, puede que gritando, ¿cómo escondería un cuerpo tan aprisa que si alguien oía algo y se acercaba a mirar no encontrase nada de nada?

Robb abrió los ojos de par en par. También abrió la boca como para ir a decir algo, pero se puso a pensar. Caminó por la hierba hacia los tres primeros árboles y escrutó a su alrededor.

—Para empezar, no tendría tiempo de cavar una tumba —dijo lentamente—. El suelo está endurecido y lleno de raíces. Y, además, no tardarían en descubrir la tierra removida.

Robb se alejó un poco más y Hester se apresuró a seguirlo.

Justo encima de ellos, algo cayó en picado en la oscuridad, con las alas extendidas. Involuntariamente, Hester soltó un chillido.

—No es más que un búho —la tranquilizó Robb.

Hester giró en redondo.

—¿Dónde se ha metido?

—En un árbol —contestó Robb.

Levantó la linterna y empezó a moverla, iluminando los troncos uno tras otro. Se veían de un gris pálido en medio de la oscuridad, y las sombras se movían tras ellos a tenor del vaivén de la linterna.

Hester se alegró sobremanera de no estar sola. Se imaginó lo que debió de sentir Miriam, con el hijo perdido, una mujer a la que quería, asesinada delante de ella, y ella misma perseguida, sangrando, aterrorizada. No era de extrañar que estuviera medio ida cuando Cleo la encontró.

—Tenemos que seguir buscando —dijo con determinación—. Tenemos que agotar todas las posibilidades. Si el cadáver está aquí, ¡lo encontraremos! —Avanzó unos pasos, levantando las faldas para no tropezar con ellas—. Dice usted que no lo habría enterrado. Tampoco lo abandonó a plena vista o lo habrían encontrado. Y no fue así. Así que lo escondió tan bien que jamás lo encontraron. ¿Dónde?

—En un árbol —volvió a decir Robb—. Tiene que ser así. ¡No hay otro sitio!

—¿En lo alto de un árbol? ¡Con el tiempo alguien lo habría visto! —protestó—. Se habría podrido. Se...

—Ya lo sé —se apresuró a decir Robb, negando con la cabeza como para librarse de la idea.

Movió la linterna por delante de ellos, alumbrando la maleza y más árboles.

Una comadreja cruzó corriendo el sendero, su cuerpo ágil se detuvo en el haz de luz un instante y luego desapareció.

—Los animales acabarían con ella a la larga, ¿verdad?

—A la larga, sí.

—¡Pues han pasado más de veinte años! ¿Qué quedará? ¿Huesos? ¿Dientes?

—Pelo —respondió Robb—. Quizá ropa, joyas, botones. Tal vez los botines.

Hester se estremeció.

Robb la miró, bajando un poco la luz por debajo de su rostro para no deslumbrarla.

—¿Se encuentra bien, señora Monk? —preguntó muy cortés—. Seguiré yo solo si lo prefiere. La acompaño y luego regreso. Le prometo que lo haré...

Hester sonrió, conmovida por su sinceridad.

—Me consta que lo haría, pero me encuentro bien, gracias. Avancemos un poco más.

Robb dudó un momento, aún inseguro, pero al ver que ella no flaqueaba dirigió la linterna hacia el frente y abrió la marcha.

Recorrieron juntos entre cuarenta y cincuenta metros, buscando a izquierda y derecha algún sitio que pudiera servir de escondrijo. Cada vez más tenía Hester la impresión de estar perdiendo el tiempo y no sólo el suyo, sino también el de Robb. Se había creído la historia de Miriam porque sí, por Cleo, no porque realmente fuese verosímil.

—Sargento Robb... —empezó a decir.

Robb se volvió y el haz de luz iluminó los dos árboles que tenían a su derecha. Por un momento, se distinguió algo enmarañado en las ramas más bajas.

—¿Qué es eso? —preguntó el sargento.

—Un nido de pájaros abandonado —contestó Hester—. Yo diría que desde el año pasado, por el aspecto que tiene.

Robb lo iluminó otra vez y dio unos pasos para mirar más de cerca.

—¿Qué pasa? —quiso saber Hester, con más curiosidad que esperanza—. Son hábiles tejiendo, ¿verdad? Más aún si se tiene en cuenta que no tienen manos.

402

Él le pasó la linterna.

—Sostenga esto, por favor. Quiero echar un vistazo de cerca.

—¿A un nido de pájaros? —Pero hizo lo que le pedía, y mantuvo la luz en su sitio.

Con las manos libres, no le costó lo más mínimo a Robb trepar hasta la altura del nido y mirar dentro, entre las dos ramas que lo aguantaban pegado al tronco.

—¿Qué ve? —gritó Hester.

Robb se volvió, el rostro parecía una máscara de sombra en el contraluz.

—Pelo —contestó—. Pelo largo, mucho pelo. Todo el nido está cubierto de pelo. —Le temblaba la voz—. Voy a buscar un árbol hueco. Usted sostenga la luz y mantenga la vista apartada.

Hester sintió una sacudida. Había dejado de creerlo y allí lo tenían. Ya casi lo habían logrado, era cuestión de media hora, todo lo más...

—Sí —dijo con voz temblorosa—. Sí, por supuesto.

De hecho, no le llevó al sargento más de un cuarto de hora encontrar el árbol con el tronco vacío, herido por un rayo tiempo atrás y ya podrido. Estaba más cerca de la calle que el nido, pero el espeso ramaje ocultaba el agujero a no ser que se buscara de manera expresa. Tal vez veintidós años atrás estuvo más a la vista. Todo el tronco del árbol se encontraba hueco de arriba abajo.

—Está ahí dentro —anunció Robb con voz ronca, mientras bajaba del árbol con la linterna atada al cinturón. Cuando alcanzó el suelo le temblaban las piernas—. Sólo queda el esqueleto, pero aún hay jirones de tela... —Parpadeó, y el rostro parecía amarillo y gris por el haz de luz—. He visto la cabeza, la mataron de un solo golpe terrible..., como a Treadwell..., como a la señora Stourbridge.

13

Rathbone había dormido poco. Un mensajero se presentó en su domicilio, pasada la medianoche, con una nota de Hester.

Querido Oliver:
Hemos encontrado el cadáver. Parece ser una mujer de pelo gris. La mataron de un golpe terrible en la cabeza, como a los otros. Estoy en la comisaría con el sargento Robb. No saben quién es. Se lo diré a William, por supuesto. Estaré en el tribunal por la mañana para testificar. ¡No dejes de llamarme!
Cordialmente,

Hester.

Le había resultado imposible descansar. Una hora después se preparó él mismo una infusión y comenzó a deambular por el gabinete, tratando de formular una estrategia para el día siguiente. Finalmente, volvió a acostarse y se durmió como un tronco, cuando ya casi era hora de levantarse.

Al despertar le dolía la cabeza y tenía la boca seca. El criado le sirvió el desayuno, pero sólo comió una tostada y bebió una taza de té, antes de salir pitando hacia el tribunal. Llegó con mucha antelación y el tiempo que se había propuesto emplear en prepararse lo desperdició yendo de un lado a otro sin rumbo, manteniendo conversaciones que no le aclararon nada.

Tobias estaba de un humor radiante. Se cruzó con Rathbone en el pasillo y le deseó suerte con una maquiavélica sonrisa. Habría preferido un poco más de pelea.

Una victoria tan fácil apenas se podía saborear.

La sala volvía a estar medio vacía. El público ya había sacado sus conclusiones y los pocos espectadores presentes estaban allí sólo para ver que se hiciera justicia y saborear una cierta venganza. Las dos únicas excepciones eran Lucius y Harry Stourbridge, que estaban sentados en una fila delantera, uno al lado del otro, y pese a la distancia que los separaba era obvio que se apoyaban mutuamente, compartiendo en silencio sus inquietudes.

El juez llamó al orden a la sala.

—¿Tiene algún otro testigo, sir Oliver? —preguntó.

—Sí, señoría. Me gustaría llamar a Hester Monk.

Tobias lo miró con curiosidad.

El juez enarcó las cejas, pero no tuvo nada que objetar.

Rathbone esbozó una sonrisa.

El ujier llamó a Hester.

Subió al estrado pálida y cansada, pero con plena seguridad en sí misma, y con toda deliberación dirigió la vista hacia el banquillo y asintió con la cabeza a Cleo y Miriam. Luego, aguardó a que Oliver empezara.

Rathbone carraspeó.

—Señora Monk, ¿se encontraba ayer en esta sala cuando la señora Anderson dio testimonio de la extraordinaria historia que le contó Miriam Gardiner cuando la encontró sangrando e histérica en Hampstead Heath hace veintidós años?

—Sí, estaba presente.

—¿Emprendió alguna acción como consecuencia de ello?

—Sí, fui a buscar el cadáver de la mujer que Miriam afirmaba haber visto cómo asesinaban.

Tobias soltó un ruido burlón, medio tos, medio bufido.

El juez se inclinó hacia delante inquisitivamente.

—Sir Oliver, ¿de veras tiene eso relevancia a estas alturas?

—Sí, señoría, y mucha —contestó Rathbone con satisfacción. Por fin sentía un calor interior, la sensación de que podía librar batalla. Cuando menos, borraría la ecuanimidad del rostro de Tobias.

—En ese caso, hágalo manifiesto —ordenó el juez.

—Sí, señoría. Señora Monk, ¿ha encontrado algún cadáver?

La sala guardaba silencio, pero no a la expectativa. Apenas se había captado la atención de los miembros del jurado.

—Sí, sir Oliver, así es —respondió Hester.

Tobias se echó hacia delante y se enderezó en la silla, donde había estado poco menos que despatarrado.

Una ola de rumores recorrió la sala, un siseo de aliento contenido.

El juez se inclinó hacia Hester.

—¿He oído correctamente, señora? ¿Dice que ha encontrado un cadáver?

—Sí, señoría. Naturalmente, no estaba sola. Llevé al sargento Robb conmigo desde el principio. En realidad, fue él quien lo encontró.

—Esto es muy grave. —El juez la miró frunciendo el ceño, serio y con mala cara—. ¿Dónde está ese cuerpo ahora y qué puede decirme al respecto?

—Se encuentra en el depósito de cadáveres de la policía de Hampstead, señoría, y lo que puedo decirle es fruto de una minuciosa observación, pero sólo como enfermera, no como médico.

—¿Usted es enfermera? —Estaba atónito.

—Sí, señoría. Serví en Crimea.

—Dios bendito. —Se apoyó en el respaldo—. Sir

Oliver, más vale que prosiga. Pero antes quiero orden en esta sala. El próximo hombre o mujer que haga un ruido innecesario será expulsado. Continúe.

—Gracias, señoría. —Rathbone se volvió hacia Hester—. ¿Dónde encontraron el cuerpo exactamente, señora Monk?

—En un árbol hueco de Hampstead Heath. Empezamos a caminar desde la casa de la señora Anderson en Green Man Hill, buscando algún sitio donde se pudiera esconder un cadáver, suponiendo que la historia de la señora Gardiner fuese cierta.

—¿Qué los llevó a buscar en un árbol hueco?

Reinaba un silencio absoluto en la sala. No se movía un alma.

—Un nido de pájaros con mucho pelo humano entretejido, construido en las ramas bajas de un árbol cercano —contestó Hester—. Registramos los alrededores hasta que encontramos el árbol hueco. El sargento Robb trepó al árbol y encontró el agujero. Naturalmente, la vegetación ha crecido mucho después de veintidós años. Antes debía de ser más fácil encontrarlo y llegar hasta él.

—¿Y el cadáver? —prosiguió Rathbone—. ¿Qué puede decirnos de él?

Parecía angustiada, pues el recuerdo era muy doloroso. Se aferró con las manos a la barandilla y suspiró profundamente, antes de seguir.

—Era sólo un esqueleto. Casi toda la ropa se había podrido, sólo quedaban los botones del vestido y las ballenas de la... ropa interior. De los botines, aunque muy estropeados, quedaba lo suficiente para reconocerlos, con todos los botones enteros y sujetos a lo que quedaba del cuero. Eran muy originales y bastante buenos. —Se quedó inmóvil un momento, serenándose—. A juzgar por el pelo que hallamos, tuvo que ser una mujer de más de cuarenta o cincuenta años. Tenía un agujero horrible en la cabeza, como si le hubieran golpeado con un objeto muy duro, un golpe tan fuerte que la mató.

—Gracias —dijo Rathbone, en voz baja—. Debe de estar cansada y muy angustiada tras esta experiencia.

Hester asintió con la cabeza.

Rathbone se volvió hacia Tobias.

El fiscal salió con grandes zancadas y sacudiendo ligeramente la cabeza. Cuando habló lo hizo con voz melosa, y fue lo bastante astuto como para mostrarse cortés con Hester, pues ella contaba con las simpatías de la sala y él lo sabía.

—Señora Monk, permítame elogiar su coraje y su empeño en desentrañar la verdad. Es una causa muy noble y usted parece incansable en ella. —No dejó traslucir ni un ápice de sarcasmo.

—Gracias —contestó Hester, precavida.

—Dígame, señora Monk, ¿había algo en los restos de esa desdichada mujer que indicara quién era?

—Hasta ahora no, que yo sepa. El sargento Robb está tratando de averiguarlo.

—¿Sirviéndose de qué? ¿De los vestigios de tela y cuero que seguían adheridos a los huesos?

—Tendrá que preguntárselo a él.

—Si el sargento considera que esta tragedia guarda relación con el caso que nos ocupa y, por consiguiente, nos brinda la oportunidad, no dude que lo haré —afirmó Tobias—. Se diría que usted así lo cree, o no estaría aquí contándomelo. ¿A qué se debe, señora Monk, aparte de al deseo de proteger a una de sus colegas?

Unas motas de color asomaron a las mejillas de Hester. Si por un momento había supuesto que iba a ser amable con ella, ese momento había pasado.

—Porque la encontramos donde Miriam dijo que la habían asesinado —respondió, tras un ligero titubeo.

—¿Ah, sí? —Tobias levantó las cejas—. De lo dicho por la señora Anderson deduje que la señora Gardiner, la señorita Speake por aquel entonces, estaba completamente histérica y decía incoherencias. De hecho, la propia señora Anderson dejó de creer que existiera ninguna mujer, ningún asesinato, ningún cadáver que encontrar.

—¿Es una pregunta? —quiso saber Hester.

—No, no; es una observación —replicó él muy seco—. Han encontrado esos horripilantes vestigios en algún lugar de Hampstead Heath, en un árbol sin determinar. Lo único que sabemos es que está a poca distancia de Green Man Hill. ¿Hay algo que indique cuánto tiempo llevaba ahí, salvo que es obvio que hace más de diez u once años? ¿Podrían ser veinticinco? O, pongamos por caso, ¿treinta? ¿O incluso cincuenta años, señora Monk?

Hester le sostuvo la mirada sin pestañear al responder.

—No estoy cualificada para decirlo, señor Tobias. Tendrá que preguntarle al sargento Robb o al médico de la policía. No obstante, mi marido ha examinado los botines y tiene la corazonada de que pueden demostrar algo. Los botones llevan un dibujo, ¿sabe?

—¿Su marido es experto en botones de botines para señoras?

—Es experto en descubrir hechos partiendo de los indicios —contestó con frialdad—. Sabrá a quién preguntar.

—No lo dudo. Y seguramente estará dispuesto a investigar unos botones de calzado femenino con incansable empeño —dijo Tobias con sarcasmo—, pero tenemos que ceñirnos a las pruebas disponibles y sacar de ellas conclusiones razonables. ¿Está usted al corriente de algo, señora Monk, que demuestre que esa desdichada señora, cuyos restos encontraron, tiene algo que ver con los asesinatos de James Treadwell y la señora Verona Stourbridge?

—¡Sí! Usted dijo que Miriam Gardiner decía tonterías porque nadie había encontrado en Hampstead Heath el cadáver de una mujer como la que ella describía. Pues bien, yo lo he encontrado. Miriam no mentía, y tampoco estaba loca. Hubo un asesinato. Puesto que así lo declaró, lo más razonable es suponer que fue testigo de los hechos, tal como ella dijo.

—Tenemos los restos de una mujer —le corrigió Tobias—. No sabemos si fue asesinada, aunque acepto que parece harto probable. Ahora bien, no sabemos quién era, qué le ocurrió y mucho menos cuándo sucedió. Por más que usted quiera creer que eso avala la virtud pasada de Miriam Gardiner, señora Monk, y su generosidad habla muy bien de usted, así como su lealtad, no la librará a ella de los cargos.

Abrió las manos en un gesto concluyente, sonrió al jurado y regresó a su asiento. Rathbone se puso de pie y se dirigió a Hester.

—Señora Monk, estuvo usted en ese árbol del Heath y efectuó ese horripilante descubrimiento; por consiguiente, conoce el sitio, mientras que nosotros sólo podemos imaginarlo. Díganos, ¿hay modo alguno de que esa desafortunada mujer se diera ese golpe brutal en la cabeza y cayera luego por sí misma dentro del árbol?

—No, por supuesto que no. —El tono que empleó ridiculizaba la idea.

—¿La asesinaron, ocultaron su cuerpo y eso pasó hace el suficiente tiempo como para que la carne se descompusiera y la mayor parte de la tela de su ropa se pudriera? —Rathbone quería una certeza absoluta.

—Sí.

—¿Y la mataron de un golpe violento en la cabeza, al parecer de forma exactamente igual a como mataron a James Treadwell y a la pobre señora Stourbridge?

—Sí.

—Gracias, señora Monk. —Se volvió hacia el juez—. Considero, señoría, que este testimonio otorga mucha más credibilidad a la declaración de la señora Gardiner y que, en interés de la justicia, es preciso que sepamos quién era esa mujer y que establezcamos si su muerte está relacionada con los asesinatos de los que se acusa a la señora Gardiner y la señora Anderson.

El juez miró a Tobias.

Tobias ya se había puesto de pie y dijo:

—Sí, señoría, por supuesto. El señor Campbell me ha comunicado que está dispuesto a testificar de nuevo y explicar cuanto pueda, si el tribunal así lo requiere. De hecho, dado que lo que aquí se ha dicho podría sembrar la duda en algunas mentes a propósito de su persona, desea que se le conceda la oportunidad de hablar.

—Eso sería de lo más conveniente —convino el juez—. Por favor, que el señor Campbell vuelva a subir al estrado.

Aiden Campbell parecía cansado y tenso cuando volvió a subir los escalones, pero Rathbone, que lo observaba, no detectó ningún miedo en él. Se enfrentaba al tribunal con pesar, aunque confiado, y su voz fue bastante firme cuando contestó a las preguntas de Tobias.

—No, no sé quién es esa mujer, la pobre, ni cuánto tiempo llevaba ahí. Por lo que he oído del estado de su cuerpo y de la ropa, por lo menos diez años.

—¿Tiene alguna idea sobre cómo encontró la muerte, señor Campbell? —insistió Tobias.

—En absoluto, salvo que por la descripción que la señora Monk ha hecho de la herida parece inquietantemente similar a las infligidas a Treadwell y... y a mi hermana... —Titubeó y esta vez estuvo a punto de perder la compostura.

—Por favor —le indicó Tobias, muy amable—, concédase unos segundos, señor Campbell. ¿Quiere un vaso de agua?

—No, no, gracias. —Campbell se enderezó—. Le ruego que me perdone. Iba a decir que la muerte de esta

411

mujer podría tener relación. Posiblemente también era enfermera y pudo enterarse de los robos de medicinas del hospital. Tal vez amenazara con contarlo a las autoridades o quizás incluso probó suerte con el chantaje...
—No fue preciso que terminara la frase, su significado era más que aparente.

—Exactamente. —Tobias inclinó la cabeza en señal de agradecimiento, se volvió hacia el jurado con un amago de sonrisa y regresó a su mesa.

La sala estaba sumida en el silencio. Todo el mundo miraba hacia Rathbone, a la expectativa de lo que haría.

Rathbone miró a su alrededor, ganando tiempo, ansiando que un retazo de idea le acudiera a la mente para no mostrarse tan obviamente desesperado. Vio el rostro descolorido y serio de Harry Stourbridge, mirándolo con los ojos llenos de esperanza. A su lado, Lucius parecía un fantasma.

Hubo un murmullo cuando se abrieron las puertas, y todo el mundo estiró el cuello para ver quién entraba.

Era Monk. Asintió de forma casi imperceptible.

Rathbone volvió a mirar hacia el tribunal y solicitó:

—Si queda tiempo antes del aplazamiento para el almuerzo, señoría, me gustaría llamar al señor William Monk. Creo que puede tener pruebas sobre la identidad de la mujer cuyos restos se encontraron anoche.

—Pues no dude en llamarlo —aprobó el juez con entusiasmo—. A todos nos complacerá mucho oír lo que tenga que decir. Puede bajar, señor Campbell.

Entre un murmullo de excitación, Monk subió los escalones del estrado y prestó juramento. Todos los ojos de la sala estaban puestos en él. Hasta Tobias se inclinó hacia delante en el asiento, con el rostro fruncido por la preocupación y las manos abiertas sobre la mesa, tamborileando sin hacer ruido.

Rathbone notó que le temblaba la voz y se vio obligado a carraspear antes de comenzar.

—Señor Monk, ¿le han encomendado que tratara de averiguar toda la información posible acerca de los restos de la mujer que anoche fueron encontrados en Hampstead Heath?

—Desde que me informaron del caso, hacia la una de esta madrugada —respondió Monk.

Y, en efecto, presentaba el aspecto de haber pasado la noche en blanco.

Su ropa estaba tan impecable como siempre, pero una sombra de barba le oscurecía las mejillas y parecía a todas luces cansado.

—¿Ha descubierto algo? —preguntó Rathbone. Oía sus propios latidos con tanta fuerza que temió estar temblando ostensiblemente.

—Sí. Me llevé los botones de los botines y un poco de cuero de las suelas, que apenas estaban gastadas. Esos botones son muy característicos, se fabricaron sólo durante un breve período de tiempo. No es una prueba absoluta, pero es en extremo probable que la mataran hace veintidós años. Sin duda, no fue antes y, dado que los botines estaban prácticamente nuevos, es poco probable que fuese después. Si llama al médico de la policía, le dirá que era una mujer de mediana edad, de cuarenta y cinco o cincuenta años, de estatura media y robusta y con una larga melena gris. En algún momento de su vida se rompió un dedo de un pie, pero ya lo tenía completamente curado al morir. Murió de un único golpe muy fuerte en la cabeza, efectuado por alguien que tenía delante y diestro. Ah..., y tenía una dentadura perfecta, algo poco habitual a su edad.

La tensión en la sala era tan palpable que, cuando un hombre del público estornudó, la mujer que estaba a su lado soltó un chillido, que sofocó de inmediato.

Las dos filas del jurado miraban a Monk como si no hubiera nadie más en la sala.

—¿Se refiere al mismo médico forense que examinó los cuerpos de Treadwell y la señora Stourbridge? —quiso saber Rathbone.

—Sí —contestó Monk.

—¿Y en opinión del médico los golpes fueron asestados por la misma persona?

Tobias se puso de pie.

—Señoría, el señor Monk no está cualificado como médico...

—En efecto —convino el juez—. No vamos a consentir testimonios de oídas, sir Oliver. Si quiere presentar esta prueba, sin duda el médico de la policía se pondrá a su disposición. Por lo demás, me gustaría mucho oír la respuesta a esa pregunta.

—Así lo haré —asintió Rathbone. Entonces, dado que el ujier se había puesto a su lado, dijo—: Disculpe, señoría.

Tomó la nota que le pasaban y la leyó: «No pudo ser un chantajista de Cleo; no robaba medicinas entonces. El boticario puede demostrarlo. Llámame a testificar. Hester».

El tribunal aguardaba.

—Señoría, ¿puedo llamar de nuevo a la señora Monk al estrado para aclarar la cuestión de si la señora Anderson pudo ser víctima de chantaje por el robo de medicinas hace veintidós años?

—¿Presentará ella pruebas sobre el tema? —preguntó el juez, sorprendido—. Sin duda era una niña por aquel entonces...

—Tiene acceso a los archivos del hospital, señoría.

—Entonces llámela, pero es probable que le exija que los propios archivos sean presentados como prueba.

—Con todo el respeto, señoría, el tribunal ha aceptado que durante los últimos meses se habían robado medicinas sin que el señor Tobias haya tenido que presentar los archivos para que el jurado los leyera. El testimonio ha bastado en su caso.

Tobias se puso de pie y alegó:

—Señoría, la señora Monk ha demostrado ser parte interesada. Su testimonio sin duda será parcial.

—Estoy convencido de que podremos obtener los archivos —aceptó Rathbone a su pesar, ya que, si bien prefería que los robos de Cleo quedaran en mero testimonio, no tenía sentido salvarla del cargo de robo si se la condenaba por asesinato.

—Gracias, señoría —dijo Tobias con una sonrisa.

—No obstante —agregó el juez—, veamos lo que la señora Monk tiene que decir al respecto, sir Oliver. Por favor, llámela.

Hester subió al estrado y le recordaron su anterior juramento de decir la verdad y nada más que la verdad. Contó que había examinado los archivos del boticario, remontándose hasta treinta años atrás, antes de los tiempos de Cleo Anderson, y no encontró ninguna discrepancia entre las medicinas adquiridas y las que figuraban administradas a los pacientes.

—Así pues, cuando se produjo la trágica muerte de esta mujer, ¿no había motivos para hacer chantaje a la señora Anderson, ni a ninguna otra persona, con respecto a medicinas procedentes del hospital? —quiso confirmar Rathbone.

—Así es —asintió Hester.

Tobias se levantó y fue hacia ella.

—Señora Monk, parece dispuesta a cualquier cosa con tal de demostrar que la señora Anderson no es culpable, a cosas muy por encima del cumplimiento de cualquier deber que haya recaído sobre usted o contraído usted misma. Sólo me queda sospechar que se ha embarcado en una cruzada, bien sea por su gran afán reformista de la enfermería y de la consideración de que son objeto las enfermeras, y pienso llamar al señor Fermin Thorpe, del hospital en cuestión, para que testifique sobre su dedicación a esta causa, o bien sea, de forma menos halagadora, por cierto deseo de atraer la atención sobre sí misma, satisfacer sus emociones y tal vez ocupar su tiempo y su vida en ausencia de unos hijos a los que atender.

Aquello fue un error táctico. En cuanto lo dijo se dio cuenta de su equivocación, pero no supo ingeniárselas para retractarse.

—Al contrario, señor Tobias —manifestó Hester con una sonrisa glacial—. Sólo he dado testimonio de los hechos. Es usted quien trata de investirlos de un valor emocional porque al parecer no le gusta que se demuestre que son erróneos, cosa que no logro comprender, ya que todos sabemos perfectamente que usted lleva acusaciones o defensas según quién le contrate, no como una venganza personal contra nadie. Al menos creo que tal es el caso... —Dejó que pareciera una pregunta.

Un susurro de movimientos recorrió la sala, y con él una cascada de risillas nerviosas.

Tobias se sonrojó.

—Por supuesto que es el caso. ¡Pero soy muy enérgico en ello!

—¡También lo soy yo! —le espetó Hester con aspereza—. Y mis emociones son tan respetables como las suyas, salvo que la ley no es mi profesión...

Dejó la frase sin terminar. Ya sacarían sus propias conclusiones sobre si ella consideraba su condición de aficionada como un signo de su inferioridad en la materia o si el hecho de que no ganara dinero con ello le proporcionaba cierta ventaja moral.

—Si no tiene más preguntas, señor Tobias —dijo el juez, volviendo a asumir el mando—, aplazo la vista hasta que esa desafortunada señora sea identificada y entonces, quizá, también examinaremos los archivos del boticario del hospital y nos cercioraremos de lo que se ha robado y cuándo.

Dio un golpe con su mazo con fuerza y determinación.

Monk salió del juicio antes de oír el segundo testimonio de Hester. Fue directamente de vuelta a la comisaría de Hampstead en busca del sargento Robb. Era imprescindible que descubrieran quién había sido aquella mujer. El único sitio para empezar era suponer que Miriam había dicho la verdad y, por consiguiente, debía de tener alguna clase de vínculo con Aiden Campbell.

—Pero ¿por qué miente? —se extrañó Robb, agobiado por la duda, mientras salían a la calle bajo un sol neblinoso—. ¿Por qué? Supongamos incluso que sedujo a Miriam cuando era su doncella, o hasta que la violó; no sería ni mucho menos la primera vez que pasa algo así. Digamos incluso que la mujer del Heath era una cocinera o un ama de llaves que estaba al corriente; no sería razón para matarla.

—Pues alguien la mató —dijo Monk, láconico.

Se puso a cruzar la concurrida calle sin fijarse en el tráfico y obligó a un carro fuerte a frenar en seco. No se dio cuenta de nada y ni siquiera le dio las gracias por señas al conductor, quien manifestó a voces la opinión que le merecían los borrachos, los lunáticos en general y Monk en particular.

Robb corrió para alcanzarlo y levantó una mano hacia el conductor en señal de agradecimiento.

—No tenemos otro sitio por donde empezar —prosiguió Monk—. ¿Dónde dice usted que vivió Campbell, exactamente?

Robb repitió la dirección y añadió:

—Aunque se mudó a Wiltshire antes de transcurrido un año. No tiene por qué haber nadie ahora que lo conozca o que sepa algo de lo ocurrido.

—Puede que sí. Algunos criados se habrán ido, pero

417

otros prefieren quedarse en el barrio y encontrar nuevos puestos e incluso quedarse en la misma casa con quienquiera que la compre. La gente pertenece a su barrio.

—Queda al otro lado del Heath. —Robb tenía que apresurarse para seguirle el paso—. ¿Quiere que vayamos en coche?

—Si pasa alguno —accedió Monk, sin aminorar la marcha—. Si no era miembro del servicio, ¿quién podía ser? ¿Qué relación tenía? ¿Era una sirvienta, o alguien conocido?

—Bueno, no hubo denuncias de desapariciones en esas fechas —arguyó Robb—. No era de por aquí, pues alguien la habría echado en falta.

—¿Nadie la reclamó? —Monk se volvió para enfrentarse a Robb y por poco choca con un caballero que avanzaba con brío en sentido opuesto—. Entonces, no era una vecina ni una criada del barrio. Esto se está poniendo muy interesante.

No dijeron nada más hasta que llegaron a la casa donde Aiden Campbell vivía veintidós años atrás. Había cambiado de manos dos veces desde entonces, pero la chica que fuera entonces fregona ahora era el ama de llaves, y su señora no tuvo inconveniente en que Monk y Robb hablaran con ella; de hecho, se mostró entusiasmada de colaborar con la justicia.

—Sí, entonces yo era fregona —confirmó el ama de llaves—. Miriam era la benjamina. Sólo una chiquilla, la pobre.

—¿Le tenía aprecio? —se apresuró a preguntar Monk.

—Sí, claro que sí. Nos reíamos un montón, nos contábamos historias y sueños. Se quedó embarazada, la pobre, y nunca más supe de ella. Pienso que igual el crío nació muerto, y eso con todos los cuidados que recibía. No es de extrañar, me figuro. Sólo tenía doce años o por ahí cuando se quedó preñada.

—¿Le prodigaban cuidados? —se sorprendió Robb.

—Vaya que sí. Vino una comadrona

—¿Cómo sabe que era una comadrona? —intervino Monk.

—Porque lo dijo. Se alojó aquí una temporada, justo antes del parto. Eso lo sé porque yo ayudaba a preparar las comidas y se las subía en una bandeja, vamos.

—¿Usted la vio? —preguntó Monk con ansiedad.

—Sí. ¿Por qué? No he vuelto a verla nunca más.

Monk sintió una punzada de triunfo y otra de horror.

—¿Cómo era? Piense, señorita Parkinson, y, por favor, sea tan exacta como pueda, ¡altura, pelo, edad!

Ella abrió los ojos de par en par.

—¿Por qué? ¿Ha hecho algo que no debía?

—No. Por favor, ¡descríbala!

—Muy corriente era, pero muy agradable y eso. El pelo más bien gris, aunque ahora no me encaja que tuviera más de cuarenta y cinco. Entonces me parecía muy mayor, claro que yo sólo tenía quince años y cualquiera con más de treinta me parecía viejísimo.

—¿Estatura?

Meditó unos instantes y dijo:

—Más o menos como yo, corriente, un poco menos.

—Gracias, señorita Parkinson, muchas gracias.

—¿Se encuentra bien, entonces?

—No, mucho me temo que sea la mujer cuyo cadáver apareció ayer en el Heath.

—¡Dios mío! Vaya, lo siento mucho. —Lo dijo con sentimiento, y hubo tristeza tanto en su rostro como en su voz—. Pobre criatura.

Monk se volvió cuando ya estaban saliendo.

—¿Por casualidad se fijó usted alguna vez en sus botines, señorita Parkinson?

Se quedó perpleja.

—¿En sus botines?

—Sí. En los botones de los botines.

El recuerdo le iluminó los ojos.

—¡Sí! Tenía unos con unos botones muy elegantes. Nunca he visto otros iguales. Los vi estando ella sentada, con las faldas echadas un poco hacia un lado. Vaya, ¡nunca! No sabe cuánto me apena oírlo. Tal vez la señora Dewar me permita asistir al funeral, pues ya no queda mucha más gente de entonces.

—¿Se acuerda del nombre de esa mujer? —dijo Monk, casi aguantando la respiración.

Ella torció el gesto esforzándose por rememorar el pasado. No necesitaba que le metieran prisa para comprender la importancia del asunto.

—Empezaba por *de* —dijo al cabo de unos segundos—. Déjeme pensar.

Aguardaron en silencio.

—¡Bailey! —exclamó triunfante—. Señora Bailey. Lo siento, pensaba que empezaba por *de*, pero ahora recuerdo que era Bailey.

Le dieron las gracias de nuevo y se fueron con renovadas esperanzas.

—Voy a decírselo a Rathbone —dispuso Monk en cuanto salieron a la calle—. Usted intente localizar a la familia. No debía de haber muchas comadronas que se llamaran Bailey hace veintidós años. Alguien la conocerá. Empiece por los médicos y el hospital. Envíe mensajes a los barrios vecinos. Puede que la trajera de alguna otra parte. Es lo más probable, ya que en Hampstead nadie denunció su desaparición.

Robb abrió la boca para protestar, pero cambió de parecer. No sería demasiado esfuerzo si servía para demostrar que Cleo Anderson era inocente.

La vista se reanudó a primera hora de la tarde del día siguiente. Rathbone llamó al médico de la policía, quien corroboró en calidad de experto el testimonio dado por Hester sobre la muerte de la mujer hallada en el Heath. Un zapatero remendón juró reconocer los botones de los botines, y dijo que los había adquirido una tal Flora Bailey unos veintitrés años atrás. La señorita Parkinson también subió al estrado y describió a la mujer que había conocido, con inclusión de los botones.

El tribunal aceptó que el cuerpo era en efecto el de Flora Bailey y que había encontrado la muerte por un golpe violento que sólo podía ser obra de un asesino.

Rathbone llamó a Aiden Campbell una vez más. Estaba pálido, con el rostro surcado por arrugas de profunda pena y enojo. Sostuvo la mirada de Rathbone, desafiante.

—Esperaba con toda mi alma no tener que decir esto. —Su voz era fuerte—. En efecto, conocí a la señora Bailey. No tenía ni idea de que estuviera muerta. Nunca volví a requerir sus servicios, pues no era, como mi inocente fregona supuso, una comadrona, sino una abortista.

Las exclamaciones de horror e indignación recorrieron la sala. El público intercambiaba comentarios entre susurros.

Rathbone levantó la vista hacia el banquillo y vio que Miriam se asombraba para, acto seguido, enojarse. Miró luego a Harry Stourbridge, sentado muy envarado y en silencio, con Lucius a su lado, por completo anonadado.

—¿Una abortista? —repitió Rathbone lentamente, vocalizando.

—Sí —asintió Campbell—. Lamento decirlo.

Rathbone levantó ligeramente las cejas.

—¿El aborto le repugna?

—¡Por supuesto! ¿Acaso no repugna a cualquier persona civilizada?

—Si se trata de un niño sano, de una madre sana, me

figuro que sí —convino Rathbone—. Entonces, díganos, señor Campbell, ¿por qué alojaba a la mujer en su casa, cosa que sabemos porque la fregona le subía las comidas en una bandeja?

Campbell titubeó con las manos en alto.

—Si..., si eso ocurrió, fue sin mi consentimiento. Los criados... igual sintieron..., qué sé yo..., compasión... —Se interrumpió—. Suponiendo que eso sucediera —agregó.

Tobias hizo un breve uso de su turno.

—¿Fue con su conocimiento y aprobación, señor Campbell?

—¡Por supuesto que no!

La vista se aplazó para el almuerzo.

Llegó la familia de Flora Bailey. Rathbone llamó al hermano, un respetable médico, como primer testigo de la tarde.

La sala se hallaba abarrotada. El rumor de las últimas novedades se extendía como la pólvora. La marea había cambiado de sentido.

—Doctor Forbes —comenzó Rathbone—, su hermana pasó cierto tiempo en casa del señor Aiden Campbell inmediatamente antes de su desaparición. ¿Estaba usted al corriente?

—No, señor, no lo estaba. Sabía que tenía un caso que ella consideraba muy importante, pero también muy confidencial. La futura madre era muy joven, poco más que una chiquilla, y quienquiera que la contrató estaba deseoso de ofrecerle los mejores cuidados, tanto a ella como al niño. Era un niño muy deseado, a pesar de las circunstancias. Eso es todo lo que me contó.

Rathbone mostró su perplejidad.

—¿Era un niño deseado?

—Eso dijo mi hermana.

—¿Y nació con buena salud?

—No lo sé. Nunca volví a saber de mi hermana.

—Gracias, doctor Forbes. Permítame expresarle lo mucho que siento el motivo que le ha traído aquí.

—Gracias —dijo Forbes con sobriedad.

—Doctor Forbes, una última pregunta. ¿Su hermana tenía una opinión formada sobre el tema del aborto?

—Por supuesto —contestó—. Era una detractora acérrima, a pesar de la compasión que le inspiraban las mujeres que ya tenían tantos hijos como podían alimentar y cuidar o las que no estaban casadas, o incluso las que habían sido asaltadas o violadas. Nada lograba convencerla de que fuera una práctica aceptable. Era una cuestión de principios religiosos para ella.

—¿No habría efectuado un aborto?

—¡Jamás! —Forbes se ruborizó, dejando al desnudo su emoción—. Si duda de mi palabra, señor, puedo darle los nombres de una docena de profesionales que dirán lo mismo de ella.

—No dudo de usted, doctor Forbes, sólo quería que lo dijera para que el tribunal lo oyera. Gracias por su paciencia. No tengo nada más que preguntar.

Tobias hizo ademán de levantarse, pero se volvió a sentar. Lanzó una penetrante mirada a Rathbone y por primera vez había recelo en su rostro, incluso inquietud.

Una vez más reinó el silencio en la sala. Nadie advirtió que Harry Stourbridge se ponía de pie. Cuando habló, todos los ojos se volvieron de súbito hacia él.

—Señoría... —Carraspeó—. He escuchado todas las pruebas que se han presentado aquí desde el principio. Creo que ahora entiendo la verdad. Es algo terrible, pero debe decirse o se cometerá una gran injusticia, pues se ahorcará a dos mujeres que son inocentes de toda culpa.

El silencio era como el anuncio de una tormenta.

—Si posee información pertinente a este juicio, sin la menor duda debería subir otra vez al estrado, comandante Stourbridge —le indicó el juez—. Permítame recordarle que sigue bajo juramento.

—Soy consciente de ello, señoría.

Stourbridge caminó lentamente desde su asiento, cruzó el espacio abierto hasta los escalones del estrado de los testigos, y esperó a que el juez le ordenara proceder, y entonces, con voz ronca y quebrada, y una desesperada renuencia, comenzó:

—Procedo de una familia de considerable fortuna, casi toda ella en tierras y propiedades, con suficientes ingresos para mantenerlas y un remanente que nos proporciona una vida desahogada. Sin embargo, está sujeta a vínculos, y así ha sido durante generaciones. Yo la heredé de mi padre y se la pasaré a mi hijo.

Se detuvo unos instantes, como para recobrar fuerzas. En la sala no se oía una mosca. Todo el mundo comprendía que aquel hombre estaba luchando contra terribles emociones tras haber comprendido una verdad que destrozaba su vida.

—Si no hubiese tenido un hijo —continuó con dificultad, temblándole la voz—, la propiedad habría pasado a mi hermano menor. —Se interrumpió otra vez para cobrar aliento—. Mi esposa tenía serias dificultades para quedar encinta. Una y otra vez concebía y luego perdía el niño durante los primeros meses de embarazo. Ya casi habíamos perdido toda esperanza cuando fue a visitarme a Egipto, donde yo servía en el ejército. Era un destino peligroso tanto por las contiendas como por los riesgos naturales para la salud. Yo me sentí inquieto por ella, pero mi esposa estaba resuelta a emprender el viaje a toda costa.

Una vez iniciado el relato, las palabras fluían. Todos los hombres y las mujeres de la sala escuchaban con atención. Nadie movía siquiera una mano.

—Estuvo conmigo algo más de un mes. —Se le quebró la voz—: Creo que disfrutó de su estancia. Después regresó en barco, Nilo abajo, hasta Alejandría. He tenido mucho tiempo para reflexionar sobre lo ocurrido, para intentar comprender por qué mataron a mi esposa. Era una mujer generosa que jamás hizo daño a nadie. —Se lo veía confundido, abatido—. Y para entender por qué Miriam, a quien todos apreciábamos tanto, podía querer hacerle daño. Traté de recordar lo que se dijo en la mesa mientras cenábamos. Verona habló de Egipto y de su viaje de regreso por el Nilo. Lucius le preguntó sobre una excursión en concreto y ella contestó que quiso ir, pero no pudo porque no se encontraba muy bien. Le quitó importancia, pues aunque entonces lo lamentó no era ya más que un recuerdo. —Se puso muy pálido. Miró hacia Lucius—. Lo siento mucho —agregó con voz ronca. Luego, volvió a mirar al frente—. Anoche fui a leer su diario de aquella época y encontré una alusión a ese día; hablaba de su pena, de su aflicción, y recordaba las palabras tranquilizadoras de Aiden: todo iría bien si conservaba el coraje y no se lo contaba a nadie. Y ella hizo exactamente lo que él le ordenó. —Se quedó sin habla un instante—. Por fin lo comprendí.

Rathbone apenas si respiraba, de tan atento como estaba al rostro blanco de Harry Stourbridge y a su lastimosa voz.

—Tras su regreso a Inglaterra —prosiguió Stourbridge—, me escribió diciendo que durante su estancia en Egipto se había quedado encinta y que se encontraba muy bien y que confiaba en que esta vez el embarazo llegaría a su fin. Mi alegría fue inmensa, más por ella que por mí.

Una mujer sollozó, conmovida en lo más hondo, sintiéndose quizás identificada.

Rathbone echó una ojeada a Miriam. Parecía que hubiese visto a la mismísima muerte.

Harry Stourbridge no la miraba y tampoco miraba a Lucius ni a Aiden Campbell, sino que mantenía la vista fija al frente, hacia una visión del pasado que sólo él llegaba a ver. Siguió hablando.

—A su debido tiempo me enteré de que había dado a luz un niño sano, mi hijo Lucius. Fui el hombre más feliz de la tierra. Poco tiempo después, mis obligaciones me llevaron de regreso a Inglaterra y lo vi. Era hermoso, y muy parecido a mi esposa.

No pudo continuar. Le llevó un buen rato recuperar el dominio de sí mismo. Cuando habló lo hizo con la voz enronquecida, casi susurrando.

—Lo quise mucho, y aún lo quiero. La verdad no tiene..., no tiene nada que ver con eso, pues nunca cambiará. —Inspiró profundamente y al soltar el aire tosió—. Pero ahora sé que no es mi hijo, y no lo es de mi esposa.

Una onda expansiva sacudió la sala como si la hubiese alcanzado un terremoto. Los miembros del jurado estaban paralizados. Hasta el juez se agarró al asiento, como para no perder la compostura.

Rathbone tenía la boca seca y el corazón le latía con fuerza.

Harry Stourbridge miró a Lucius y susurró:

—Perdóname. Siempre te he querido y siempre te querré. —Volvió a mirar al frente, en posición de firme—. Lucius es hijo del hermano de mi esposa, Aiden Campbell, engendrado mediante la violación de su doncella de doce años, Miriam Speake, para que yo tuviera un heredero y su hermana no perdiera el acceso a mi fortuna en caso de que yo pereciera en acto de servicio o por enfermedad durante mis estancias en el extranjero. Ella siempre fue muy generosa con él.

Un airado murmullo de desaprobación llenó la sala.

Aiden Campbell se puso de pie de un salto, pero no encontró palabras para negar lo que estaba escrito en el rostro de todos los presentes.

Dos ujieres se aproximaron a él para sujetarlo en caso necesario.

Harry Stourbridge continuó como si no reparara en nadie, no podía dejar su historia inacabada.

—Asesinó a la comadrona para que nunca lo pudiera contar y también intentó matar a la madre, pero, pese a su angustia y su histeria, ella escapó. Quizá nunca supo la pobre si su bebé vivió o murió, hasta que en su propia fiesta de compromiso vio a Aiden empuñar un mazo de croquet, blandiéndolo en alto en broma, y de pronto la asaltó el recuerdo, comprendiendo una realidad tan espantosa que lo único que pudo hacer fue huir de todos nosotros y guardar silencio aunque ello le costara la vida, en lugar de permitir que los demás se enteraran y menos que nadie Lucius, quien se había enamorado de su... propia... madre. —No pudo seguir hablando; a pesar de sus esfuerzos, las lágrimas le rodaban por las mejillas.

El ruido en la sala fue en aumento como el rugido de la marea creciente. La compasión y la ira inundaron la estancia.

Los ujieres rodearon a Aiden Campbell, tal vez para sujetarle, tal vez incluso para protegerlo.

Rathbone estaba mareado. Entrevió vagamente a Hester y, justo detrás de su hombro, a Monk, que estaba tan asombrado como ella.

Levantó la vista hacia Miriam. Ni por un instante tuvo que preguntarse si aquello era la verdad; estaba escrito en sus ojos, en su boca, en cada ángulo de su cuerpo.

Se volvió hacia Harry Stourbridge.

—Gracias —le dijo en voz baja—. Ninguno de los presentes podemos figurarnos lo que le habrá costado decir esto. No sé si el señor Tobias tiene que hacerle más preguntas, pero yo he terminado.

Tobias se puso de pie, empezó a hablar, se interrumpió, echó un vistazo al jurado, miró luego al juez.

—Creo, señoría, que en interés de la verdad es necesario concretar algunos detalles. Por más terrible que sea esta historia, hay aspectos... —Hizo un gesto de impotencia y dejó el resto sin decir.

Rathbone seguía de pie y aprovechó la ocasión.

—En mi opinión, señoría, ahora la señora Gardiner ya no tiene nada que ocultar. Si la llamo al estrado, puede que esté preparada para contarnos lo poco que aún no sabemos.

—Faltaría más —accedió el juez—. Si es que ella está dispuesta y en condiciones. —Se volvió hacia Stourbridge—. Gracias, señor, por su honestidad. No tenemos nada más que preguntarle.

Como un hombre andando dentro del agua, Harry Stourbridge bajó el tramo de escalera y se quedó plantado en medio de la sala. Levantó la vista hacia el banquillo, donde Miriam ya se había puesto de pie. Había tanta ternura en esa mirada que la sala permaneció muda, una compasión y una gratitud que, aun con toda su tribulación, no le pudo pasar a ella por alto.

Aguardó mientras la joven bajaba; el celador se hizo a un lado, como dando por finalizado su cometido.

Miriam se detuvo delante de Harry Stourbridge. Vacilante, el comandante posó una mano en su brazo, tan levemente que ella apenas lo notó. Él le sonrió, y Miriam puso su mano encima de la suya un instante y siguió su camino hacia el estrado, subió y se volvió de cara a Rathbone y al tribunal.

—Señora Gardiner —dijo Rathbone en voz baja—, ahora comprendo por qué prefería usted enfrentarse a la soga, por un crimen que no había cometido, en lugar de dejar que Lucius Stourbridge se enterara de la verdad sobre su nacimiento. Pero eso ya no es posible. Tampoco lo es que Aiden Campbell siga ocultando sus actos ni culparla a usted de ninguna parte de ellos. No voy a pedirle que reviva un pasado que tiene que dolerle lo inimaginable, pero la justicia requiere que le diga al jurado lo que sabe sobre las muertes de James Treadwell y Verona Stourbridge.

Miriam hizo ademán de asentir con la cabeza, moviéndola apenas, y con voz muy queda, exhausta, comenzó:

—Salí corriendo del campo de croquet. Al principio me daba igual adónde ir, cualquier sitio, fuera de aquella casa, donde pudiera estar sola para tratar de comprender lo que había ocurrido, descifrar lo que acababa de recordar, ver si podía ser cierto. Deseaba que no lo fuera, más que nada en el mundo. —Se interrumpió un momento—. Por supuesto, lo era, pero no terminé de aceptarlo entonces. Fui corriendo a los establos y le supliqué a Treadwell que me sacara de allí. Le di mi relicario como pago. Era codicioso, pero no un mal hombre del todo. Le pedí que me llevara a Hampstead Heath. No le dije por qué. Quería regresar al sitio donde mataron a la pobre señorita Bailey, para recordar lo que realmente ocurrió y comprobar que el recuerdo fugaz que me vino en el campo de croquet no era una especie de locura. —Alguien tosió, y el ruido hizo que la gente empezara a murmurar—. Aiden Campbell sin duda se percató de que lo había reconocido —prosiguió—. Él también recordaría y quizás adivinó adónde me dirigía yo. Nos siguió y nos encontró cerca del árbol donde estaban los restos de la señorita Bailey. Tenía que matar a Treadwell si quería matarme a mí, pues él le habría hecho chantaje durante toda su vida. Primero golpeó a Treadwell. Lo pilló totalmente desprevenido. Yo eché a correr. Conozco la zona mejor que él porque llevo años viviendo cerca del Heath. Quizá la desesperación me dio velocidad. Estaba oscureciendo. Logré escapar. Después de eso no sabía adónde ir ni qué hacer. Finalmente, por la mañana, fui a casa de Cleo Anderson, de nuevo. Pero esta vez no me atreví a contarle ni siquiera a ella lo que sabía.

—¿Y la muerte de Verona Stourbridge, después de que la liberaran a usted bajo la custodia de los Stourbridge? —quiso saber Rathbone.

Ella lo miró fijamente y balbuceó:

—Yo no podía decírselo a nadie...

—Lo comprendemos. ¿Qué sabe acerca de la muerte de Verona Stourbridge?

—Creo que ella siempre pensó que Lucius era... un bebé abandonado. Le ocultó la verdad al comandante Stourbridge, pero no estaba enterada de ningún crimen, sólo de su propio engaño, fruto de su desesperación al ser incapaz de concebir un hijo para su marido. Ahora sé que ella sabía que era el hijo de Aiden, pero no tenía constancia de mí ni de mi participación en el asunto. Seguro que le preguntó a Aiden lo que ella no sabía, pero éste, por más que la quisiera, no podía permitir que su hermana supiera la verdad. —Bajó la voz—: No importa lo unidos que estuvieran, y realmente lo estaban, un día u otro ella se lo habría dicho a alguien, habría sentido la necesidad de..., de contarlo. —Contra su voluntad, desvió la mirada hacia Lucius, sentado en un banco de la primera fila, con las mejillas bañadas en lágrimas—. Lo siento mucho —susurró Miriam—. Lo siento muchísimo...

Rathbone se volvió hacia el juez.

—Señoría, ¿es necesario que sigamos prolongando esto? ¿Podemos aplazar la vista durante una hora antes de concluir? No tengo nada más que preguntar y me resisto a creer que el señor Tobias quiera ahondar más en el asunto.

Tobias se puso de pie y aceptó la propuesta.

—Por mí no hay inconveniente, señoría. Lo poco que queda puede abordarse después del aplazamiento. El comandante Stourbridge y su familia cuentan con mi más profunda compasión.

—Muy bien —decidió el juez, dio un golpe con su mazo y, tras un instante de inmovilidad general, la gente empezó a desplazarse.

Rathbone estaba agotado, exhausto, como si hubiese recorrido un larguísimo trayecto a pie. Se volvió hacia Hester y Monk, que avanzaban hacia él.

Justo detrás de ellos había un hombre con el pelo negro despeinado y una barba que le salía disparada en todas direcciones. Rebosaba satisfacción, con los ojos muy brillantes.

Hester sonrió.

—Has conseguido lo imposible —le dijo Monk a Rathbone, tendiéndole la mano.

Rathbone se la estrechó con fuerza durante unos segundos.

—Aún tenemos pendiente el asunto de las medicinas —advirtió el abogado..

—¡No, ya no! —aseguró Hester—. El señor Phillips, aquí presente, es el boticario del hospital. Ha convencido a Fermín Thorpe de que nadie ha robado nada en la farmacia. Todo se debía al desperdicio habitual y a unas cuantas anotaciones poco exactas en los libros. Así que no ha habido ningún robo. Fue una equivocación suponerlo.

Rathbone no daba crédito. Contempló a Phillips con interés y un creciente respeto al preguntar:

—¿Cómo diablos lo ha hecho?

—Nunca lo había pasado tan bien —contestó el boticario, sonriendo de oreja a oreja—. Un discreto intercambio de favores; ¡resurrección, podríamos decir!

Monk examinó el rostro de Hester entrecerrando los ojos.

Ella le devolvió una mirada de pura inocencia.

—Bien hecho, señor Phillips —apreció Rathbone—. Le quedo muy agradecido.